Dr. phil. Michael Broda,
Dipl.-Psych.
Schriftleitung PiD

„Man hebt einen Stand am besten dadurch, dass man sich eine gute Konkurrenz schafft.“

Kurt Tucholsky

Liebe Leserinnen, liebe Leser,
auf einem großen Fachkongress für Psychosomatik und Psychotherapie im Frühjahr wurde wieder deutlich, in welchem Ausmaß psychische, soziale und somatische Dimensionen bei einzelnen Symptomen miteinander interagieren. Es wurde auch deutlich, dass jede isolierte und nicht an einem bio-psycho-sozialen Modell ausgerichtete Betrachtung von Leid zwangsläufig die Lücke zwischen „objektivem Befund“ und „subjektivem Befinden“ vergrößert und nicht schließt.

Deutlich wurde auch, wie sehr das Fach Psychologie auf konzeptueller und auf forscherischer Ebene unentbehrlich für das Verständnis hochkomplexer Zusammenhänge im menschlichen Erleben und Verhalten geworden ist, und wie stark psychotherapeutische Erkenntnisse von diesem Wissen profitieren.

In der Politik wird gerade die Ausbildung in der Psychotherapie neu geregelt. Es soll einen neuen Studiengang geben, das sog. Direktstudium zum Psychotherapeuten bzw. zur Psychotherapeutin. In diesem Zusammenhang bleibt zu hoffen, dass dieses Direktstudium der Psychotherapie nicht der Gefahr erliegt, eine rein anwendungsbezogene Perspektive einzunehmen, sondern sich immer auf die geisteswissenschaftlichen Wurzeln der Psychologie besinnt und dabei weder die soziale noch die somatische Dimension aus dem Auge verliert. Wenn wir unser medizinisches, psychologisches und soziologisches Wissen in einen gemeinsamen Dialog einbringen, können wir PatientInnen besser helfen, als wenn wir der berufspolitischen Versuchung eines Konkurrenzdenkens den Vorzug geben.

Beispiele für diese Art einer bio-psycho-sozialen, aufeinander bezogenen Betrachtung finden Sie auch wieder in diesem Heft – ich wünsche Ihnen eine gewinnbringende Lektüre!

Ihr
Michael Broda

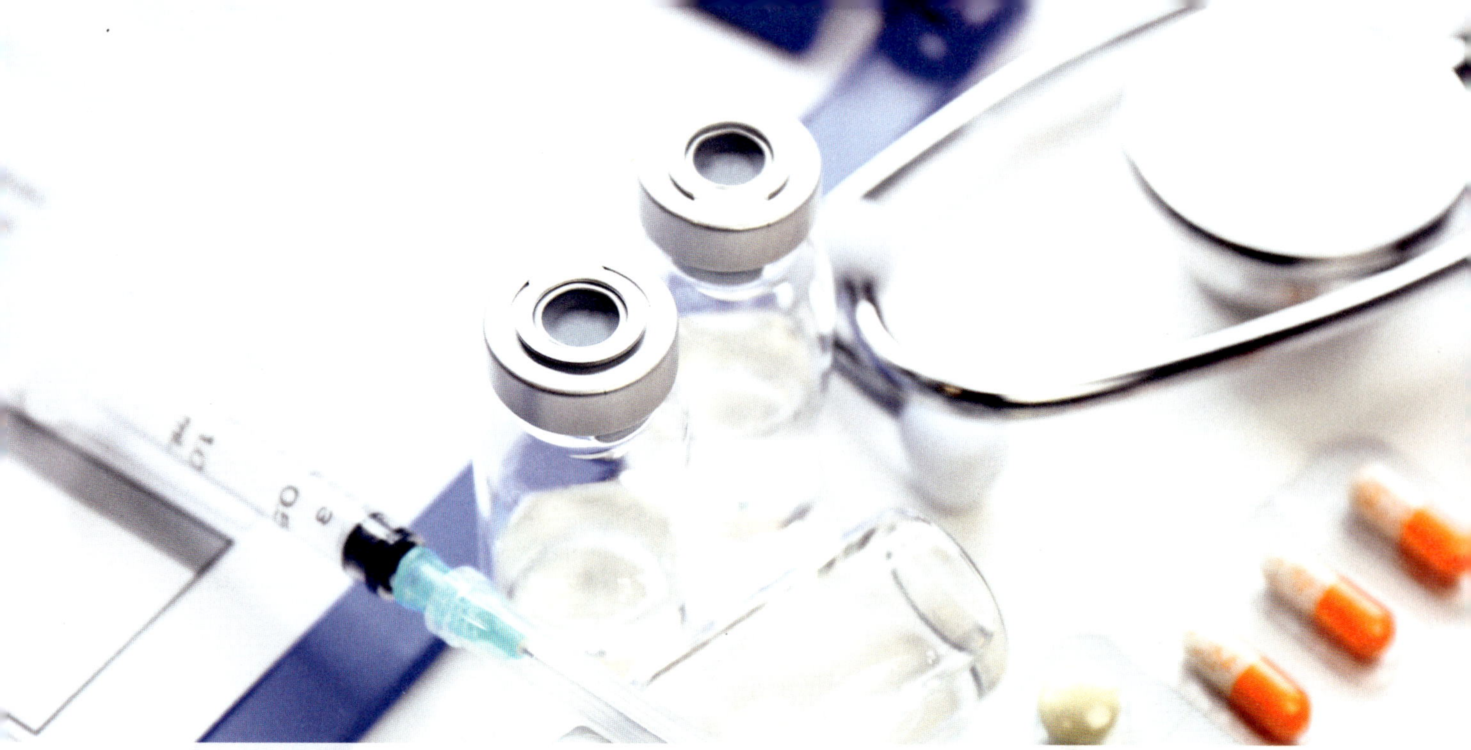

Das Buch zum Kurs

Endlich gibt es ein Buch zum Kurs!
Für eine effektive Vorbereitung zum Kurs „Suchtmedizinische Grundversorgung und zum Fachkundenachweis Sucht“.
Es bietet den kompletten Inhalt der Weiterbildung nach dem Curriculum der Landesärztekammern:

- Vorbeugung, Diagnostik, Therapie und Rehabilitation von Suchtkrankheiten
- Beratung im Zusammenhang mit suchterzeugenden Stoffen und nicht stoffgebundenen Suchterkrankungen
- Pharmakologie von Medikamenten mit Missbrauchs- und Abhängigkeitspotential
- Unterstützung bei Entzug und Entwöhnung
- wichtige Aspekte der Substitutionstherapie

Suchtmedizinische Grundversorgung
Bastigkeit/Weber
2018.
224 S., 27 Abb., kart.
ISBN 978 3 13 240136 5
49,99 € [D]

Buch plus Online-Version in der eRef

www.thieme.de/shop

Thieme

Let's talk about …

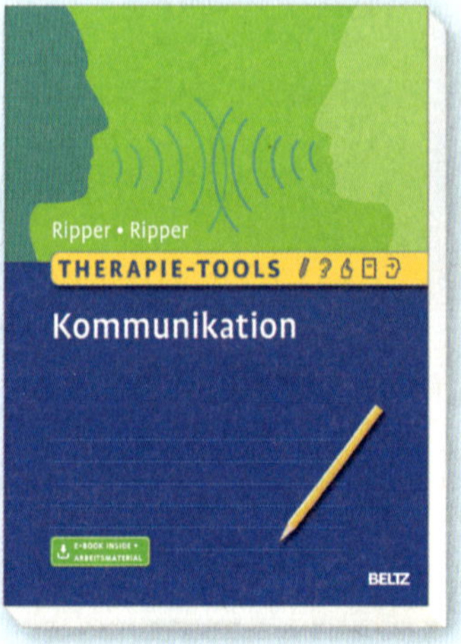

Die vielfältigen Materialien, Arbeitsblätter und Übungen helfen, Gesprächssituationen gezielt zu reflektieren und die Kommunikationsfähigkeit systematisch weiterzuentwickeln – sowohl Ihre eigene als auch die Ihrer Klient_innen.

Settings:

- in der Psychotherapie
- in der Klinik
- in Unternehmen
- zwischen Kollegen
- in der Schule
- in Gruppen
- bei Konflikten
- Feedback …

2018. 308 Seiten. € 39,95 D
ISBN 978-3-621-28580-3

Theorien und Modelle:

- Shannon und Weaver
- Schulz von Thun
- Watzlawick
- Rogers
- Gewaltfreie Kommunikation
- Motivierende Gesprächsführung
- Systemische Kommunikation
- Hypnotherapeutische Kommunikation
- Narrative Kommunikation

Leseprobe auf www.beltz.de

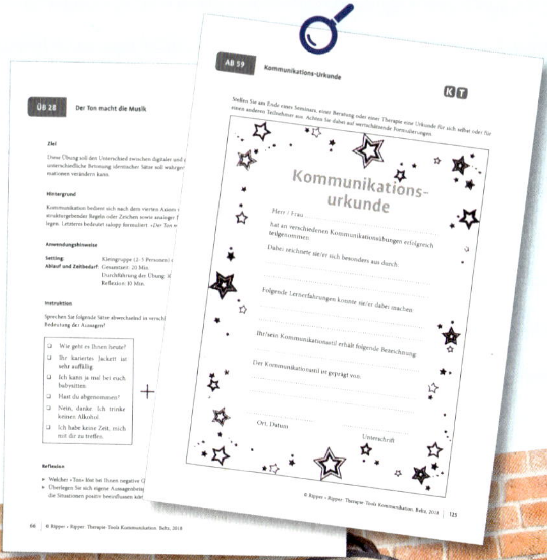

Der Einstieg in die Prinzipien und Grundlagen der Motivierenden Gesprächsführung:

- Zahlreiche Arbeitsblätter und Übungen unterstützen Klienten mit den unterschiedlichsten Problemen dabei, Veränderungsmotivation zu entwickeln.
- Die leicht zu erlernenden Techniken können zu jedem Zeitpunkt der Behandlung oder Beratung eingesetzt werden.

2., neu ausgest. Auflage 2015.
272 Seiten. € 39,95 D
ISBN 978-3-621-28250-5

2015. 330 Seiten. € 39,95 D
ISBN 978-3-621-28221-5

Mit 40 Übungen und 140 Arbeitsblättern zu Themen wie:

- Biografiearbeit
- Emotionale Kompetenzen
- Selbstwertstärkung
- Arbeit mit Selbstanteilen
- Therapeutenidentität
- Umgang mit Verlust durch Abschied oder Tod.

»Ein Muss für alle an Selbsterfahrung interessierten Therapeut*innen und Fachkräfte!« *socialnet.de*

Alle Therapie-Tools gibt es auch als E-Book.

Emotionen auf der Spur

Emotionen in der therapeutischen Arbeit sind eine echte Herausforderung.
Diese erste Materialsammlung zum Thema bietet über 100 innovative und evidenzbasierte Arbeitsmaterialien für die Emotionsregulation durch …

- Achtsamkeit, Akzeptanz und Selbstmitgefühl,
- Kognitionen,
- Verhaltensänderung,
- Aktivierung adaptiver Emotionen,
- Ressourcenaktivierung.

Mit Checklisten, Tagebüchern, Patienteninformationen sowie Problem-, Ziel- und Mittelanalysen.

2017. 258 Seiten. € 39,95 D
ISBN 978-3-621-28517-9

2., neu ausgest. Auflage 2016.
264 Seiten. € 39,95 D
ISBN 978-3-621-28359-5

Alles, was Sie für die Schematherapie brauchen:

- 140 Arbeits- und Informationsblätter für Patienten und Therapeuten (Fragebögen, Hausaufgaben, Übungen) – modusspezifisch vorgestellt
- Für Einzel- und Gruppensetting

»Eine wesentliche Hilfestellung gerade in der Umsetzung der Schematherapie auch in der ambulanten Praxis – anhand der Materialien kann der Therapeut sich von schriftlichem Material entlasten und dem Klienten vielfältige Hinweise und Informationen geben … Überaus empfehlenswert für Praktiker.« *socialnet.de*

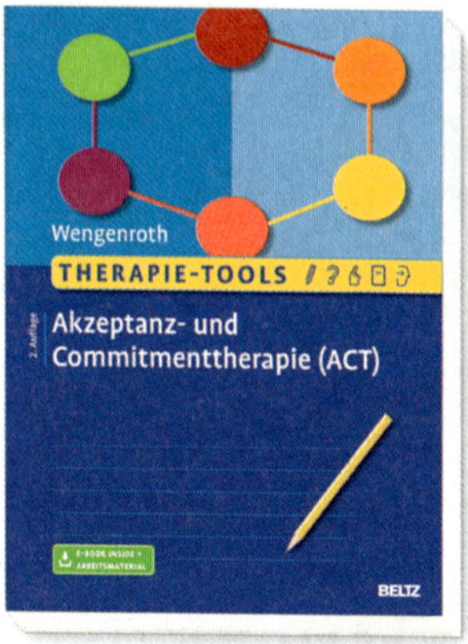

2., akt. und erw. Auflage 2017.
304 Seiten. € 44,95 D
ISBN 978-3-621-28390-8

Ein akzeptierender Umgang mit sich selbst und ein werteorientiertes Leben sind die Ziele der Akzeptanz- und Commitmenttherapie.

Die zweite Auflage der bewährten Tools enthält neue Arbeitsblätter zu den Themen:

- Problem- und Zielanalyse
- Fortschrittskontrolle
- Zwischenmenschliche Probleme
- Hilfreiche Metaphern
- Umgang mit Krisen und schwierigen Emotionen
- Selbstmotivierung

»… auch ohne umfangreiche Vorkenntnisse von ACT gut in der therapeutischen Arbeit einsetzbar.« *Psychologie in Österreich*

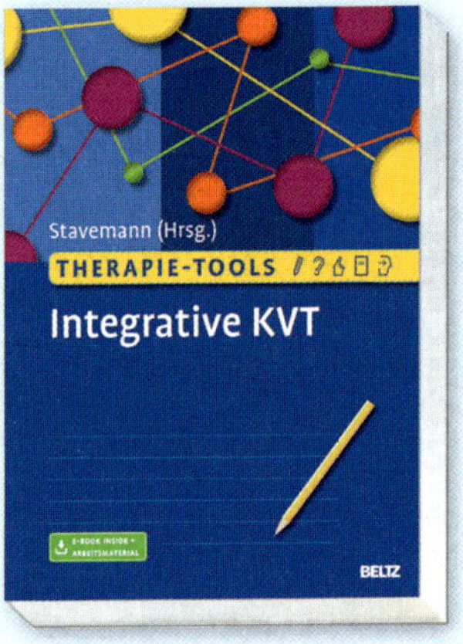

Über 300 Arbeitsblätter, Übungen und Hausaufgaben zu grundlegenden KVT-Techniken für …

- das ambulante Setting,
- spezifische Patientengruppen,
- spezifische Krankheitsbilder, Symptome, Situationen,
- modifizierte Behandlungsansätze.

»Eine unentbehrliche Sammlung…«
socialnet.de

2015. 570 Seiten. € 49,95 D
ISBN 978-3-621-28264-2

Online: Kurze Audio-Dateien zum Einsatz in der Therapie

Körperwahrnehmung schulen, stressige Situationen analysieren, bewusster in der Gegenwart bleiben …
Hier finden Sie 130 Arbeitsblätter, Infoblätter und Übungen, mit denen Sie Achtsamkeit zum Beispiel in Kliniken oder Beratungsstellen vermitteln können.

- Mit Selbsterfahrungsaufgaben sowie Entspannungsanleitungen

2016. 161 Seiten. € 36,95 D
ISBN 978-3-621-28313-7

2., überarb. Auflage 2019.
195 Seiten. € 42,95 D
ISBN 978-3-621-28669-5

In der therapeutischen Arbeit wird verstärkt Wert darauf gelegt, Resilienz auszubilden und damit psychischen Störungen und anderen persönlichen Problemen vorzubeugen.

Unterstützen Sie Ihre Klienten bei diesem »Krafttraining« für die Seele – mit zahlreichen Übungen und Arbeitsblättern, um individuelle Stärken und Ressourcen kennenzulernen und diese besser zu nutzen.

Die »sieben Wege« zu mehr Resilienz:

- Selbstwahrnehmung • Lebensfreude
- Selbstwirksamkeit • Selbstbestimmung
- Optimismus • Coping • Empathie

- Mit neuen Arbeitsblättern zu jedem Kapitel
- Für Psychotherapie, Coaching und Beratung

2. Auflage 2015. 282 Seiten. € 39,95 D
ISBN 978-3-621-28321-2

Was stärkt einen Menschen? Was macht sein Leben lebenswert, auch wenn Probleme den Alltag belasten?
Hier wird die Positive Psychologie ganz praxisnah aufbereitet. Ein großer Fundus an Übungen hilft Ihren Klient_innen dabei, aus dem Schatten ihrer Probleme zu treten und die Sonnenseiten des Lebens wahrzunehmen.

Aus dem Inhalt:

- Achtsamkeit (z. B. Schulung der Wahrnehmung, im Einklang mit sich selbst sein)
- Glück (z. B. Warum Glück so gut tut, Glücksstrategien in den Alltag integrieren)
- Mut (z. B. Mut durch Ermutigung, Mut im Alltag)

Alle Therapie-Tools gibt es auch als E-Book.

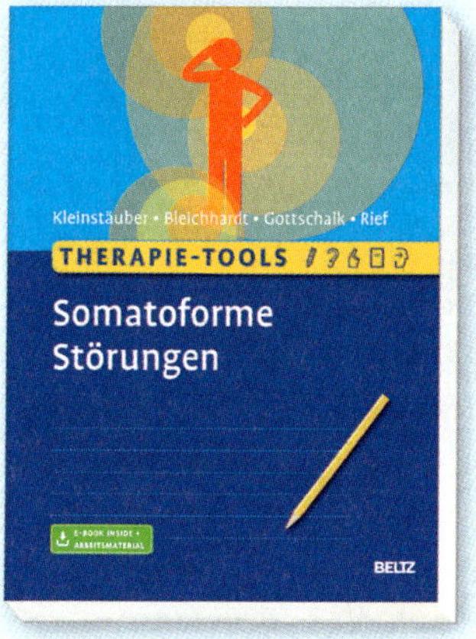

2018. 353 Seiten. € 39,95 D
ISBN 978-3-621-28375-5

Über 150 praktische Übungen und Arbeitsmaterialien zu den Themen:

- Die Grundhaltung des Therapeuten
- Exploration und diagnostische Klassifikation
- Biografische Arbeit, Mikro- und Makroanalyse
- Die frustrierende Suche nach Erklärungen – Erwartungen an die Therapie und Behandlungsziele
- Kognitive Interventionen
- Stresserleben und -bewältigung
- Flexibilisierung der Aufmerksamkeitsausrichtung
- Krankheitsverhalten
- Emotionen und Körperbeschwerden
- Körperbild
- Probleme in der Kommunikation mit dem Arzt
- Bewältigungsmodell, Therapieabschluss und Rückfallprophylaxe

Ein spezielles Setting

2017. 256 Seiten. € 39,95 D
ISBN 978-3-621-28426-4

Das erfahrene, multiprofessionelle Expertenteam zeigt mit praktisch einsetzbaren Tools, wie eine gute Therapie mit Migranten und Geflüchteten gelingen kann.

- Arbeitsblätter und Checklisten erleichtern den Zugang zu den Patienten – von der Planung über die Kontaktaufnahme bis hin zum therapeutischen Prozess.
- Mit Hilfestellungen bei gutachterlichen Äußerungen und Praxisanleitungen zur Arbeit mit Dolmetschern

»Ein gelungenes Werk für den Einstieg in ein schwieriges Thema.«
psychologie-ausbildung.com

Materialien für die Arbeit mit Geflüchteten unter ▸▸▸ **www.beltz.de/migration**

Von renommierten Suchtexperten

Abhängigkeiten erfolgreich behandeln

2019. 260 Seiten. € 42,95 D
ISBN 978-3-621-28680-0

Umfassende Arbeitsmaterialien sowohl für die Behandlung von Alkoholabhängigen als auch für die Raucherentwöhnung – für eine erfolgreiche und zeitökonomische Therapie:

- Diagnostik und Anamnese
- Motivierung und Veränderungsentscheidung
- Entwicklung persönlicher Therapieziele
- Therapiedurchführung
- Rückfallprävention
- Erwartungen an die Therapie und Behandlungsziele
- Kognitive Interventionen
- Stresserleben und -bewältigung
- Krankheitsverhalten
- Emotionen und Körperbeschwerden
- Körperbild
- Probleme in der Kommunikation mit dem Arzt
- Bewältigungsmodell, Therapieabschluss und Rückfallprophylaxe

Leseproben und Inhaltsverzeichnisse zu allen Therapie-Tools unter www.beltz.de

Materialien für CBASP

Menschen mit chronischer Depression haben oft Schwierigkeiten, ihre zwischenmenschlichen Beziehungen erfolgreich zu gestalten. Genau hier setzt CBASP an. Die Materialien

- unterstützen Ihre Patient_innen dabei, den Einfluss von Beziehungserfahrungen auf ihr heutiges Erleben und Verhalten zu erkennen und zu verändern.
- erläutern Schritt für Schritt wichtige Techniken des CBASP.

Aus dem Inhalt:

- Diagnostik
- Psychoedukation
- Materialien für Einzel- und Gruppentherapie
- Materialien für Training, Selbsterfahrung und Supervision

2018. 138 Seiten. € 39,95 D
ISBN 978-3-621-28475-2

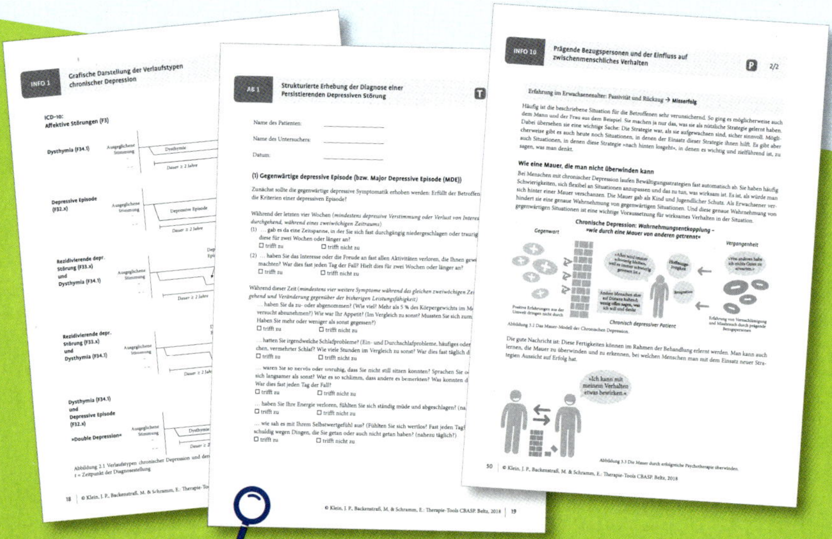

Leseprobe auf www.beltz.de

Sie wollen sofort mit den Therapie-Tools arbeiten? Gleich E-Book downloaden unter www.beltz.de

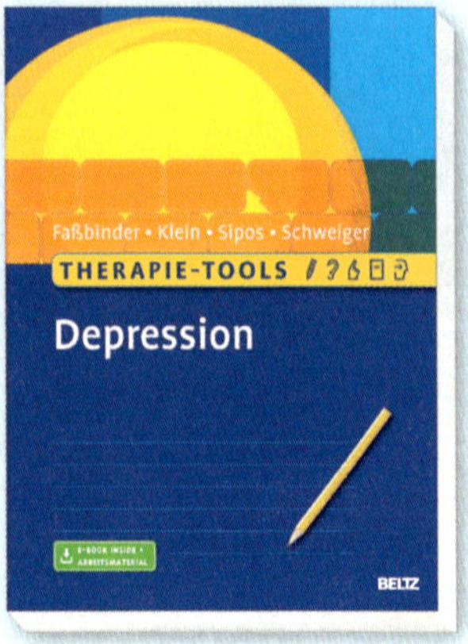

- Über 200 Übungen, Arbeits- und Informationsblätter
- Direkt einsetzbare Instrumente aus KVT, CBASP, Schematherapie, ACT und Metakognitiver Therapie

»Das Buch ist eine Schatzkiste und sollte in jeder psychotherapeutischen Praxis zu finden sein.« *psychologie-ausbildung.com*

2015. 368 Seiten. € 44,95 D
ISBN 978-3-621-28225-3

Bei der Psychotherapie mit Menschen mit geistiger Behinderung sind einige Besonderheiten und Herausforderungen zu beachten. Wichtig sind z. B. ein vereinfachtes Sprachniveau und der Einbezug von Bezugspersonen in die Therapie.

- Arbeitsblätter für Patientinnen und Patienten in »leichter Sprache«

2017. 176 Seiten. € 39,95 D
ISBN 978-3-621-28446-2

Alle Therapie-Tools gibt es auch als E-Book

2014. 272 Seiten. € 39,95 D
ISBN 978-3-621-28155-3

Psychosen werden sowohl mit Psychopharmaka als auch psychotherapeutisch behandelt. Hier erhalten Sie »Werkzeuge« zum direkten Einsatz in der Therapie – u. a. Checklisten, Interviews und Protokollvorlagen.

Aus dem Inhalt:

- Einstieg in Behandlung und Beziehungsaufbau
- Diagnostik
- Therapievorbereitung: Therapieziele und Arbeitsmodelle
- Emotionale Stabilisierung, Verbesserung der Stimmung und Reduzierung der Negativsymptomatik
- Umgang mit Wahn und Halluzinationen
- Veränderung dysfunktionaler Grundüberzeugungen
- Akzeptanz- und Achtsamkeitsstrategien
- Rückfallprävention

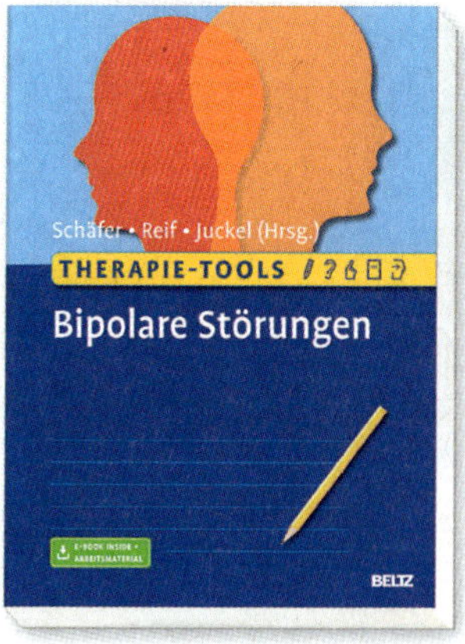

2016. 303 Seiten. € 39,95 D
ISBN 978-3-621-28343-4

148 Arbeits- und Informationsblätter zur Behandlung bipolarer Patienten in allen Phasen. Ein Schwerpunkt liegt auf klassischen verhaltenstherapeutischen Techniken.

Themen:

Früherkennung
Emotionen und Impulskontrolle
Achtsamkeit und Akzeptanz
Ressourcen und Wohlbefinden fördern
Entspannung
Stressbewältigung und Regelung des Schlafverhaltens
Problemlösestrategien
Metakognitives Training (MKT)
Rückfallprophylaxe und Notfallmaßnahmen
Einbezug der Angehörigen
Narrative Kommunikation

2014. 264 Seiten. € 39,95 D
ISBN 978-3-621-28135-5

- Diagnostische sowie therapeutische Materialien für die häufigsten Angststörungen: Panikstörung, Agoraphobie, Soziale Phobie, Spezifische Phobie, Generalisierte Angststörung, Krankheitsangst
- Traditionelle KVT-Techniken und neue Ansätze wie z.B. etwa Achtsamkeit, ACT oder Motivierende Gesprächsführung

Themen:
- Zielklärung und Veränderungsmotivation
- Psychoedukation und Selbstbeobachtung
- Kontrollerleben und Angstbewältigung
- Kognitive Strategien
- Exposition
- Emotionsfokussierte Strategien
- Aufrechterhaltung und Rückfallprophylaxe

»Eine Fundgrube für die praktische Arbeit.«
lovelybooks.de

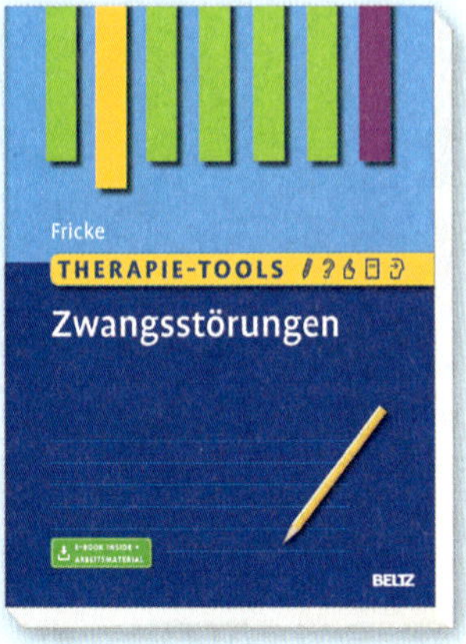

2016. 318 Seiten. € 39,95 D
ISBN 978-3-621-28355-7

Schritt für Schritt Zwänge bewältigen: Die Informations- und Arbeitsblätter leiten durch die gesamte Therapie – von der Eingangsphase über die Planung und eigentliche Behandlung bis hin zur Gestaltung des Therapieendes.

Themen:
- Beziehungsgestaltung
- Zwangstypische Fehlbewertungen
- Kognitive und metakognitive Strategien
- Exposition in sensu und in vivo
- Exposition außerhalb des Therapiezimmers
- Motivationsschwierigkeiten
- Einbeziehung von Angehörigen
- Aufrechterhaltung der Erfolge und Rückfallprophylaxe u.v.m.

»Für angehende wie erfahrene TherapeutInnen … sehr zu empfehlen.« *socialnet.de*

Alle Therapie-Tools gibt es auch als E-Book.

Malen gezielt in der Therapie einsetzen

2018. 210 Seiten. € 29,95 D
ISBN 978-3-621-28655-8

Hier finden Sie Mal- und Zeichenvorlagen zu den Bereichen:

- Das bin ich!
- Familie
- Freunde
- Gedanken, Gefühle, Körper
- Interventionen
- Skalen und »Wege«
- Comicstrips
- Mandalas u.a.m.

Die Vorlagen sind den unterschiedlichen kognitiven, sprachlichen, emotionalen und sozialen Entwicklungsständen der Kinder und Jugendlichen angepasst. Sie können die Motive in der Beratung, Diagnostik oder Therapie sowie im Verlauf für Feedback und Reflexion einsetzen.

»Einfach genial. Gut strukturiert und zielgerichtet. Kann das Buch nur empfehlen.«
»Sehr anregend gestaltet, flexibel einsetzbar, greift sehr viele Themen auf.«
Kundenrezensionen auf amazon.de

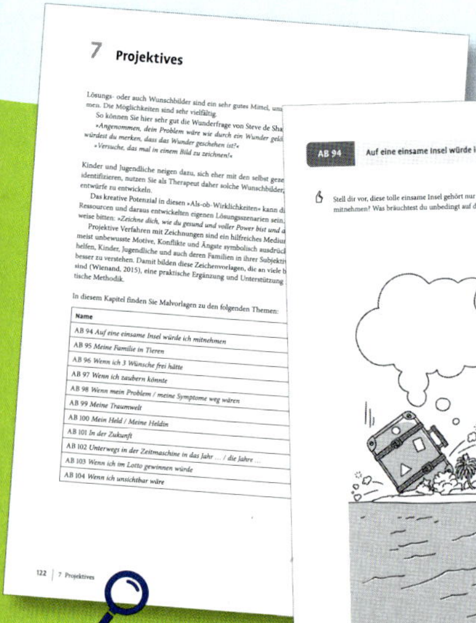

Leseprobe auf www.beltz.de

3., überarb. Auflage 2018.
207 Seiten. € 39,95 D
ISBN 978-3-621-28585-8

113 Arbeitsblätter für die Arbeit mit jungen Klienten, ihren Eltern und Lehrkräften – für alle Phasen der Therapie.

»Eine der wenigen Materialsammlungen, die sich explizit mit der Behandlung von Kindern und Jugendlichen auseinandersetzt … vor allem für Anfänger ein echtes Muss.« *socialnet.de*

Materialien für die Eltern- und Familienarbeit – von der Diagnostik über Psychoedukation bis zur Motivation der Eltern.

- Liebevoll illustriert
- Auch für die Erziehungsberatung

»Hervorragend geeignet.« *Zeitschrift für Psychiatrie, Psychologie und Psychotherapie*

2017. 178 Seiten. € 36,95 D
ISBN 978-3-621-28502-5

Dieser reich bestückte »Werkzeugkoffer« erweitert das Repertoire für die Therapie und Beratung von jungen Klienten und deren Familien. 75 leicht anwendbare Übungen helfen dabei, gemeinsam Lösungsmöglichkeiten zu entwickeln.

2013. 300 Seiten. € 39,95 D
ISBN 978-3-621-28103-4

2018. 250 Seiten. € 39,95 D
ISBN 978-3-621-28593-3

Materialien für die Behandlung von ADHS im Vorschul-, Grundschul- und Jugendalter:

- Therapiemotivation
- Unaufmerksamkeit
- Impulsivität
- Hyperaktivität
- soziale Kompetenzen
- Emotionsregulation
- Arbeit mit den Eltern u.a.m.

»Eine sinnvolle und bereichernde Unterstützung für jeden Pädagogen und Psychologen.«
lehrerbibliothek.de

2015. 282 Seiten. € 39,95 D
ISBN 978-3-621-28267-3

Über 140 Arbeitsblätter zu den Themen:

- Diagnostik, Anamnese
- Ressourcen, Beziehungsaufbau, Motivation und Ziele
- Psychoedukation, Aufklärung
- Suizidalität/Krisen
- Aktivierung, Genuss und Entspannung
- Gefühle, Gedanken und Bewertungen
- Beziehungen und soziale Kompetenzen
- Eltern und Familie
- Abschluss der Behandlung u.a.m.

»Ausgesprochen praxisnah und arbeitserleichternd … sehr vielfältig!«
psychotherapietipp.de

Prof. Dr. phil. Maria Borcsa, Dipl.-Psych.

(*1967) ist Professorin für Klinische Psychologie an der Hochschule Nordhausen. Nach Ausbildung und Tätigkeit an der Psychotherapeutischen Ambulanz der Universität Freiburg i.Br. und einer Psychosomatischen Fachklinik war sie in eigener Praxis als approbierte Psychologische Psychotherapeutin (VT) und Familientherapeutin tätig. Sie ist Dozentin für Systemische Beratung und Therapie im In- und Ausland und Supervisorin in Verhaltens- und Systemischer Therapie.

Dr. phil. Michael Broda, Dipl.-Psych.

Schriftleitung, *1952, ist Psychologischer Psychotherapeut, Supervisor und Lehrtherapeut für Verhaltenstherapie. Nach universitärer Lehr- und Forschungstätigkeit im Bereich der Rehabilitationspsychologie war er leitend in einer psychosomatischen Fachklinik tätig. Seit 1997 arbeitet er niedergelassen in eigener Praxis in Dahn. Er ist Mitherausgeber der Lehrbücher „Praxis der Psychotherapie“ (mit W. Senf) und „Technik der Psychotherapie“ (mit W. Senf und B. Wilms) sowie Fachgutachter Verhaltenstherapie (KBV) und Sachverständiger beim IMPP.

Claudia Dahm-Mory, Dipl.-Psych.

*1972, ist Psychologin, systemische Einzel-, Paar- und Familientherapeutin (SG), systemische Supervisorin (SG) und CBASP-Therapeutin und -Trainerin. Nach 20 Jahren klinischer und Forschungstätigkeit in der psychiatrischen Klinik der Universität Leipzig ist sie seit 2017 selbständig. Hier hat sie drei Standbeine: die Supervision psychosozialer Einrichtungen, eine Lehrtrainertätigkeit an systemischen (ABIS Leipzig) und verhaltenstherapeutischen Instituten und die therapeutische Arbeit in der Praxis Mehrblick, die sie 2002 mit drei Kollegen gegründet hat.

Prof. Dr. phil. Christoph Flückiger, Dipl.-Psych.

*1974, ist Psychologischer Psychotherapeut, Supervisor und Referent an Ausbildungsinstituten für kognitive Verhaltenstherapie in der Schweiz, Deutschland und den USA. Er ist Abteilungsleiter des Lehrstuhls für Allgemeine Interventionspsychologie und Psychotherapie an den Universitäten Zürich und Leiter der am Lehrstuhl angegliederten Spezialpraxis für generalisierte Angststörungen.

Prof. Dr. med. Volker Köllner

*1960, ist Facharzt für Psychosomatische Medizin. Er war u. a. Oberarzt am Universitätsklinikum Dresden und Chefarzt der Fachklinik für Psychosomatische Medizin in Blieskastel. Seit 2015 ist er Chefarzt der Abteilung Verhaltenstherapie und Psychosomatik und ärztlicher Direktor am Rehazentrum Seehof der DRV (Deutsche Rentenversicherung Bund) in Teltow bei Berlin. Er ist Professor für Psychosomatische Medizin an der Medizinischen Fakultät Homburg/Saar und Lehrbeauftragter der Universitätsmedizin Charité, Berlin. Wissenschaftlich ist er in der Forschungsgruppe Psychosomatische Rehabilitation der Charité aktiv.

Prof. Dr. med. Henning Schauenburg

*1954, ist Arzt für Neurologie und Psychiatrie, Arzt für Psychosomatische Medizin und Psychotherapie, Psychoanalyse. Er arbeitet als Professor für Psychosomatik und Psychotherapie an der Universität Heidelberg sowie als stellvertretender Ärztlicher Direktor der Klinik für Allgemeine Innere Medizin und Psychosomatik am Universitätsklinikum Heidelberg.

Dr. phil. Barbara Stein, Dipl.-Psych.

*1960, ist Psychologische Psychotherapeutin und seit 2005 Leitende Psychologin der Klinik für Psychosomatische Medizin und Psychotherapie am Klinikum Nürnberg/Paracelsus Medizinische Privatuniversität (PMU). Ihre Schwerpunkte sind tiefenpsychologisch orientierte Psychotherapie, Paar- und Familientherapie, psychologische Beratung und Behandlung von körperlich Kranken, Supervision sowie Fort- und Weiterbildungstätigkeit.

Prof. Dr. rer. nat. Silke Wiegand-Grefe, Dipl.-Psych

*1964, ist Psychologische Psychotherapeutin (Psychoanalyse, Tiefenpsychologie), Paar- und Familientherapeutin und hat die Professur für Klinische Psychologie und Psychotherapie der MSH Medical School Hamburg, University of Applied Sciences and Medical University, inne. Sie leitet die Forschungsgruppe für Psychotherapie- und Familienforschung am Universitätsklinikum Hamburg Eppendorf in der Klinik für Kinder- und Jugendpsychiatrie, -psychotherapie und -psychosomatik. Außerdem ist sie als Dozentin und Supervisorin an mehreren Ausbildungsinstituten tätig.

Dr. med. Bettina Wilms

*1964, ist Fachärztin für Psychiatrie und Psychotherapie (Systemische Familientherapie und Verhaltenstherapie). Nach 11-jähriger Chefarzttätigkeit am Südharz Klinikum Nordhausen ist sie seit Februar 2016 Chefärztin der Klinik für Psychiatrie, Psychotherapie und Psychosomatik im Carl-von-Basedow Klinikum Saalekreis am Standort Querfurt. Ihre Schwerpunkte sind die psychiatrisch-psychotherapeutische Versorgung und berufliche Belastungssyndrome.

Dr. phil. Andrea Dinger-Broda, Dipl.-Psych.

*1957, ist Psychologische Psychotherapeutin (Verhaltenstherapie), Supervisorin, Lehrtherapeutin und Dozentin an Weiterbildungsinstituten. Nach wissenschaftlicher Mitarbeit an den Universitäten Freiburg (Rehabilitationspsychologie) und Bochum (Medizinische Psychologie) war sie als Leitende Psychologin an onkologischen, kardiologischen und psychosomatischen Rehabilitationskliniken tätig. Seit 1997 arbeitet sie niedergelassen in eigener Praxis in Dahn.

Verlag
Georg Thieme Verlag KG
Rüdigerstraße 14 · 70469 Stuttgart
Postfach 301120 · 70451 Stuttgart
www.thieme-connect.de/products
www.thieme.de/pid

Besuchen Sie die PiD im Internet! Private Abonnenten können dort alle bisher veröffentlichten Artikel über das Online-Archiv abrufen.

Indexiert in: PSYNDEX

Thieme

PiD Psychotherapie im Dialog

Juni 2019 · 20. Jahrgang · Seite 1–120

Traumafolgestörungen
Auf dem Feld der Traumafolgestörungen hat sich in den vergangenen Jahren viel getan: Biologische Grundlagen wurden erforscht, neue Konzepte entwickelt, Definitionen geschärft und Diagnosen angepasst oder neu eingeführt. Gerade in den turbulenten Zeiten der heutigen Welt und angesichts zahlreicher Geflüchteter mit traumatischen Erlebnissen ist das Gebiet von enormer Bedeutung, und nahezu alle PsychotherapeutInnen sind damit konfrontiert. Diese PiD-Ausgabe liefert sowohl Hintergrundinformationen als auch praktisches Rüstzeug für die therapeutische Arbeit mit traumatisierten Patienten.

Traumafolgestörungen

Ein Fall – verschiedene Perspektiven

Lesenswert

Backflash

Titelbild: Quelle: sandra zuerlein / stock.adobe.com

Komplexe PTBS: Sind Symptomstrukturen international vergleichbar?

Knefel M et al. The replicability of ICD-11 complex post-traumatic stress disorder symptom networks in adults. Br J Psychiatry 2019. doi: 10.1192/bjp.2018.286

Die komplexe posttraumatische Belastungsstörung (kPTBS) wird erstmals im ICD-11 beschrieben und umfasst neben den Symptomen der PTBS Zeichen einer gestörten Selbstorganisation. Da für die Symptome eine Netzwerkstruktur angenommen wird, für die der Beleg einer Generalisierbarkeit für sämtliche Bevölkerungsgruppen bis heute fehlt, haben Knefel und Team nun die Symptomstrukturen von Patienten aus 4 verschiedenen Ländern miteinander verglichen.

Die Definition der komplexen posttraumatischen Belastungsstörung (kPTBS) gehört zu den Neuerungen der 11. Fassung der internationalen Klassifikation der Krankheiten (ICD). Im ICD-11 wird dabei erstmals die klassische PTBS mit den Kardinalsymptomen des Wiedererlebens von Traumata, dem Vermeiden von an das Trauma erinnernden Reizen sowie das permanente Bedrohungsempfinden von einer komplexen PTBS mit zusätzlicher Störung der Selbstorganisation unterschieden.

Die Störung der Selbstorganisation umfasst dabei Symptome aus 3 Kategorien:

- Affektive Dysregulation,
- negatives Selbstkonzept,
- gestörte Beziehungen.

Auf theoretischer Ebene wird eine netzartige Verbindung der einzelnen Symptomgruppen angenommen. Die Ergebnisse von Netzwerkanalysen sollen dabei helfen, die führenden Beschwerden einer Erkrankung herauszustellen, und entsprechende zielorientierte Behandlungsstrategien entwickeln zu können. Da es für die kPTBS bislang noch keinen Beleg für die Generalisierbarkeit der Symptomstruktur gibt, haben Knefel und seine Kollegen nun eine entsprechende Studie durchgeführt und Patientengruppen aus 4 Ländern mit bekannten soziokulturellen Unterschieden miteinander verglichen.

Die Forscher verwendeten dazu 4 repräsentative Stichproben aus Deutschland, Großbritannien, Israel und den USA. Geeignete Patienten sollten

- an einer komplexen PTBS leiden,
- mindestens ein traumatisierendes Ereignis erlebt haben
- und einen starken Leidensdruck berichten.

Die Beeinträchtigung durch die Symptome wurde dabei mithilfe des Internationalen Traumafragebogens (ITQ) erfasst. Zur Sammlung der Symptome kamen weiterhin verschiedene Formen der Life Events Checklist (LEC) zum Einsatz.

Für jede der 4 Stichproben führten die Studienautoren eine Netzwerkanalyse der Symptome durch. Dabei untersuchten sie unter anderem die Korrelationen der einzelnen Symptome untereinander und die Stabilität der entsprechenden Konstrukte. Die dabei entstandenen Netzwerke wurden schließlich in Hinblick auf Replizierbarkeit bzw. Ähnlichkeit miteinander verglichen.

Generalisierbarkeit bestätigt

Die Gesamtstichprobe umfasste 1591 Patienten. Sie waren durchschnittlich 43,55 Jahre alt (Spannweite zwischen 14 und 99 Jahren), 67,7 % von ihnen weiblich. Obgleich die 4 Stichproben Unterschiede hinsichtlich traumatischer Erlebnisse, Symptomschwere und ihrer Symptomprofile zeigten, fielen die Ergebnisse der Netzwerkanalysen sehr ähnlich aus. Die Krankheitszeichen innerhalb einer Dimension waren bei jedem Netzwerk stark miteinander assoziiert.

Die Korrelationskoeffizienten zwischen den einzelnen Netzwerken lagen im Bereich zwischen 0,78 für Deutschland und die USA bis hin zur 0,86 für Israel und Großbritannien, die Stabilität der Netzwerke konnte von den Forschern als robust deklariert werden. Die zentralen Symptome in allen 4 Stichproben waren schließlich Gefühle der Wertlosigkeit sowie übertriebener Schreckreaktionen.

In ihrem Diskussionsteil kommen Knefel und Kollegen zu der Schlussfolgerung, dass die Symptomstruktur der neu definierten komplexen PTBS zwischen Ländern mit unterschiedlichem kulturellem Hintergrund vergleichbar und damit auch generalisierbar sei. Sie sehen in diesem Ergebnis eine gute Basis zur Entwicklung neuer Therapiestrategien.

Da alle 4 in der Studie vertretenen Länder westliche Industriegesellschaften sind, dürften jedoch die kulturellen Gemeinsamkeiten die Unterschiede eher überwiegen, sodass es spannend wäre diese Studie in China, Indien, Russland oder Afrika zu replizieren.

FAZIT

In dieser Netzwerkanalyse zeigten die Symptomstrukturen von Patientengruppen mit komplexer posttraumatischer Belastungsstörung aus 4 verschiedenen Ländern eine große Ähnlichkeit. So waren viele Leitsymptome und auch die Korrelationen zwischen einzelnen Krankheitszeichen trotz bekannter kultureller Unterschiede vergleichbar. Die Autorinnen/Autoren halten die neue ICD-11 Definition daher für generalisierbar und sehen in der Netzwerkanalyse eine gute Grundlage zur Entwicklung neuer Therapieansätze.

Dipl.-Psych. Annika Simon, Hannover

Psychotherapeutische Interventionen zeigen positive Effekte bei Anorexia Nervosa

Zeeck A et al. Psychotherapeutic Treatment for Anorexia Nervosa: A Systematic Review and Network Meta-Analysis. Frontiers in psychiatry 2018; 9: 158. doi:10.3389/fpsyt.2018.00158.

Die Anorexia Nervosa (AN) – oder auch Magersucht – ist eine v. a. bei jüngeren Frauen auftretende Erkrankung, die mit erheblichen gesundheitlichen Beeinträchtigungen und funktionellen Störungen bis hin zu höheren Sterblichkeitsraten einhergeht. Die Optimierung psychotherapeutischer Behandlungsansätze und der Nachweis von Wirkeffekten stellen eine große Herausforderung dar. Die Autoren geben in ihrer Arbeit einen systematischen Überblick zur Evidenzgrundlage psychotherapeutischer Versorgung sowie zu den unterschiedlichen Behandlungsansätzen und Wirkeffekten. Dabei werden Arbeiten bewertet, die zwischen 2008 und 2017 publiziert wurden. Gefundene Studienergebnisse werden gepoolt; von initial über 800 gescreenten Artikeln werden 18 RCT-Arbeiten (n = 1247) einer Metaanalyse unterzogen und 38 Arbeiten (RCT und naturalistische Studien, n = 1164) mithilfe der standardisierten Mittelwertdifferenzen analysiert. Studienbefunde zu Erwachsenen und Jugendlichen werden von den Autoren getrennt ausgewertet. Primäre Ergebnisvariable aller Studien ist die Gewichtszunahme.

Die in den Studien angewendeten psychotherapeutischen Behandlungen umfassen ein breites Spektrum von familienbezogenen Ansätzen, Formen kognitiver Verhaltenstherapie bis hin zu psychodynamischer Therapie. Die meisten Studien sind von moderater oder hoher Qualität. Die Metaanalyse vergleicht unterschiedliche Behandlungsansätze, allerdings gibt es bei keiner Studie nicht-behandelte Vergleichsgruppen, sodass ausschließlich aktive Behandlungsarme verglichen werden können. Die Autoren zeigen, dass familienzentrierte Ansätze bei den Jugendlichen überwiegen, wohingegen bei den Erwachsenen individuelle Psychotherapien dominieren. Bei den Erwachsenen wird bezogen auf die gefundenen Effektstärken der primären Ergebnisvariablen keine Überlegenheit einer psychotherapeutischen Behandlungsform gegenüber einer anderen feststellt. Für die Jugendlichen zeigt sich eine leichte Überlegenheit der familienbezogenen Ansätze im Vergleich zur individuellen Psychotherapie. Die Analyse der standardisierten Mittelwertveränderung bezogen auf die Altersgruppen zeigt höhere Effektstärken für die Adoleszenten im Vergleich zu den Erwachsenen sowohl bei den RCTs als auch bei den naturalistischen Untersuchungsansätzen.

FAZIT

Die Autoren verweisen auf eine in den letzten Dekaden deutlich verbesserte Evidenz psychotherapeutischer Behandlung für Patienten mit AN. Dies ist zu unterstreichen, denn es handelt sich um eine (psycho-) therapeutisch schwer zu erreichende Diagnosegruppe, für welche es keine alternativen wirksamkeitsgeprüften pharmakologischen Behandlungsoptionen gibt. Es existiert eine große Spannbreite von psychotherapeutischen Ansätzen für Patienten mit AN mit nachgewiesenen Effekten. Wie groß die „reale" Wirksamkeit der einzelnen Interventionen allerdings einzuschätzen ist, muss offen bleiben, denn in keiner Studie gab es eine unbehandelte Kontroll- resp. Wartegruppe. Weitere Studien sollten hier ansetzen, und auch das Spektrum der relevanter primären Ergebnisvariablen erweitern, etwa um die Zielgrößen Depressivität oder Lebensqualität.
Die lesenswerte Studie von Zeeck et al. lässt lediglich für den mit dem Thema nicht vertrauten Leser eine kurze Darstellung der epidemiologischen Eckdaten der Anorexia Nervosa vermissen.

PD Dr. phil. habil. Jochen Ernst, Leipzig

Arbeit an Glaubenssätzen

Glaubenssätze sind Sätze und Regeln, die in der Kindheit durch die Familie übermittelt werden. Verschiedene psychotherapeutische Verfahren bearbeiten Glaubenssätze und ihre Auswirkung auf Verhaltensweisen. Eine Umwandlung dieser Familienregeln in weniger strikte Leitlinien soll das Wachstum und die persönliche Entwicklung des Patienten ermöglichen.

Ziele

Glaubenssätze haben viele verschiedene Namen, je nach psychotherapeutischer Ausrichtung. In der Verhaltenstherapie nennt man sie automatische Gedanken oder depressionsfördernde Grundüberzeugungen, in der systemischen Familientherapie Muss-Sätze oder Familienregeln.

Glaubenssätze können wichtige Orientierungshilfen sein. In der Regel erleben aber Patienten, die in eine psychotherapeutische Behandlung kommen, Glaubenssätze als Belastung und Entwicklungsbremse. Es sind Sätze und Regeln, die man in der Kindheit gelernt hat – manche direkt durch verbale Botschaften (explizit), manche unausgesprochen und durch Nahelegen (implizit). Durch Erziehung und Vorleben werden Einstellungen zu wichtigen Fragen vermittelt:

- Was ist erlaubt, was ist verboten?
- Welche Gefühle darf ich haben und zeigen?
- Wie gehe ich mit Misserfolgen um?
- Was darf ich worüber denken?
- Wie gehe ich mit Andersartigkeit um?

In dem Kontext, in dem diese Regeln entstehen, sollen sie das Überleben sichern. Zu einem späteren Zeitpunkt werden die Glaubenssätze verallgemeinert: sie werden jetzt in vielen Situationen angewendet. Nun passen sie aber nicht mehr, da sich der Kontext gewandelt hat. Wenn Glaubenssätze unspezifisch und allgemeingültig weiterwirken, verursachen sie Abhängigkeit, Unfreiheit, ein emotionales Gefängnis sowie bei Regelverstößen Scham- und Schuldgefühle.

In der Verhaltenstherapie leistete Albert Ellis mit dem ABC-Modell Pionierarbeit, um an irrationalen Grundüberzeugungen zu arbeiten [1]. In den psychoedukativen Manualen zur Depressionsbehandlung gehört es zum Standard, mithilfe des Eisbergmodells die Glaubenssätze (im Sinne depressionserzeugender Grundüberzeugungen oder automatischer Kognitionen) zu erarbeiten. Ziel ist es, diese durch „realistischere Alternativen" zu ersetzen.

Diesen bekannten Techniken zum Umgang mit Glaubenssätzen möchte ich eine Methode von Virginia Satir gegenüberstellen, die sich mit bewährten kognitiven Techniken kombinieren lassen. Das Ziel hierbei ist, dass „die grundlegende Weisheit und der Zweck der Regel nicht negiert wird, sondern der Zwang, den die Regel ausübt, in Wahlmöglichkeiten umgewandelt wird" [2]. Die Umwandlung von Familienregeln in Leitlinien soll Wachstum und persönliche Entwicklung ermöglichen.

Vorgehen

Das Vorgehen eignet sich sowohl für die Einzeltherapie als auch für eine psychoedukativ orientierte Gruppe. Es besteht aus insgesamt 5 Schritten, wobei Schritt 4 auch separat angewendet werden könnte. Besonders bewährt hat es sich als Ergänzung zur Umwandlung depressionsfördernder Grundüberzeugungen, die im Rahmen des Eisbergmodells thematisiert werden.

Schritt 1: Liste der Glaubenssätze erstellen

Der Patient wird gebeten, eine Liste mit Glaubenssätzen und Familienregeln zu erstellen. Zur Einleitung kann man von einem Tonband im Kopf sprechen, welches die ganze Zeit läuft, oder von automatischen Gedanken, die nicht immer explizit wahrgenommen werden. Sie sind dennoch vorhanden und beeinflussen unser Denken. Um die Sätze später gut umwandeln zu können, müssen sie in der Form einer Regel notiert werden: z. B. „Ich muss immer…" oder „Ich darf nie…".

Beim Aufschreiben der Sätze auf ein Flipchart oder eine Tafel wird der Patient ermutigt, besonders auf seinen Körper und seine Gefühle zu achten.

Zur Verdeutlichung des Vorgehens wird der exemplarische Glaubenssatz verwendet: *Ich muss es den anderen immer recht machen, damit ich nicht verlassen werde.*

Schritt 2: Sinnhaftigkeit und Überlebensaspekte erarbeiten

Ziel des 2. Schrittes ist es, die Glaubenssätze mit Familienregeln in Verbindung zu bringen. Vom Patient sollen dabei Überlebensaspekte und Sinnhaftigkeit dieser Sätze in deren Entstehungszeit herausgearbeitet werden. Mögliche Fragen sind:

- Aus welcher Zeit in Ihrem Leben könnte der Satz stammen?
- Von wem haben Sie diesen Satz mitbekommen?
- Welchen Sinn hatte dieser Satz in Ihrer Herkunftsfamilie?
- Welcher Weisheitskern oder Überlebensaspekt steckt in jedem dieser Sätze?

Schritt 3: Heutige Sinnhaftigkeit erarbeiten

Hier wird erarbeitet, ob und wenn ja, welchen Zweck dieser Satz heute noch erfüllt. An dieser Stelle lässt sich der Blick darauf richten, mit welchen Konsequenzen der Patient rechnet, wenn er diesen Satz nicht erfüllt, und ob das im Hier und Jetzt tatsächlich eintritt. Es lassen sich gut Aspekte erarbeiten, die zeigen, dass die Familienregel in manchen Situationen nützlich sein kann.

Schritt 4: Umwandeln der Familienregeln in Leitlinien

Gemeinsam mit dem Patienten werden die starren Regeln in Leitlinien verwandelt. Der Patient wird angeleitet, in 3 Schritten die Regeln umzuformulieren:

1. Schritt Suchen Sie für die Worte „muss", „sollte" oder „darf nicht" eine neue Formulierung: „kann", „möchte", „will" etc.

Ersetzen Sie in der Grundüberzeugung die alte durch Ihre neue Formulierung.

Beispiel:
- Ich *muss* es den anderen immer recht machen.
- Ich *kann* es den anderen immer recht machen.

2. Schritt Ersetzen Sie Worte wie „niemals", „immer" oder „nie" durch eine neue Formulierung: „manchmal", „jetzt", „oft", „wahrscheinlich" etc. Verwenden Sie auch eigene Umformulierungen, die Ihnen einfallen.

Beispiel: Ich kann es den anderen *immer* recht machen.
- Ich kann es den anderen *manchmal* recht machen.

3. Schritt Erweitern Sie diesen Satz um 3 oder mehr Möglichkeiten mit einem Nebensatz beginnend mit: „..., wenn ..." Notieren Sie möglichst viele Beispiele, wann der Satz für Sie Geltung haben kann!

Beispiel: Ich kann es manchmal den anderen recht machen,
- *wenn* mir der andere besonders wichtig ist,
- *wenn* ich Zeit und Kraft dafür habe,
- *wenn* der andere auch mal für mich da ist,
- *wenn* ...

Notieren Sie die neu entstandenen Leitlinien auf einem Blatt.

An dieser Stelle ist es wichtig, die Wahrnehmung des Patienten erneut auf den Körper zu lenken, um ihn die Veränderungen erspüren zu lassen, wenn Leitlinien gegen Familienregeln ausgetauscht werden: *Erleichterung, Entspannung, weniger Druck, frei fühlen etc.*

Schritt 5: Weitergabe der Familienregeln

An wen wurden die Familienregeln bereits weitergegeben? Ist es dem Patienten möglich, die weitergegebenen Familienregeln auch für andere in Leitlinien umzuwandeln?

Bei diesem Schritt wird dem Patienten bewusst, dass er selbst die Familienregeln bereits weitergegeben hat, meist an die eigenen Kinder. Diese Erkenntnis löst manchmal Schuldgefühle aus. Es ergibt sich dadurch aber auch die Möglichkeit, die Wut, die sich gegen die Herkunftsfamilie entwickeln kann in einen neuen Kontext zu setzen. Regeln werden nicht absichtlich oder zum Schaden des anderen tradiert, sondern oft einfach nur, weil sie nicht hinterfragt oder verändert wurden.

Bei vielen Patienten lässt sich so die Motivation für die Veränderung der Familienregeln erhöhen. Diese Veränderung fällt oftmals schwer. Trotzdem ist vielen klar, dass sie den Satz als Leitlinie und nicht als Familienregel an die nächste Generation weitergeben möchten.

Schlussbemerkung

Die Arbeit mit Glaubenssätzen ist meist in einen längeren therapeutischen Prozess eingebettet. Die Umwandlung in Leitlinien, wie sie oben beschrieben wurde, ist dabei nur eine Möglichkeit zur Veränderung. Glaubenssätze können auch in Form von Aufträgen aus der Herkunftsfamilie auftreten. Weitere Formen des therapeutischen Umgangs mit Glaubenssätzen sind beispielweise die Skulpturarbeit nach Satir oder die Rückgabe der Aufträge an Familienmitglieder in einer Arbeit mit leeren Stühlen als Stellvertreter.

Autorinnen/Autoren

Claudia Dahm-Mory, geboren 1972, ist Psychologin, systemische Einzel-, Paar- und Familientherapeutin (SG), systemische Supervisorin (SG) und CBASP-Therapeutin und -Trainerin. Nach 20 Jahren klinischer und Forschungstätigkeit in der psychiatrischen Klinik der Universität Leipzig ist sie seit 2017 selbständig. Hier hat sie 3 Standbeine: die Supervision psychosozialer Einrichtungen, eine Lehrtrainertätigkeit an systemischen (ABIS Leipzig) und verhaltenstherapeutischen Instituten und die therapeutische Arbeit in der Praxis Mehrblick, die sie 2002 mit 3 Kollegen gegründet hat.

Korrespondenzadresse

Claudia Dahm-Mory
Praxis Mehrblick – Praxis für Systemische Beratung, Therapie und Supervision
Friedrich-Ebert-Str. 118
04105 Leipzig
claudia.dahm-mory@praxis-mehrblick.de

Literatur

[1] Ellis A. Grundlagen und Methoden der Rational-Emotiven Verhaltenstherapie. 2. Aufl. Stuttgart: Klett-Cotta; 2008
[2] Satir V, Banmen J, Gerber J, Gomori M. Das Satir-Modell: Familientherapie und ihre Erweiterung. Paderborn: Junfermann; 1995
[3] Satir V. Kommunikation, Selbstwert, Kongruenz. Konzepte und Perspektiven familientherapeutischer Praxis. 5. Aufl. Paderborn: Jungfermann; 1996
[4] Schaub A, Roth E, Goldmann U. Kognitiv-psychoedukative Therapie zur Bewältigung von Depressionen. Ein Therapiemanual. Göttingen: Hogrefe; 2006

Bibliografie

DOI https://doi.org/10.1055/a-0771-5006
PiD - Psychotherapie im Dialog 2019; 20: 9–10

ISSN 1438-7026

Thieme

Traumafolgestörungen

Prof. Henning Schauenburg

Prof. Volker Köllner

Prof. Maria Borcsa

20 Jahre später – Trauma revisited

Liebe Leserin, lieber Leser,
das erste Heft der PiD im Jahr 2000 widmete sich der posttraumatischen Belastungsstörung. Dies war bestimmt kein Zufall für eine schulenübergreifende Zeitschrift. Dass im Bereich der Traumafolgestörungen damals eine gewisse professionelle Verunsicherung und damit besonderer Handlungsbedarf bestand, war sicher ein Grund für diese Wahl. Anders als in anderen Feldern der Psychotherapie, konnte sich bei TraumapatientInnen keines der etablierten Verfahren wirklich sattelfest fühlen. Und es war klar, dass aufkommende Konzepte des neuen Umgangs mit dieser Patientengruppe teilweise quer zu den Schulen standen.

Inzwischen sind 20 Jahre vergangen, in denen vieles im Feld der Traumafolgestörungen geschehen ist. Wir fanden also, dass es Zeit war für ein neues Heft zu diesem Thema[1]. Für uns HerausgeberInnen war es in diesem Fall nicht allzu schwer, AutorInnen mit Expertise zu finden und glücklicherweise fiel es auch leicht, sie zur Mitarbeit zu gewinnen. Und so finden wir, dass die Artikel unseres Heftes in umfassender Weise die Errungenschaften der letzten Jahre abbilden.

Alle psychotherapeutischen Schulen haben ihre Vorgehensweisen differenziert, um den psychologischen wie biologischen Eigenarten der PatientInnen mit diesen Störungen Rechnung zu tragen und dabei die sozialen Bedingungen zu berücksichtigen. Neue diagnostische Kriterien wurden geschaffen. Abgrenzungen zu den sogenannten „kleinen Traumata“ sind besser definiert worden. Zwar gibt es die kritisch beäugte inflationäre Verwendung des Begriffs Trauma. Diese stellt sicher auch ein Risiko für das angemessene Verständnis komplexer innerpsychischer Vorgänge dar, die man in grauer Vorzeit mal „neurotisch“ genannt hat. Demgegenüber steht aber die ungeheure Bedeutung des speziellen Feldes in den turbulenten Zeiten in der heutigen Welt. Diese erfordert z. B. eine praktische Anpassung unserer Interventionen an die Möglichkeiten und Bedürfnisse von PatientInnen, die bspw. vor Krieg und Gewalt geflüchtet sind. Auch wissen wir viel mehr über die körperlichen Folgen von Traumatisierung wie auch deren Auswirkungen auf Lebensläufe und die generationale Weitergabe.

Aus der Bedeutung ergeben sich sozialmedizinische Fragestellungen, die wir kritisch diskutieren.

Die Erprobung neuer Herangehensweisen, von denen EMDR und Narrative Exposition nur die wichtigsten sind, wirft nicht zuletzt behandlungstechnische Fragen auf verschiedenen Ebenen auf.

Wir finden, dass dieses Heft ein Füllhorn ist, hoffentlich auch für Sie!
Danke, dass Sie unsere Zeitschrift lesen!

Henning Schauenburg
Volker Köllner
Maria Borcsa

1 2014 ist allerdings ein Heft speziell zum Thema „Sexuelle Traumatisierung“ erschienen – daraus ist vieles noch aktuell. Wer in diesem Heft also Beiträge speziell zu diesem Thema vermisst, sei auf das Themenheft von 2014 verwiesen.

Traumafolgestörungen

Katharina Senger

Definitionen, Fakten, Relevantes – die PiD-Essentials fassen die wichtigsten Informationen zum Thema des Heftes knapp und übersichtlich für Sie zusammen.

Traumatische Erlebnisse

Nach der Weltgesundheitsorganisation (WHO) wird ein Trauma beschrieben als ein „kurz- oder langanhaltendes Ereignis oder Geschehen von außergewöhnlicher Bedrohung mit katastrophalem Ausmaß, das nahezu bei jedem tiefgreifende Verzweiflung auslösen würde." Kurzanhaltende Traumata, auch Typ-I-Traumata genannt, sind z. B. Vergewaltigungen, schwere Verkehrsunfälle, Banküberfalle oder Naturkatastrophen – Ereignisse, die einmalig, plötzlich, von kurzer Dauer und von der betroffenen Person meist sehr lebendig wiedererlebt werden. Unter langanhaltenden Ereignissen, sog. Typ-II-Traumata, wird eine Serie von miteinander verknüpften Geschehnissen verstanden, z. B. wiederholte sexuelle oder körperliche Misshandlungen, Kriegserfahrungen oder Geiselhaft. Das Wiedererinnern ist hier häufig diffuser. Daneben zählen, nach einer Überarbeitung der Definition im DSM-IV, schwere körperliche Erkrankungen und medizinische Eingriffe als Traumata.

Traumabedingte Folgestörungen

Im Alltag werden wir immer wieder mit schwierigen, gefährlichen Situationen konfrontiert. Die erfolgreiche Bewältigung führt zur Stabilisierung und einem schnellen Abrufen von Problemlösefertigkeiten. Wird die Bedrohung jedoch größer als die eigenen Bewältigungsmöglichkeiten wahrgenommen und weder (Überlebens-)Kampf noch Flucht gelingen als natürliche Schutzfunktionen, kann es zur Überforderung des Organismus kommen mit Gefühlen der Hilflosigkeit und Ohnmacht. Das Erleben eines oder mehrerer traumatischer Ereignisse kann so zur Entwicklung einer traumabedingten Störung auf Körper- und Verhaltensebene führen.

Als häufigste und bisher am besten beschriebene Folgereaktion gilt die **Posttraumatische Belastungsstörung** (PTSD) (F43.1) mit den Kernsymptomen des Wiedererlebens des Traumas in Form von sich aufdrängenden Erinnerungen (Flashbacks) oder Alpträumen, der Vermeidung von Situationen, die an das Trauma erinnern und einem Hyperarousal. Während im ICD-10 die subjektive Komponente („tiefgreifende Verzweiflung") noch besteht, wird diese im DSM-5 nicht mehr aufgegriffen. Die kommenden Änderungen im ICD-11 verwerfen dieses Kriterium jedoch ebenfalls. Daneben wird in der Neufassung des ICD die **„Komplexe Posttraumatische Belastungsstörung"** in das Klassifikationssystem gelistet, das neben den Symptomen der PTSD Schwierigkeiten in der Affektregulation, ein negatives Selbstbild sowie Störungen in Beziehungen integriert. Zum anderen sind die aktuell noch unscharfen diagnostischen Kriterien der **Anpassungsstörungen** (F43.2) künftig stärker am Konzept der PTSD orientiert und als **„Stress-Response-Syndrom"** definiert (siehe Artikel von Bachem, Lorenz, Köllner im diesem Heft).

Als weitere psychische Traumafolge wird die **Akute posttraumatische Belastungsreaktion** (F43.0, zukünftig die akute Stressreaktion nach ICD-11) klassifiziert. Die Diagnosekriterien umfassen ebenfalls die Konfrontation einer Person mit einem traumatischen Ereignis, auf das ähnlich wie bei der PTSD reagiert wird, mit dem Unterschied des spontanen Abklingens der Symptome innerhalb weniger Tage nach dem traumatischen Ereignis.

Neben den oder anstelle der genannten spezifischen Folgereaktionen kann es zur Entwicklung weiterer Störungsbilder kommen, die nicht immer direkt mit dem Trauma assoziiert werden. Hierzu zählen:

- **Depressive Störungen** (F32, 33, 34): Störungen der Affektregulation, die nach Traumatisierungen einhergehen können mit einer erhöhten Aggressivität, aber auch Ängsten, diffusen Anspannungsgefühlen, raschen Stimmungsschwankungen, Schuldgefühlen, Hilf- und Freudlosigkeit bis hin zu Suizidgedanken und/oder -versuchen.
- **Dissoziative Störungen** (F44): Verlust der Integration von Sinneseindrücken, des Gedächtnisses oder der Selbst- und Körperwahrnehmung, der häufig in Verbindung mit einem traumatisierenden Lebensereignis steht (v. a. Kindheitstraumata, Retraumatisierungen im Erwachsenenalter, personale und intrafamiliäre Traumatisierungen). Das „unwirkliche Erleben" oder „neben sich stehen" wird als Schutzfunktion betrachtet, welches der Psyche ermöglicht, starke Affekte zu bewältigen. Als schwerste Form gilt die dis-

Senger K. Traumafolgestörungen. PiD - Psychotherapie im Dialog 2019; 20: 12–13 soziative Identitätsstörung, bei der es innerhalb einer Person zu einer Aufspaltung in 2 oder mehr Persönlichkeiten kommt.

- **Somatisierungsstörungen**, insbesondere somatoforme Schmerzstörungen (F45): Insbesondere Rückenschmerzen ohne somatischen Befund und Abdominalbeschwerden werden häufig nach personaler Traumatisierung (körperliche oder sexuelle Misshandlungen) berichtet.
- **Persönlichkeitsstörungen** (F60): V. a. bei Patienten mit einer Borderline-, aber auch einer antisozialen, dependenten oder paranoiden Persönlichkeitsstörung können körperliche, sexuelle oder emotionale Traumatisierungen gehäuft in der Biografie exploriert werden.
- **Ess-Störungen** (F50): V. a. Bulimia nervosa kann ebenfalls eine Reaktion auf ein Trauma in der Kindheit sein. Dabei wirken sowohl selbstinduziertes Erbrechen als auch Essanfälle spannungsreduzierend.
- **Angsterkrankungen** (F40): Wichtig ist hierbei die genaue Betrachtung, ob sich spezifische und agoraphobische Ängste sekundär nach einem Trauma entwickelt haben (Situationen, die an das Trauma erinnern) und als Vermeidungsverhalten im Rahmen der Traumatisierung gesehen werden können.
- **Substanzmissbrauch** (F1x.): Infolge eines Traumas greifen Betroffene nicht selten zu Alkohol, Medikamenten und Drogen. Die Substanzen werden missbräuchlich eingesetzt, um Einfluss auf unwillentliche wiederkehrende schlimme Erinnerungen, Hyperarousal-Symptome, Schlafstörungen oder unangenehme Emotionen wie Aggression oder Niedergeschlagenheit ein- bzw. ihnen entgegenzuwirken.

Epidemiologie

Untersuchungen zur Häufigkeit einer Traumafolgestörung beziehen sich meist auf die Entwicklung einer PTSD. Hierbei wurde festgestellt, dass ein großer Teil der Menschheit (USA 61 % der Männer, 51 % der Frauen; BRD 26 % Männer, 18 % Frauen) mindestens einmal in ihrem Leben mit einem traumaischen Ereignis konfrontier waren, gleichzeitig jedoch nur ein vergleichsweise geringer Teil eine PTSD entwickelt (Lebenszeitprävalenz Männer: 5 %, Frauen: 10,4 %). Dabei unterscheiden sich die Prävalenzraten je nach Art des Traumas:

- Vergewaltigung: höchste Störungswahrscheinlichkeit mit einer Lebenszeitprävalenz von ca. 50 %
- andere Gewaltverbrechen: ca. 25 %
- Kriegstraumata: ca. 20 %; höhere Prävalenzraten bei SoldatInnen mit sexuellem Missbrauch in der Vorgeschichte,
- Verkehrsunfälle: ca. 10 %; höhere Raten (bis ca. 20 %) werden bei Zugführern berichtet, die mit Personenunfällen konfrontiert werden,
- körperliche Erkrankungen: ca. 15 % (v. a. bei Herzinfarkt- und Krebspatienten, Organtransplantationen)

Verlauf und Prognose

Traumafolgestörungen können sich prinzipiell in jedem Lebensalter nach einem erlebten Trauma entwickeln. Dabei belegen multiple Untersuchungen, dass das Risiko der Chronifizierung dann erhöht ist, wenn die Symptome nach 3–6 Monaten nicht zurückgehen; selten kommt es danach zu Spontanremissionen. Sind die Kriterien der PTSD 3 Monate nach dem Trauma nicht mehr erfüllt, kommt es zu einer stetigen Besserung bei den Betroffenen. Untersuchungen zeigen deutlich, dass eine therapeutische Behandlung die Symptomdauer durchschnittlich um die Hälfte verkürzen kann (36 vs. 64 Monate bei unbehandelten Betroffenen). Entsprechend der Forschungslage sind traumafokussierte Therapien einer eher unspezifischen Behandlung überlegen.

Autorinnen/Autoren

Katharina Senger

M.Sc.Psychologin, wissenschaftliche Mitarbeiterin in der Universitätsambulanz WiPP Landau sowie Lehrbeauftragte der Universität Koblenz-Landau, Campus Landau im Fachbereich Klinische Psychologie und Psychotherapie. Promotionsstipendiatin des WiPP e. V.

Literatur

[1] Flatten G, Gast U, Hofmann A, Knaevelsrud C, Lampe A, Liebermann P, Maercker A, Reddemann L, Wöller W. S3-Leitlinie Posttraumatische Belastungsstörung. Trauma & Gewalt 2011; 3: 202–210

[2] Schellong J, Epple F, Weidner K. Praxisbuch Psychotraumatologie. Stuttgart: Thieme; 2018

[3] Maercker A. Posttraumatische Belastungsstörungen. Berlin/Heidelberg: Springer; 2013

Bibliografie

DOI https://doi.org/10.1055/a-0771-5273
PiD - Psychotherapie im Dialog 2019; 20: 12–13

ISSN 1438–7026

Thieme

Trauma in der Erinnerung heilen

Traumafokussierte kognitive Verhaltenstherapie bei Posttraumatischer Belastungsstörung

M. Roxanne Sopp, Sarah K. Schäfer, Tanja Michael

Quelle: hikrcn/stock.adobe.com

Unwillkürliche belastende Erinnerungen und die Vermeidung traumaassoziierter Reize prägen in Folge einer Traumatisierung das Leben derjenigen, die eine Posttraumatische Belastungsstörung entwickeln. Die Teilhabe am Alltag ist in vielen Fällen nur noch eingeschränkt möglich. Traumafokussierte kognitive Verhaltenstherapien (t-KVT) bieten Verfahren, die helfen können, das Erlebte zu verarbeiten. Kernelemente sind die therapeutisch begleitete Konfrontation mit traumatischen Erinnerungen und die Bearbeitung belastender Gedanken. Die Behandlung kann den Betroffenen die Teilhabe am Alltag wieder ermöglichen.

Wenn Erinnerungen Angst machen

Die Posttraumatische Belastungsstörung (PTBS) wird häufig als Störung des Gedächtnisses beschrieben [1]. Charakteristisches Symptom der PTBS sind unwillkürlich auftretende und belastende Erinnerungen an das traumatische Ereignis – sogenannte Intrusionen – die starke Beeinträchtigungen im Alltag verursachen [2]. Intrusionen werden durch traumaassoziierte sensorische Umgebungsreize ausgelöst. Die starke sensorische Qualität von Intrusionen führt häufig zu einem Hier-und-Jetzt-Erleben. Die fehlende Kontrollierbarkeit und die starke Belastung während der Wiedererlebensepisoden führen zur Vermeidung potenzieller Auslöser und Übererregbarkeit. Die fehlende Kontrollierbarkeit und die hohe Belastung sind – neben dysfunktionalen Interpretationen des Traumas und einer erhöhten Grübelneigung – wichtige aufrechterhaltende Faktoren der Störung [3, 4].

Die t-KVT konzentriert sich auf das Traumagedächtnis. Im Mittelpunkt steht dabei die Exposition in sensu. Ziel ist eine Reduktion der Angstreaktion und Reorganisation der traumatischen Gedächtnisspur. Zusätzlich werden dysfunktionale Annahmen und Interpretationen des Traumas identifiziert, bearbeitet und neu bewertet. Die Behandlung besteht aus vier Phasen: 1) Psychoedukation, 2) Angstmanagement, 3) Exposition und ggf. 4) Kognitive Umstrukturierung [5].

Merke

Gemeinsamer Bestandteil aller verhaltenstherapeutischen Behandlungskonzepte ist die Konfrontation mit dem traumatischen Ereignis. In einigen Traumatherapien werden Elemente der Konfrontation mit spezifischen (z. B. imaginativen oder kognitiven) Techniken kombiniert.

Kognitiv-behaviorale Therapieverfahren zur Behandlung der PTBS

Langandauernde Exposition nach Foa

Laut Foa und Kozak [6] wird durch das Trauma ein assoziatives Netzwerk (sog. Furchtstruktur) gebildet. Dies besteht aus Situationsmerkmalen (z. B. „Abend“, „Mann“, „Haustür“), Reaktionselementen (bspw. „Schweißbildung“, „Herzrasen“) und der Interpretation des Traumas (bspw. „existenzielle Gefahr“). Wird ein Teil der Situationsmerkmale im Alltag reaktiviert (bspw. „Abend“, „Haustür“), führt dies zur Reaktivierung der gesamten Furchtstruktur. Es kommt zu Übererregbarkeit und Wiedererlebenssymptomen. Um diese Reaktivierung zu verhindern, entwickeln Betroffene ein generalisiertes Vermeidungsverhalten in Bezug auf traumaassoziierte Merkmale (z. B. vermeiden, abends allein zu Hause zu sein).

Auf Basis des Furchtstrukturmodells haben Foa und Kollegen die Langandauernde Exposition (engl. Prolonged Exposure) entwickelt. Ziele der Behandlung sind:

- Reaktivierung der Furchtstruktur,
- Abschwächung der Reaktionskomponenten (durch Habituation)
- Aufbau einer alternativen Struktur mit einer neuen Interpretation (bspw. „Sicherheit“ statt „existentielle Bedrohung“).

Dieser Prozess, den Foa und Kollegen als „emotional processing“ bezeichnen, wird möglich durch die wiederholte Konfrontation (in vivo und in sensu) mit dem Trauma.

Langandauernde Exposition besteht aus 8 bis 15 Einzelsitzungen mit einer Dauer von jeweils 60 bis 90 Minuten. Schwerpunkt der Behandlung ist die Exposition in sensu. Ergänzend können In-vivo-Konfrontationsübungen innerhalb der Sitzungen oder als Hausaufgabe eingesetzt werden.

KONFRONTATIONSBEDINGUNGEN

Foa [7] formuliert einige notwendige Bedingungen zur erfolgreichen therapeutischen Konfrontation:

1. Während der Konfrontation muss die Furchtstruktur möglichst mit allen verknüpften Details reaktiviert werden.
2. Die emotionale Verarbeitung („emotional processing“) darf nicht durch offene (z. B. Abbruch der Konfrontation) oder verdeckte Vermeidung (z. B. durch Dissoziation) beeinträchtigt oder unterbunden werden.
3. Damit eine alternative Struktur aufgebaut werden kann, müssen neue, korrektive Informationen vorliegen, die mit der ursprünglichen Furchtstruktur inkompatibel sind (z. B. „Wenn ich in den Nachrichten Bilder aus Afghanistan sehe, hält die Angst nicht wie erwartet ewig an.“).
4. Damit die alternative Struktur mit neuer Interpretation ausreichend stark in das Gedächtnis integriert wird, um den Abruf der alten Furchtstruktur zu hemmen, muss die Intensität der Konfrontation ausreichend hoch sein.

In-sensu-Konfrontation Aktives Erinnern wird oft lange vermieden, weil Patienten die Befürchtung haben, dass eine gedankliche Konfrontation schädlich oder gefährlich sein könnte. Es wird angenommen, dass dadurch eine derart intensive anhaltende Angst aufkommt, dass das Trauma wieder „real“ würde. Um diesen Bedenken zu begegnen, sollte der Therapeut betonen, dass trotz einer kurzfristig erhöhten Belastung eine langfristige Besserung zu erwarten ist. Zu Beginn der Behandlung liegt die Kontrolle über Tempo und Ausstieg aus dem Wiedererleben beim Patienten. Vor der Exposition wird eine hierarchische Liste der traumatischsten Erinnerungen erstellt. Während der darauffolgenden Sitzungen werden diese Erinnerungen in sensu durchlebt. Der Patient schließt die Augen. Er stellt sich die entsprechenden Ereignisse so real wie möglich vor und verbalisiert die Geschehnisse fortlaufend in der Gegenwartsform. Für ein intensiveres Nacherleben werden möglichst viele Sinnesmodalitäten einbezogen. Der Therapeut unterstützt den Patienten dabei, im Nacherleben zu bleiben (u. a. durch Rückfragen; „Was passiert jetzt?“) und erfragt in regelmäßigen Abständen das aktuelle Belastungsniveau. Der erste Übungsdurchgang wird weitestgehend von dem Patienten gesteuert. In den darauffolgenden Durchgängen greift der Therapeut mit gezielten Fragen stärker ein, um möglichst viele Details in das Nacherleben einzuschließen. Die In-sensu-Konfrontation sollte nach Foa und Kozak [6] so häufig wiederholt werden, bis eine Reduktion der Belastung (Habituation) eintritt. Neuere Befunde legen allerdings nahe, dass auch bei Patienten, die die Konfrontationssituation auf dem Höhepunkt ihrer Angst verlassen, Therapieerfolge nachzuweisen sind [8]. In neueren Arbeiten zu den Wirkmechanismen von Langandauernder Exposition [7] wird vor dem Hintergrund kognitiver Theorien (s. u.) ein stärkeres Gewicht auf kognitive Neubewertung gelegt. Bewusstwerden fehlerhafter Überzeugungen und deren Widerspruch zu Detailinformationen des Traumas sind wichtige Wirkmechanismen der Exposition. Zum Beispiel steht die Überzeugung: „Ich bin schuld an der Vergewaltigung, denn ich hätte mich stärker wehren müssen." im Widerspruch zu dem hohen Aggressionspotenzial des Angreifers. Laut Foa [7] werden diese Widersprüche im Zuge des Nacherlebens spontan aufgedeckt. Im Unterschied dazu sind Neubewertungsprozesse in kognitiv-orientierteren Verfahren durch spezifische therapeutische Techniken (**z. B. sokratischer Dialog**) explizit Gegenstand des Gesprächs zwischen Therapeut und Patient.

Im Behandlungsmanual ist eine Weiterführung der Konfrontation außerhalb der Therapie vorgesehen. Zu diesem Zweck wird die Nacherzählung während der Therapie aufgezeichnet, so dass der Patient die Konfrontation zwischen den Sitzungen selbstständig fortführen kann.

ANGST VOR NEBENWIRKUNGEN

Auf Therapeutenseite bestehen häufig Sorgen, dass die Behandlung zu einer Destabilisierung oder Retraumatisierung des Patienten führen könnte. In empirische Studien weisen expositionsbasierte Verfahren allerdings keine höhere Rate an Nebenwirkungen (insb. langfristige Symptomverschlechterung) auf als nicht-expositionsbasierte Verfahren [9]. Außerdem wird der Patient vor der Exposition ausreichend auf die Behandlung und die Möglichkeit einer kurzfristigen Belastungszunahme vorbereitet (Psychoedukation und Angstmanagement). Neben Strategien zur Angstreduktion wird ebenfalls die individuelle Dissoziationsneigung exploriert. Gegebenenfalls werden gemeinsame Strategien zur Dissoziationsunterbrechung während der Exposition vereinbart. Der Übergang in die expositionsbasierte Therapie ist eine informierte Entscheidung des Patienten und unterscheidet sich daher grundlegend von unkontrollierbaren Wiedererlebenszuständen im Alltag des Patienten.

In-vivo-Konfrontation Dysfunktionale Verknüpfungen von Situationsmerkmalen mit der Bedeutung des Traumas führen zu Vermeidungsverhalten. Um dies abzubauen, können zusätzlich In-vivo-Konfrontationen eingesetzt werden. Während der In-vivo-Konfrontation üben die Patienten eine graduelle Annäherung an die gefürchtete, aber prinzipiell ungefährliche Situation. Beispielsweise könnte eine Patientin, die seit einem nächtlichen Überfall nachts nicht mehr alleine war, zunächst für einige Stunden üben, alleine zu Hause zu sein. Die In-vivo-Konfrontationen können schrittweise gesteigert werden, bis die Patientin eine Nacht lang alleine zu Hause bleibt. Angstreduzierende Details (persönliche Sicherheitssignale) können den Habituationsprozess während der Konfrontation beeinträchtigen. Sie müssen deshalb vor der Exposition genau exploriert werden. Bei In-vivo-Konfrontation ist darauf zu achten, dass keine verhaltensbezogenen und gedanklichen Vermeidungsstrategien eingesetzt werden. Dies kann verhindert werden, indem der Therapeut die Aufmerksamkeit des Patienten auf Angstsymptome oder angstauslösende Details der Situation lenkt (z. B. darauf hinweisen, dass auf einer verlassenen Straße keine unmittelbare Hilfe durch Passanten zu erwarten ist). Der Patient verweilt so lange in der Situation, bis das Belastungsniveau deutlich reduziert ist.

Merke

Durch die Konfrontation mit traumaassoziierten, aber grundsätzlich ungefährlichen Situationen werden dysfunktionale Verknüpfungen zwischen Situationsmerkmalen, Reaktionskomponenten und der Bedeutung des Traumas aufgelöst.

Kognitive Therapie nach Ehlers und Clark

Warum halten Angstsymptome und intensive emotionale Zustände auch in Abwesenheit aktueller Gefahr an? Eine Theorie liefert das kognitive Modell zur Erklärung der Entstehung und Aufrechterhaltung der chronischen PTBS. Dabei wird angenommen, dass durch die dysfunktionale Verarbeitung des Traumas und seiner Konsequenzen das Ereignis auch gegenwärtig als schwere Bedrohung wahrgenommen wird. Dysfunktionale Interpretationen können betreffen:

- das Eintreten des Traumas (z. B. „Ich bin nirgends sicher.")
- das Verhalten während des traumatischen Ereignisses (z. B. „Hätte ich mich anders verhalten, wäre es nie so schlimm geworden.")
- anfängliche Symptome (z. B. „Ich bin innerlich tot.")
- die Reaktionen anderer auf das Trauma (z. B. „Niemand ist für mich da.")

Besonderheiten des Traumagedächtnisses (Hier-und-Jetzt-Qualität von Intrusionen, mangelnde Organisation traumatischer Erinnerungen) und ungünstiges Verhalten (z. B. Grübeln) können ebenfalls zu einem anhaltenden Bedrohungsgefühl führen. Um dies zu mindern, entwickeln sich eine Reihe von Verhaltensweisen und kognitiven Veränderungen, welche die Störung aufrechterhalten. Hierzu zählen etwa das Unterdrücken unerwünschter Gedanken an das Trauma oder assoziierte Reize sowie Sicherheitsverhalten (z. B. nach einem Autounfall nur noch in Begleitung fahren).

Auf eben diesem kognitiven Modell der chronischen PTBS basiert die Kognitive Therapie nach Ehlers und Clark [10], [11], die vor allem 3 Ziele anstrebt:

1. Verändern von dysfunktionalen Einstellungen bezogen auf das Trauma und seine Konsequenzen,
2. Reduktion intrusiven Wiedererlebens durch die Reorganisation des Traumagedächtnisses und der Identifikation von Intrusionsauslösern sowie

3. Abbau dysfunktionaler kognitiver und verhaltensbezogener Vermeidung.

Merke

Die Kognitive Therapie soll diejenigen Faktoren verändern, die im individuellen Fall die PTBS-Symptome aufrechterhalten.

Zur Veränderung dysfunktionaler Einstellungen werden im Rahmen einer Exposition in sensu besonders belastende Momente („hot spots") identifiziert. Sie sind oftmals mit zentralen ungünstigen Einstellungen assoziiert (z. B. „Ich bin selbst schuld. Hätte ich mich in diesem Moment gewehrt, hätte er von mir abgelassen."). Sind diese bekannt, werden sie mit klassischen Techniken der kognitiven Verhaltenstherapie (z. B. sokratischer Dialog) oder mit Imagery-Techniken bearbeitet und positiv verändert (z. B. „Der Täter ist schuld. Durch mein Verhalten habe ich Schlimmeres verhindert."). Die neue Interpretation wird in die Traumaerinnerung integriert (z. B. durch imaginierte oder schriftliche Exposition). Zur Elaboration des Traumagedächtnisses wird mit dem Patienten an einem kohärenten Traumanarrativ gearbeitet. Das Narrativ beginnt und endet in einer Situation, in der der Patient in Sicherheit ist. Eingebettet wird das Ereignis in diesem Zusammenhang sowohl bezogen auf die traumatische Situation als auch mit Blick auf die Biographie des Patienten. Mögliche therapeutische Techniken sind:

- Exposition in sensu
- Aufschreiben des Narrativs
- der Besuch von traumaassoziierten Orten

Um die Verbindung zwischen Reiz (traumaassoziierte Merkmale) und Reaktion (Intrusion) zu lösen, werden Auslöser für die Intrusionen identifiziert. Ziel ist der Abbau ungünstiger kognitiver und verhaltensbezogener Vermeidungsstrategien, welche die Störung aufrechterhalten (z. B. Unterdrücken von Intrusionen steigert ihre Auftretenswahrscheinlichkeit).

Merke

Es ist unerlässlich, zu Therapiebeginn ein individualisiertes Störungsmodell mit allen relevanten aufrechterhaltenden Faktoren zu erarbeiten. Gegenstand der Therapie ist anschließend die therapeutische Bearbeitung der individuell zentralen Faktoren.

Evidenzlage

Effektivität traumafokussierter KVT

Studien zeigen, dass die t-KVT in Form von Langanhaltender Exposition [6] und der Kognitiven Therapie [10] eine hohe Wirksamkeit aufweist. Laut aktueller Metaanalyse der Cochrane Collaboration [5] ist t-KVT Wartekontrollbedingungen und einer Normalversorgung, definiert als unspezifische therapeutische Behandlungen, überlegen (standardisierter Mittelwertsunterschied: 1,62). Die Metaanalyse basiert auf 70 Studien und quantifiziert die durch den Kliniker eingeschätze Symptombelastung. Keine Unterschiede zeigen sich zu dem traumafokussierten Verfahren Eye Movement Desensitization and Reprocessing (EMDR) (standardisierter Mittelwertsunterschied: 0,03).

Effektivität spezifischer Therapieverfahren bei bestimmten Patientenpopulationen

Neben den beschriebenen Verfahren wurden weitere Interventionen entwickelt. Diese sind besonders effektiv, wenn sie gezielt bei ausgewählten Patientenpopulationen zur Anwendung kommen ▶ **Abb. 1**:

Narrative Expositionstherapie (NET) Die NET kommt bei Überlebenden von anhaltender interpersoneller Gewalt sowie Kriegen und Naturkatastrophen zum Einsatz [12]. Bei der NET handelt es sich um eine Kurzzeitintervention. Ziel der NET ist die Entwicklung einer detaillierten und konsistenten Narration der eigenen Lebensgeschichte, in die auch die traumatischen Erfahrungen integriert werden. Trotz guter Behandlungseffekte ist hervorzuheben, dass die bisherige Evidenz für NET auf spezifische Populationen begrenzt bleibt und ihre Effekte numerisch kleiner sind als die allgemeiner expositionsbasierter Verfahren (u. a. Langanhaltende Exposition und Kognitive Therapie [16]).

Cognitive Restructuring and Imagery Modification (CRIM) Die CRIM wurde entwickelt, um das Gefühl des Beschmutztseins bei Opfern sexueller Gewalt zu behandeln und um andere dysfunktionale Selbstbilder gezielt bearbeiten zu können [13]. In der Kurzzeitintervention erfolgt zunächst eine klassische kognitive Umstrukturierung auf Basis vermittelter Wissensinhalte (z. B. zu Haut- und Zellerneuerung). Fokus der Intervention ist jedoch die imaginative Bearbeitung der emotionalen „Überzeugtheit" des Beschmutztseins. Hierzu imaginiert die Patientin das individuelle dysfunktionale Selbstbild, das anschließend imaginativ in ein positives Bild überführt wird. Erste Befunde legen nahe, dass sich positive Effekte im Hinblick auf die Gesamtsymptomatik zeigen [17]. Eine umfassende Prüfung, inwiefern auch andere Patientenpopulationen von der Intervention profitieren können, steht jedoch noch aus.

Cognitive Processing Therapy (CPT) Die CPT legt einen starken Fokus auf kognitive Techniken. Sie basiert auf dem sozial-kognitiven Modell der PTBS, das neben den durch das Trauma ausgelösten dysfunktionalen Kognitionen auch die Relevanz zuvor bestehender Überzeugungen betont. Eine PTBS entsteht, wenn die Integration des traumatischen Ereignisses in bestehende kognitive Schemata misslingt. Diese fehlende Integration wird im Rahmen der CPT bearbeitet. Die gute Wirksamkeit der Cognitive Processing Therapy (CPT; [14]) ist nachgewiesen. Es liegen bereits verschiedene Modifikationen für spezifische Patientenpopulationen (z. B. Opfer von sexuellem Miss-

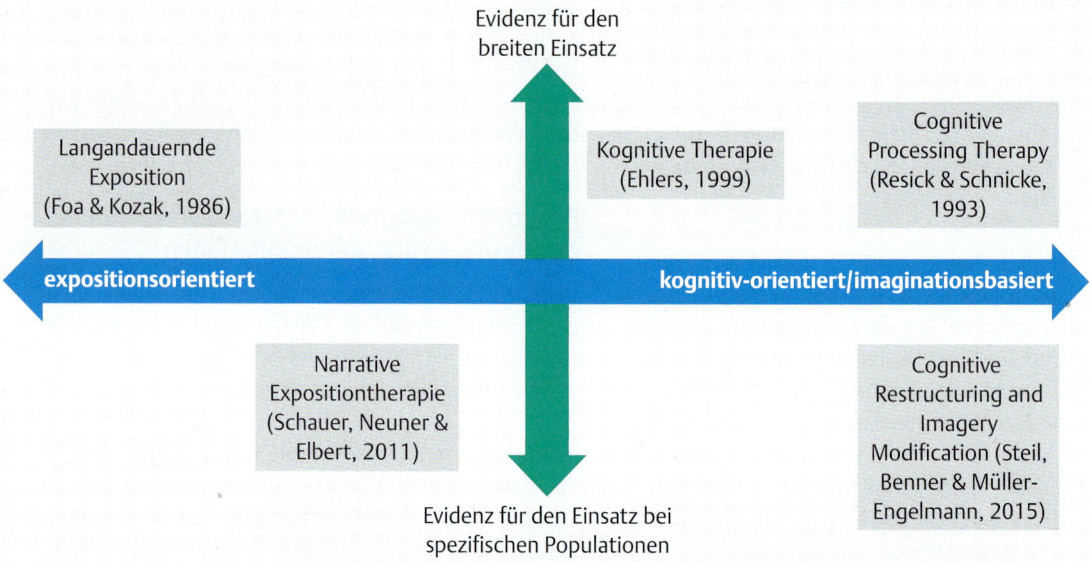

▶ **Abb. 1** Schematische Einordnung der beschriebenen verhaltenstherapeutischen Behandlungsformen in Bezug auf ihr Anwendungsspektrum (breit vs. spezifisch) und ihre Ausrichtung (expositions- vs. kognitiv-orientiert/imaginationsbasiert)

brauch im Kindes- und Jugendalter) vor. Geringere Drop-out-Raten für CPT als für Langdauernde Exposition zeigten sich – laut einer aktuellen Studie – bei Vergewaltigungsopfern, die bereits in der Kindheit Opfer physischen Missbrauchs geworden waren, gegenwärtig in einer konfliktreichen Beziehung lebten, ein hohes Maß an Trait-Ärger aufwiesen und einer ethnischen Minderheit angehörten [15].

Ausblick

Trotz hoher Effektstärken von t-KVT profitieren nicht alle Patienten gleichermaßen von der Behandlung. Etwa ein Fünftel der Patienten bricht die Behandlung ab [18]. Einige weisen auch nach Therapieende eine erhebliche Symptombelastung auf [19]. Bestehende Therapien müssen weiter verbessert werden, indem sie gezielt auf die Bedürfnisse bestimmter Patientengruppen abgestimmt und gegebenenfalls durch adjuvante Interventionen ergänzt werden. Aktuelle Forschung zur Wirksamkeit unterschiedlicher traumafokussierter Verfahren bei spezifischen Patientencharakteristika [15] und zu adjuvanten Verfahren kann hierzu einen wichtigen Beitrag leisten.

Trotz des Evidenznachweises kommen traumafokussierte Therapien (t-KVT und EMDR) auch in der Versorgungspraxis nicht immer zur Anwendung: Eine Auswertung von Berichten an den Gutachter niedergelassener Verhaltenstherapeuten zeigte, dass bei circa 30 % der PTBS-Behandlungen keine traumafokussierten Elemente geplant waren [20]. Weshalb diese höchst wirksamen Therapieverfahren in der Versorgungspraxis noch zu selten zum Einsatz kommen, sollte weiter untersucht werdens.

FAZIT

Die PTBS kann als Störung des Gedächtnisses betrachtet werden, charakterisiert durch intrusive Erinnerungen und dysfunktionale Kognitionen. Verfahren der traumafokussierten kognitiven Verhaltenstherapie schaffen durch Konfrontation mit dem Erlebten eine Möglichkeit zur Reorganisation des Gedächtnisses und zur Neubewertung der belastenden Kognitionen. Wünschenswerte Ziele für die Zukunft sind eine umfassendere Evaluation der Verfahren für bestimmte Patientengruppen und die breitere Anwendung in den Versorgungspraxen.

Interessenkonflikt

Die Autorinnen geben an, dass keine Interessenkonflikte bestehen.

Autorinnen/Autoren

Roxanne Sopp

Dr. phil. Dipl.-Psych. Psychologische Psychotherapeutin (VT) in Ausbildung am Weiterbildungsinstitut für Psychotherapie Saarbrücken (WIPS) an der Universität des Saarlandes. Wissenschaftliche Mitarbeiterin am Lehrstuhl für Klinische Psychologie und Psychotherapie an der Universität des Saarlandes. Promotion 2017. Forschungs- und Arbeitsschwerpunkte: Bedeutung von Schlaf und Schlafstörungen bei posttraumatischer Belastungsstörung.

Sarah Schäfer

M. Sc. Psych. Psychologische Psychotherapeutin (VT) in Ausbildung am Weiterbildungsinstitut für Psychotherapie Saarbrücken (WIPS) an der Universität des Saarlandes. Wissenschaftliche Mitarbeiterin am Lehrstuhl für Klinische Psychologie und Psychotherapie an der Universität des Saarlandes seit 2017. Forschungs- und Arbeitsschwerpunkte: Empirische und metaanalytische Resilienzforschung.

Tanja Michael

Prof. Dr. phil. Universitätsprofessorin für Klinische Psychologie und Psychotherapie an der Universität des Saarlandes, Psychologische Psychotherapeutin (VT) und direktive Leiterin der psychotherapeutischen Universitätsambulanz. Institutsleiterin des Weiterbildungsinstituts für Psychotherapie Saarbrücken an der Universität des Saarlandes. Forschungsschwerpunkte: Angst- und Traumafolgestörungen, Stress, Resilienz.

Korrespondenzadresse

Prof. Dr. Tanja Michael
Klinische Psychologie und Psychotherapie
Universität des Saarlandes
Campus, Gebäude A1 3, 1. OG
66123 Saarbrücken
t.michael@mx.uni-saarland.de

Literatur

[1] van Marle H. PTSD as a memory disorder. European journal of psychotraumatology 2015; 6

[2] Meyer AH, Michael T, Pfaltz MC et al. Reexperiencing symptoms, dissociation, and avoidance behaviors in daily life of patients with PTSD and patients with panic disorder with agoraphobia. Journal of traumatic stress 2013; 26: 443–450

[3] Ehlers A, Halligan S, Michael T et al. Unwanted memories of assault: what intrusion characteristics are associated with PTSD? Behaviour research and therapy 2005; 43: 613–628

[4] Clark DM, Halligan SL, Michael T et al. Rumination in posttraumatic stress disorder. Depression and anxiety 2007; 24: 307–317

[5] Andrew M, Bisson JI, Roberts NP et al. Psychological therapies for chronic post-traumatic stress disorder (PTSD) in adults. Cochrane database of systematic reviews 2013; 12

[6] Foa EB, Kozak MJ. Emotional processing of fear: exposure to corrective information. Psychological bulletin 1986; 99: 20–35

[7] Foa EB. Prolonged exposure therapy: past, present, and future. Depression and anxiety 2011; 28: 1043–1047

[8] Bentz D, Margraf J, Michael T. Konfrontation und Exposition. Psychiatrie und Psychotherapie up2date 2009; 3: 409–425

[9] Maxfield L, Taylor S, Thordarson DS et al. Comparative efficacy, speed, and adverse effects of three PTSD treatments: exposure therapy, EMDR, and relaxation training. Journal of consulting and clinical psychology 2003; 71: 330–338

[10] Clark DM, Ehlers A, Hackmann A et al. Cognitive therapy for post-traumatic stress disorder: development and evaluation. Behaviour research and therapy 2005; 43: 413–431

[11] Clark DM, Ehlers A. A cognitive model of posttraumatic stress disorder. Behaviour research and therapy 2000; 38: 319–345

[12] Elbert T, Neuner F, Schauer M. Narrative exposure therapy: A short-term treatment for traumatic stress disorders: Hogrefe Publishing; 2011

[13] Benner A, Müller-Engelmann M, Steil R et al. „Cognitive restructuring and imagery modification". Psychotherapeut 2015; 60: 310–314

[14] Resick PA, Schnicke M. Cognitive processing therapy for rape victims: A treatment manual: Sage; 1993

[15] Cohen ZD, Keefe JR, Wiltsey Stirman S et al. In rape trauma PTSD, patient characteristics indicate which trauma-focused treatment they are most likely to complete. Depression and anxiety 2018; 35: 330–338

[16] Cusack K, Forneris CA, Jonas DE et al. Psychological treatments for adults with posttraumatic stress disorder: A systematic review and meta-analysis. Clinical Psychology Review 2016; 43: 128–141

[17] Müller-Engelmann M, Steil R. Cognitive restructuring and imagery modification for posttraumatic stress disorder (CRIM-PTSD): A pilot study. Journal of Behavior Therapy and Experimental Psychiatry 2017; 54: 44–50

[18] Imel ZE, Jakupcak M, Laska K et al. Meta-analysis of dropout in treatments for posttraumatic stress disorder. Journal of consulting and clinical psychology 2013; 81: 394–404

[19] Glass CR, Schottenbauer MA, Arnkoff DB et al. Nonresponse and dropout rates in outcome studies on PTSD: Review and methodological considerations. Psychiatry: Interpersonal and biological processes 2008; 71: 134–168

[20] Equit M, Maurer S, Michael T et al. Konfrontation oder Stabilisierung: Wie planen Verhaltenstherapeuten die Behandlung bei Posttraumatischer Belastungsstörung? Verhaltenstherapie 2018; 28: 7–14

Bibliografie

DOI https://doi.org/10.1055/a-0771-4953
PiD - Psychotherapie im Dialog 2019; 20: 14–19

ISSN 1438-7026

Systemische Traumatherapie – theoretischer Hintergrund und praktische Anwendung

Reinert Hanswille

Quelle: ilkercelik/stock.adobe.com

Traumafolgestörungen werden von prozessorientierten systemischen Perspektiven als dynamischer Anpassungsprozess auf einem Kontinuum von Gesundheit und Krankheit beschrieben. In diesem Selbstorganisationsprozess sollen Bedingungen geschaffen werden, in denen stabile symptombildende Strukturen verändert werden können. Der folgende Beitrag skizziert den Prozess der Traumatisierung aus systemischer Sicht.

Synergetik als Leittheorie systemischer Traumatherapie

Synergetik ist die Wissenschaft der Selbstorganisation. Sie erklärt, wie in komplexen Systemen Muster entstehen, stabil bleiben oder sich verändern. Außerdem beschäftigt sie sich mit den Bedingungen für Veränderung, weshalb diese in manchen Situationen nur schwierig oder langsam und in anderen Situationen leicht und schnell von Statten geht. Für die systemische Psychotherapie ist besonders die Begleitung dieser Selbstorganisationsprozesse von Interesse. *„Psychotherapie lässt sich aus dieser Perspektive generell als ein Schaffen von Bedingungen für Selbstorganisationsprozesse der biologischen, psychischen und/oder sozialen Systeme des Klienten verstehen, an dem sich Therapeuten und Klienten kooperativ beteiligen“* ([1] **S. 83**, [2]).

Zusammengefasst stellt das Alltagsleben von Systemen ein Zusammenspiel unterschiedlichster „Ordnungstendenzen und Ordnungsstabilisatoren“ dar [3]. Die sich daraus entwickelnden Attraktoren ermöglichen für die unterschiedlichsten Systeme und Kontexte Verlässlichkeit und Sicherheit über die gesamte Lebensspanne. Neben diesen stabilisierenden Notwendigkeiten für den Alltag, bedarf es immer auch Anpassungsprozesse, die durch unterschiedlichste Bedingungen und Anforderungen der Umwelten angeregt werden.

Ein System befindet sich immer in einer ständigen Anpassung an die geänderten Bedingungen der Umwelt. Diesen Prozess beschreibt die Systemtheorie als Ordnungs-Ordnungs-Übergänge. Leidvolle, symptombildende Strukturen entstehen dann, wenn es einem System nicht gelingt,

Hanswille R. Systemische Traumatherapie – theoretischer Hintergrund ... PiD - Psychotherapie im Dialog 2019; 20: 20–25 ausreichend auf Anforderungen der Umwelt zu reagieren, d. h. notwendige Ordnungs-Ordnungs-Übergänge zu ermöglichen; oder aber die Ordnungstendenzen werden zu schwach und die Instabilität erzeugt eine Krise. In einer klinischen Systemtheorie geht es um „*Variablen, die selbstorganisiert Strukturen bilden und verändern, wobei nichtlineare Entwicklungssprünge typisch sind. Im Zentrum steht die Förderung inhärenter Möglichkeiten zur Weiterentwicklung, indem die Bedingungen verändert werden, welche die leidvollen Strukturen stabilisiert haben*" ([3] **S. 17**). Um Traumafolgestörungen aus systemtheoretischer Sicht zu verstehen, sollen hochkomplexe zirkuläre Interaktionen in Systemen bei und nach einer als traumatisch erlebten Situation erklärt werden.

DEFINITION

Ein Attraktor beschreibt die selbstorganisierte Reduktion komplexer Prozesse, die durch neuronal-organismische (intrasubjektive) und kommunikative/interaktionelle (interpersonelle) Rückkopplungen entstehen. Der Attraktor verengt den Möglichkeitsraum an Sicht-, Gefühls- und Verhaltensweisen. Er wird in den nachfolgenden Phasen durch Selbsterleben und zirkuläre Prozesse immer weiter verfestigt und gerät in Erstarrung ([3] S. 105f).

Die traumatische Situation und die Entwicklung der Traumafolgestörung

Fast gleichzeitig mit einem traumatischen Ereignis beginnt ein System sich auf diesen Veränderungsimpuls hin zu organisieren. Die angeregten Wahrnehmungs-, Handlungs- und Denkprozesse entwickeln eine Dynamik, die die komplexe traumatische Situation in stabile Muster überführt. Um handlungsfähig in diesen komplexen Situationen zu bleiben, ist eine Reduzierung der Reize aus der Umwelt und dem Innensystem erforderlich.

Traumatische Lebenserfahrungen werden durch den spezifischen Symptomkomplex sichtbar (Intrusionen, Vermeidung, Flashbacks, Übererregung, negative Selbstbeschreibungen, Dissoziation). Je nach Dauer, Art, Umfang und Kontextbedingungen der traumatischen Situation bilden sich stabile Muster und Attraktoren, die schon nach kurzer Zeit überstabil sind. Dieser Prozess scheint sich durch eine zirkuläre Dynamik von inneren („Ich erlebe eine Intrusion oder einen Trigger"; „Die Kaskade der physiologischen Reaktionen setzt sich in Gang und bestätigt damit mein Symptommuster") und äußeren Prozessen zu formen (z. B. Die Partnerin reagiert auf die gezeigten Symptome, was den Patienten wiederum in der Symptomatik verstärkt).

Das kann auch als Komplettierungsdynamik verstanden werden: Je stärker ein Interaktionsmuster gebildet ist, desto radikaler werden die Freiheitsgrade reduziert, die andere Interaktionen, Gedanken, Wahrnehmungen zu erzeugen. Trigger oder bereits die kleinste Andeutung eines Symptoms (z. B. erhöhter Puls oder stärkere Affekte) lösen die vollständige Symptomatik der Traumafolgestörung aus. Dadurch werden unterschiedsbildende Wahrnehmungen oder Verstehensprozesse unterdrückt. Alles wird im Sinne des Attraktors „Traumafolgestörung" verarbeitet und aufgenommen. Alle Wahrnehmungen, Gefühle, Handlungen werden im Sinne der Komplettierungsdynamik darin integriert.

Menschen leben in sozialen Beziehungen

Auch wenn es selbstverständlich ist, muss dennoch betont werden, dass wir in der Psychotherapie keine Traumafolgestörungen, sondern Menschen behandeln. Diese Menschen sind (biologische) Systeme, leben in Systemen (soziale Beziehungen, Familien, Gruppen etc.) und haben lebensbedrohliche Erfahrungen gemacht.

Aus systemischer Perspektive ist die Behandlung von Menschen mit Traumafolgestörungen keine ausschließliche Individualtherapie. Stattdessen wird das soziale System als mitbelastetes und bedeutsames Lebensfeld eingebunden. Beziehungen zu Ehepartnern, Kindern oder Freunden verändern sich, weil auch sie auf das traumatische Ereignis und dessen Auswirkungen auf den geliebten Menschen reagieren. Dies führt zu veränderten Gefühlen und Reaktionen bei den Patienten. Durch den komplexen zirkulären Prozess entstehen zwangsläufig veränderte Muster in einem durch ein Trauma belasteten System (siehe auch Beitrag Bachem in diesem Heft).

Die soziale Umwelt kann die vermeidenden (konstriktiven) Muster unterstützen, z. B. durch ständige Ablenkung, Bilden anderer Symptome, sozialer Rückzug des Systems. Aber es kann auch die traumanahen (intrusiven) Muster fördern, z. B. durch Reinszenierungen, unglückliche Erinnerungskultur, Herstellen von Triggersituationen, Symptombildung, häufiges Besprechen des Traumas oder durch Kontakt mit traumabelasteten Personen. Beide Muster stellen besonders in der ersten Zeit nach dem traumatischen Ereignis einen Selbstheilungsversuch dar, indem das Trauma durch ein Pendeln zwischen beiden Mustern verarbeitet wird.

In dieser Phase scheint der Attraktor Traumafolgestörung noch nicht fest und starr. Wenn es in dieser Phase nicht zu einem selbstorganisierten Heilungsprozess kommt, stabilisieren sich diese Muster und Symptome und die Traumafolgestörung wird immer sichtbarer. Fast gleichzeitig zu diesem Prozess bildet sich auch im sozialen System der Attraktor immer stärker aus (z. B. „Papa ist krank") und wird entsprechende Muster bilden, die die Symptomatik aufrechterhalten und weiter stabilisieren. Diese komplexen zirkulären Prozesse in der Ausbildung des traumatogenen Systems lassen sich nach kurzer Zeit kaum noch differenziert beschreiben.

Berücksichtigt man dabei noch die Komplettierungsdynamik in Systemen, ist leicht ersichtlich, wie verwoben die zirkulären Interaktionsprozesse bereits nach kurzer Zeit werden.

Noch komplexer erscheint dieser Prozess in einem System, in dem mehrere Menschen unter einer Traumafolgestörung leiden. Sie können sich noch leichter gegenseitig triggern, retraumatisieren und traumatogene Muster aktivieren, z. B. indem regelmäßige Kontakte in die belastete Heimat bestehen oder Traumata durch ständiges gegenseitiges Erzählen im Fokus der Lebenswelt bleiben.

Die soziale Umwelt kann aber ebenso ein Hort der Stabilisierung sein, wenn der Prozess heilend begleitet wird, z. B. durch sichere Beziehung(en), soziales Aufgehobensein in stabilen Kontakten, dynamisches Mitschwingen oder Resonanz. Wenn das gesamte System traumatisiert ist, kann es sich auch gegenseitig stabilisieren und die familiären Resilienzfaktoren aktivieren. Dies geschieht, wenn die Selbstorganisationskräfte den dynamischen Prozess der Ordnungs-Ordnungs-Übergänge unterstützen und somit Starre und Einfrieren vermeiden.

Merke

Selbstorganisationsprozesse können zum einen dazu führen, heilende unterstützende und entwicklungsfördernde Muster auszubilden, aber zum anderen auch, dass problematische und symptomfördernde Muster entwickelt werden.

Nicht selten sind aber die Attraktoren, die sich um die traumatischen Erfahrungen gebildet haben, stabil und starr. Wenn dann die traumatisierten Familien traumatisierende Muster wiederholen, dann scheint es die *„beste Lösung für das Opfer eine mehr oder weniger komplexe Dissoziation der Persönlichkeit auszubilden“* ([4] **S. 105**). Diese selbstorganisierte „Systemleistung“ ist dann nicht selten über Jahrzehnte stabil als dissoziative Traumafolgestörung.

Das Belastungsnarrativ

Erinnerungen sind keine historischen Realitäten. Wenn ich mich beispielsweise an die Situation eines Absturzes beim Bergsteigen erinnere, dann produziere ich visuelle Erinnerungen: Ich sehe unterschiedliche Bilder, z. B. die Berge und Wälder, andere Bergsteiger und mich selbst, wie ich den Berg besteige, den Absturz, vielleicht wie die Hände das Seil loslassen usw. Aber wirklich erinnern kann ich (nur) den Berg, andere Menschen und die steile Wand, die nah vor den Augen ist. „Im Erinnerungsbild „sieht“ man sich freilich (meist) aus einer Vogelperspektive“ ([3] S. 223), z. B. wie der Halt verloren geht, die Hände sich vom Fels lösen und der Körper in die Tiefe fällt. Das ist aber etwas, was man nie wirklich gesehen hat, sondern beruht auf einer Imagination. Was gesehen wird, ist das, was über die „Narrativierung und Kompatibilisierung in diese Szene hineinkonstruiert wird“ ([3] S. 223). Das Erinnern ist eine große kreative Leistung, dabei werden in einer attrahierend – stabilisierenden Dynamik etliche Details rasch vergessen, andere „passend“ gemacht und noch weitere (ohne Absicht) „erfunden“.

Bei Flashbacks ereignen sich ähnliche Prozesse. Häufig sieht man sich aus der Vogelperspektive in dreidimensionaler Darstellung, so wie man es in der Wirklichkeit nicht erlebt hat. Die Traumaverarbeitung kann also diesen inneren Prozessen angepasst werden, indem die spezifische Sichtweise durch eine dreidimensionale [5] Darstellung leichter aktiviert und integriert wird.

Praktische Elemente für die Prozessgestaltung

Das Verstehen von Traumafolgestörungen und deren Behandlung ist aus systemischer Sicht ein Prozess, der neue Ordnungszustände und/oder Übergänge ermöglicht. Problematische erlebte Attraktoren sollen verflüssigt werden, um dem System die selbstorganisierte Ausbildung neuer Ordnungszustände zu ermöglichen. Dadurch kann eine entwicklungsfördernde Anpassung an die jeweiligen Umweltbedingungen geschehen sowie eine Veränderung leidvoller Muster und Strukturen.

Haltungen

Die Haltungen systemischer Traumatherapie und die konzeptionelle Orientierung zeigen sich darin [6][7], dass z. B.:

- Ressourcen gesehen, angeregt und gefördert werden. Sie gelten als eine der stärksten Stabilisierungstechniken [8]. Sie eröffnen die Möglichkeit starre Attraktoren zu verflüssigen und neue anzuregen.
- Individuen als Teile komplexer zirkulärer Systemdynamiken gesehen werden. Die grundsätzliche Perspektive richtet sich auf die Systeme und deren Muster, in denen Klienten eingebunden sind, um stabilisierende Muster zu stützen und Ordnungs-Ordnungs-Übergänge in den belasteten Systemen zu ermöglichen.
- innere und äußere Systeme sich gegenseitig beeinflussen. Diese komplexe Systemdynamik ist zentraler Gegenstand des therapeutischen Prozesses.
- Eine allparteiliche und neutrale Haltung zu den Menschen, den Problem-, Lösungs- und Kontextkonstrukten angestrebt wird. Damit können unterschiedliche Sichtweisen und Beschreibungen deutlich und stabile Attraktoren aufgeweicht werden.

- der Prozess ziel- und lösungsorientiert gestaltet ist, in dem relevante im Verantwortungsbereich des Klienten liegende Ziele erarbeitet und dabei die Veränderung problematischer Attraktoren angeregt werden.
- die therapeutische Beziehung Sicherheit und Halt gibt. Sie ist geprägt durch Empathie und Resonanz, Verlässlichkeit und Respekt, Nähe und Distanz.
- der Kontext genutzt und in den therapeutischen Prozess integriert wird, um unterstützende Bedingungen anzuregen und neue Beziehungen aufzubauen.
- der Therapieprozess durch systemische Hypothesen begleitet wird, die den roten Faden für die komplexe und oft auch lange Prozessgestaltung einer Traumatherapie darstellen [9]. Sie sind die Rahmung für einen musterorientierten Veränderungsprozess. Sie fußen auf vier Elementen: 1. der Beobachtung zentraler Muster, 2. der Entwicklung fachlich begründeter Ordnungsfunktionen und Erklärungen für die beobachteten Muster und Attraktoren, 3. therapeutischen Anregungen für die Überprüfung der Ordnungsbeschreibungen und Destabilisierungen problematischer Muster und Attraktoren, 4. den abgeleiteten Interventionen, mit denen die Anregungen umgesetzt werden

Interventionen

Einzelne Interventionen werden im Folgenden exemplarisch beschrieben; für eine ausführliche Darstellung siehe [7] und [10].

Systemische Fragetechniken Diese zielen darauf ab, die eigenen Konstrukte und Sichtweisen zu ändern. Ausnahmefragen und hypothetische Fragen sollen die stabilen Attraktoren/Muster verflüssigen. Mit der Wunderfrage wird ein symptomfreier Zustand schon in der Gegenwart assoziiert, das innere Bewusstsein dafür gestärkt sowie neue Sichtweisen und veränderte Attraktoren ermöglicht. Durch eine körperorientierte Arbeit mit der Wunderfrage festigen sich die „Wunderrealitäten" nicht nur sprachlich und emotional, sondern auch physisch. Sie schaffen so viele Anker, um die Wunderrealität in der Gegenwart erlebbar zu machen. Die imaginierte gute Zukunft stellt eine Gegenwelt zur Belastungswirklichkeit der Patienten dar und kann so die traumanahen Attraktoren langsam aufweichen. Zirkuläre Fragen wollen das Interaktionsnetzwerk sichtbar machen und mögliche Veränderungen anregen. Alle Fragetechniken können durch eine BASK-Orientierung vertieft werden. Dabei handelt es sich um eine verbreitete traumatherapeutische „Gesprächstechnik", die durch die Verbindung von Verhalten (Behavior), Gefühlen (Affect), Körpererleben (Sensation), Gedanken/Wissen (Kowledge) helfen kann, die unterschiedlichsten Erlebens- und Wahrnehmungsbereiche zu verknüpfen, Integrationskräfte zu stärken und Veränderungsprozesse zu bahnen [11].

Skulpturarbeit Mit den anwesenden Menschen oder mit Gegenständen (Tieren, Holzfiguren, etc.) kann in fast allen Phasen einer traumaorientierten Therapie die Skulpturarbeit genutzt werden, um Zusammenhänge erlebbarer zu machen, Ressourcen zu spüren, innere Dynamiken zu verdeutlichen, Stabilisierung zu verstärken, Symptome zu reduzieren, problematische Interaktionen zu zeigen oder unterstützende Interaktionen einzuüben. Das Arbeiten mit Skulpturen schafft Möglichkeiten eines vielfältigen Erlebens, Bearbeitens und Einübens. Sie können Musterveränderungen und Phasenübergänge anregen und begleiten. Beispiele für Skulpturen sind:

- Triggerskulpturen: Aufstellung der inneren und äußeren Dynamik bei einem Trigger
- Flashbackskulptur oder Alptraumskulptur: Aufstellen des inneren und äußeren Systems wie es beim Flashback erinnert wird, mit der Aufgabe das Ende des Flashbacks zu verändern und einen positiven Ausgang zu inszenieren; hier wird eine dynamische Form der Aufstellung bevorzugt; in Anlehnung an [12]
- Helferskulpturen: Skulptur von realen und imaginierten Helfern, die die Stabilisierung unterstützen mit entsprechenden Ankern, um auch in schwierigen Situationen Helfer aus der Skulptur zu aktivieren
- Skulpturen der inneren Anteile: wie diese in stabilen und instabilen Situationen zueinander stehen
- Bewältigungsskulpturen: Abbildung der Dynamik im inneren und äußeren System, wenn mehr Stabilität spürbar wird
- Skulpturen vom sicheren Ort: Abbildung der inneren Dynamik am sicheren Ort und der äußeren Dynamik wie das System darauf reagiert

Aufgaben zwischen den Sitzungen Beobachtungsaufgaben, Interaktionsanregungen, Symptombeobachtungen, übende Aufgaben, narrative Ideen etc. dienen dazu, den therapeutischen Prozess in den „Alltag" der Klienten zu transportieren und im Sinne von Grawe zu unterstützen, *„dass die neu zu lernenden neuronalen Erregungsmuster auch unter den Bedingungen der konkreten Lebensrealität des Patienten aktiviert und gebahnt werden"* ([13] **S. 437**). Aufgaben stellen Anregungen für den Selbstorganisationsprozess der Klienten dar, die Musterunterbrechungen anregen, Stabilisierungsprozesse und/oder Destabilisierungen begleiten, Antizipationsprozesse zu neuen Ordnungszuständen ermöglichen und Ressourcen erlebbar machen. Das übliche einleitende Kompliment (zu den Integrations-, Verarbeitungs-, Trainingsbemühungen etc.) bevor die Intervention an die Klienten übergeben wird, will die Rahmung ermöglichen, dass Aufgaben im Sinne der Klientenwirklichkeit verstanden werden und die Motivation erhöht wird, die Intervention umzusetzen und „erfolgreich" abzuschließen. Diese so abgeschlossene Handlung ermöglicht eine Stärkung der mentalen Energie und der mentalen Spannung, die die integrative Kapazität stärken (siehe dazu [14] S. 44f u. 225f und [15]).

Genogrammarbeit Die Genogrammarbeit kann dabei unterstützen, unterschiedliche Traumagrundthemen im mehrgenerationalen Kontext zu sehen und zu verstehen, gleichzeitig aber auch die mehrgenerationalen Ressourcen zu aktivieren. Die mehrgenerationale Perspektive kann Verständnis schaffen, helfen, Zusammenhänge zu erkennen, das heilende „Eingebundensein" in die Familiengruppe und eine tiefere Verwurzelung spürbar machen oder Helferpersonen nahebringen. In manchen Familien ermöglicht es auch Muster der Traumaverarbeitung aus früheren Generationen zu erkunden und so über die gegenseitige Bezogenheit eigene traumabezogene Muster zu verflüssigen.

Traumabegegnung und -integration

Eine systemische Technik ist die Verknüpfung von Familienbrett und Bildschirmtechnik. Mit Figuren wird in sicherer Distanz der äußere Prozess und der innere Systemprozess abgebildet und verändert. Hinzu kommen körperorientierten Impulse wie physische Distanzierung, veränderte Beobachterpositionen etc. Ähnlich wie in anderen Traumakonfrontationstechniken sollen Verarbeitungs- und Integrationsprozesse angeregt werden. Die Bearbeitung folgt einem Protokoll. Daran angeschlossen wird eine Neukonstruktion/Integration der Situation, mit den Figuren und der Wunderfrage. Auch hier geht es darum, Visualisierung durch die Figuren, Körperorientierung durch lösungsorientierte Bewegungen, emotionales Erleben und imaginative Erarbeitung durch die Entwicklung entsprechender Vorstellungen zu verbinden [9]. Dabei wird auch auf die Imagery Rehearsal Therapy [16] und auf die systemische Konzeption von Lau & Kristensen [17] zurückgegriffen. Eine besondere Aufmerksamkeit erfährt dabei die Veränderung der Beziehungsmuster mit den anderen Systemmitgliedern.

FAZIT

Die systemische Therapie für Menschen mit einer Traumafolgestörung hat das Ziel, den Behandlungsfokus auf das „traumatisierte System" zu lenken und die Potenziale der Gemeinschaften für den therapeutischen Prozess stärker zu nutzen. Die Theorie komplexer Systeme bietet darüber hinaus eine andere Sichtweise für das Verstehen und die Behandlung von Menschen mit Traumafolgestörungen an.

Interessenkonflikt

Der Autor gibt an, dass kein Interessenkonflikt besteht.

Autorinnen/Autoren

Reinert Hanswille

Dipl. Päd., Kinder- und Jugendlichenpsychotherapeut, Paar- und Familientherapeut, Systemischer Therapeut und Lehrtherapeut (DGSF und SG), EMDR-Therapeut (EMDRIA) sowie Weiterbildungen in Hypnotherapie, Ego-State Therapie, Spezielle Psychotraumatherapie (DeGPT), PITT. Seit 1998 leitet er das Institut für Systemische Familientherapie, Supervision und Organisationsentwicklung (ifs) in Essen und ist als Ausbildungsleiter der Psychotherapieausbildungen tätig

Korrespondenzadresse

Reinert Hanswille
Institut für Systemische Familientherapie,
Supervision und Organisationsentwicklung
Bochumer Str. 50
45276 Essen
r.hanswille@ifs-essen.de

Literatur

[1] Schiepek G. Synergetik: Die Wissenschaft komplexer selbstorganisierter Systeme. In: Levold T, Wirsching M, Hrsg. Systemische Therapie und Beratung – das große Lehrbuch. Heidelberg: Carl-Auer; 2014: 82–86

[2] Haken H, Schiepek G. Synergetik in der Psychotherapie. Selbstorganisation verstehen und gestalten. 2. Auflage. Göttingen: Hogrefe; 2010

[3] Kriz J. Subjekt und Lebenswelt. Personenzentrierte Systemtheorie für Psychotherapie, Beratung und Coaching. Göttingen: Vandenhoeck & Ruprecht; 2017

[4] Nijenhuis E. Die Trauma-Trinität: Ignoranz- Fragilität-Kontrolle. Enaktive Traumatherapie. Göttingen: Vandehoeck & Ruprecht; 2018

[5] Kessler H et al. Reducing intrusive memories of Trauma using a visuospatial interference intervention with inpatients with Posttraumatic Stress Disorder (PTSD). Journal of Consulting and Clinical Psychology 2018; 86: 1076–1090

[6] Hanswille R. Der systemische Ansatz. In: Seidler G, Freyberger H, Maercker A. Handbuch der Psychotraumatologie. 3. Auflage. Stuttgart: Klett-Cotta; 2019: 877 – 892

[7] Hanswille R, Kissenbeck A. Systemische Traumatherapie. Konzepte und Methoden für die Praxis. 3. Aufl. Heidelberg: Carl-Auer; 2014

[8] Kiser LJ. Strengthening Family Coping Resources: Intervention for families impacted by trauma. New York: Routledge; 2015

[9] Hanswille R. Posttraumatische Belastungsstörungen bei Erwachsenen. Heidelberg: Carl-Auer [in Vorbereitung]

[10] Korittko A. Posttraumatische Belastungsstörungen bei Kindern und Jugendlichen. Heidelberg: Carl-Auer; 2016

[11] Braun BC. The BASK model of dissociation. Dissociation I (I) 1988: 4–23

[12] Davis JL. Treating post-trauma nightmares. New York: Springer; 2009

[13] Grawe K. Neuropsychotherapie. Göttingen: Hogrefe; 2004

[14] Van der Hart O, Nijenhuis ERS, Steele K. Das verfolgte Selbst. Strukturelle Dissoziation. Die Behandlung chronischer Traumatisierung. Paderborn: Junfermann; 2008

[15] Nijenhuis E. Die Trauma-Trinität: Ignoranz – Fragilität –Kontrolle. Die Entwicklung des Traumabegriffs/Taumabedingte Dissoziation: Konzept und Fakten. Göttingen: Vandenhoeck &Ruprecht; 2016

[16] Thünker J, Pietrowsky R. Alpträume. Ein Therapiemanual. Göttingen: Hogrefe; 2010

[17] Lau M, Kristensen E. Outcome of systemic and analytic group psychotherapy for adult women with history of intra-familial childhood sexual abuse. A randomized controlled study. Acta Psychiatrica Scan 2007; 116: 96–104

Bibliografie

DOI https://doi.org/10.1055/a-0771-4964
PiD - Psychotherapie im Dialog 2019; 20: 20–25

ISSN 1438-7026

Die Inflation des Traumabegriffs

Ilka Quindeau

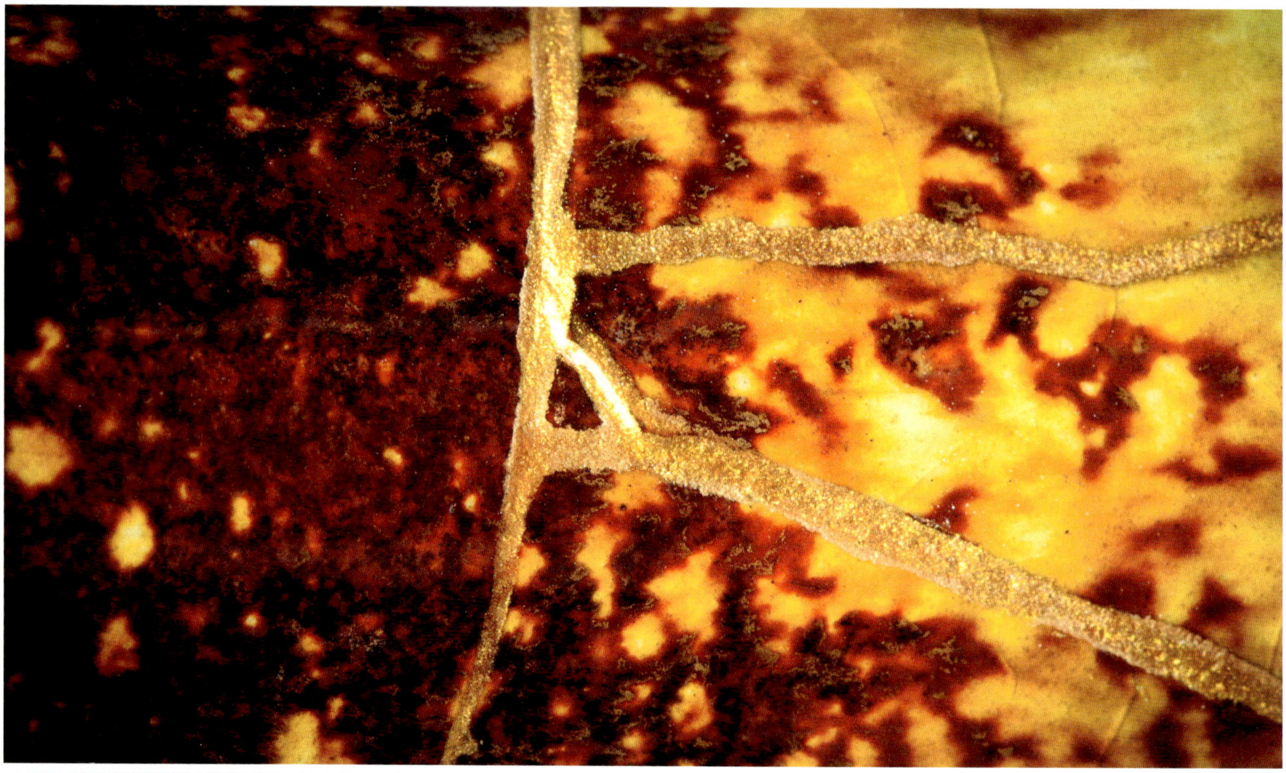

Quelle: photoBeard/stock.adobe.com

Angesichts der zunehmend inflationären Verwendung des Traumabegriffs wird eine psychodynamische Sichtweise vorgeschlagen, die Trauma und Konflikt (wieder) in Zusammenhang bringt. Traumatisierungen sind nicht in erster Linie äußeren Ereignissen geschuldet, sondern entstehen im Modus der Nachträglichkeit als Verarbeitung von Gewalterfahrungen. Die Psychotherapie zielt darauf, diese Sinnkonstruktionen aufzulösen, damit ein neues Realitätsgefühl entstehen kann.

Einleitung

Vor kurzem sorgte der Schriftsteller Christian Kracht für einigen Wirbel. Er eröffnete seine Frankfurter Poetikvorlesung mit einer Erzählung über sich selbst als 12-Jährigen. Er sei von einem anglikanischen Geistlichen in einem Internat in Kanada gezüchtigt worden, der sich dabei sexuell befriedigte. Die Eltern, denen er sich damals anvertraut hätte, hätten das für eine Übertreibung ihres fantasiebegabten Sohnes gehalten. Lange habe er sich dann gefragt, ob er dies wirklich erlebt oder sich nur eingebildet habe. Erst nachdem der verstorbene Geistliche von anderen ehemaligen Schülern angezeigt worden war, sei seine Erinnerung daran wieder aufgetaucht. Die Enthüllung schlug wie ein Blitz in die Feuilletons ein. Die Süddeutsche Zeitung etwa mutmaßte: „Das Trauma des Missbrauchs zieht sich durch Krachts gesamtes Werk". Die Zunft staunte über das Vorgehen des Schriftstellers, dessen Texte man bisher ganz anders verstanden hätte.

Dann verblüffte Kracht in seiner 2. Vorlesung durch den Satz: „Alles, was sich zu ernst nimmt, ist reif für die Parodie, auch diese Vorlesung." Die Parodie, so sagte er, könne als Heilmittel für den Missbrauch dienen. Seine Aussage enthält eine tiefe Weisheit. Mit der Parodie, die in ironischer Form das Parodierte spiegelt, verschafft sich das Subjekt Distanz. Es stellt etwas schmerzlich Widerfahrenes in übertriebener, verzerrter Weise dar, kann in der Fantasie sein Ausgeliefertsein überwinden und Kontrolle über das Geschehene erhalten.

Nun wissen wir nicht genau, um welchen Missbrauch es in der Poetikvorlesung ging. Bei einem so gewitzten Schriftsteller wie Kracht scheinen intime biografische Geständnisse in solch einem Rahmen zunächst eher unwahrscheinlich. Aber in seiner Vorlesung brachte er die Struktur des Missbrauchs auf den Punkt. Es muss sich nicht unbedingt um eine sexuelle Gewalterfahrung in der Adoleszenz des Autors gehandelt haben (wenngleich dies natürlich überhaupt nicht ausgeschlossen ist), er könnte sich auch vom Literaturbetrieb missbraucht gefühlt haben, der nach immer neuen Sensationen giert und jedes biografische Detail zur Interpretation der Werke ausbeutet. Oder es geht um eine Parodie der gegenwärtigen kulturellen Enthüllungspraktiken vom Reality-TV bis hin zur „Me-too"-Bewegung und dergleichen mehr.

Entscheidend scheint mir die Verwirrung, die Krachts Vorlesung ausgelöst hat, die Verunsicherung über Kategorien „wahr" und „erfunden". Ein Journalist schilderte es so: „Und während man noch betäubt von der Überwältigung durch die Macht des Moments an der selbstverwalteten Campus-Trinkhalle zusammensteht, erscheint alles wieder wie ein Rätsel: Ist das jetzt wirklich geschehen? Oder war das nur Einbildung? Ist diese Vorlesung Christian Krachts größter, bedeutendster Roman?"

Das Publikum, berührt von Krachts Vortrag, war der Situation passiv ausgeliefert, angewiesen auf die Deutung des Autors. Während er vom Missbrauch erzählte, drehte er in gewisser Weise den Spieß von Macht und Ohnmacht um und brachte das Publikum in die Rolle von Hilflosen. Mir scheint diese kulturelle „Inszenierung" eines Traumas bis ins Detail meisterhaft. Es gibt keinen Text, den man nachlesen könnte. Dem Publikum war jede Ton- und Bildaufnahme verwehrt. Alles war auf den Moment der Inszenierung konzentriert, die nachträglich entziffert, übersetzt werden muss, ohne eine „wahre" Lesart beanspruchen zu können. Es gilt, eine Form des Umgangs damit zu finden.

Christian Kracht hat auch uns als PsychotherapeutInnen auf kongeniale Weise vorgeführt, wie problematisch es ist, in einem Trauma ein universelles Erklärungsmuster zu sehen, das Unverständliches plausibel macht – sei es eine unerklärliche Angst, ein hartnäckiges Symptom oder ein beeinträchtigter Bildungsweg. Zu schnell sind wir auch im Alltag häufig bereit, einem Gewaltereignis auslösende Bedeutung zu geben, anstatt zu eruieren, was dies denn genau für das Subjekt bedeutet, und den damit verbundenen (unbewussten) Dimensionen nachzugehen.

Gerade in therapeutischen Kontexten kommt es darauf an, zu berücksichtigen, dass alles Erzählen Produkt nachträglicher psychischer Verarbeitung ist und in den Modi der Verschiebung, Verdichtung und Rücksicht auf Darstellbarkeit verläuft, wie Freud dies für psychische Arbeit generell darlegte. Und um es nochmal zu betonen: Die unhintergehbare Tatsache einer psychischen Verarbeitung bedeutet nicht, dass die Erzählung nicht wahr wäre.

Ziel meines Beitrags ist, diese unbewussten Dimensionen hervorzuheben und die Konzepte von Trauma und Konflikt, Trieb oder Begehren zusammenzubringen, die in der Traumaforschung und -therapie der vergangenen 20 Jahren oft auseinandergefallen sind. Wollte man dies in der mittlerweile veralteten psychoanalytischen Terminologie ausdrücken, könnte man sagen: Die Gewalt trifft auf die Triebstruktur des Subjekts und wird in sein Triebschicksal miteinbezogen. Statt vom „Trieb" spreche ich heute lieber vom „Begehren", denn der ursprünglich elaborierte Triebbegriff wurde leider viel zu oft missverstanden, als dass man ihn heute noch verwenden könnte. Das „Begehren" meint aber im Prinzip den von Freud – in seiner frühen Theoriebildung – konzipierten Triebbegriff. Trauma und Begehren sind also keine völlig voneinander getrennten Dimensionen, sondern können erst in ihrem Zusammenwirken verstanden werden. Um mit Mentzos zu sprechen: „Das psychische Trauma ist stets in eine Persönlichkeitsentwicklung eingebettet, die im Rahmen des psychoanalytischen Konfliktmodells angesiedelt ist" [1].

Trauma und Erinnerung

Im Rahmen seiner Forschungen zur Neurosenätiologie, insbesondere der Hysterie, entwickelte Freud in seiner sog. „Verführungstheorie" ein komplexes Traumakonzept, das die Dichotomie von Innen und Außen, Subjekt und Objekt überwindet [2]. Ein Trauma besteht danach weder in dem äußeren Ereignis, das ihm vorangeht, noch in dem inneren Zustand, der ihm folgt, sondern es entsteht im Zusammenwirken mindestens zweier lebensgeschichtlicher Szenen. Die psychische Verknüpfung, die zwischen diesen Szenen hergestellt wird, die Syntheseleistung, lässt sich als unbewusster Erinnerungsvorgang erkennen. Pointiert formuliert:

Merke
Der psychische Mechanismus der Erinnerung konstituiert das Trauma.

Mit dem Konzept der Erinnerung wird der Akzent der Traumatheorie auf die psychische Verarbeitung gelegt und damit eine genuin psychoanalytische Theorie gewonnen.

Der Begriff der (hier traumatischen) Szene, die im Erinnerungsprozess verknüpft und somit traumatisch wirksam wird, bedarf noch näherer Erläuterung. Eine Szene ist keine einfache episodische Erinnerung, sondern stellt bereits eine psychische Verarbeitung einer Interaktion, d. h. deren psychischen Niederschlag, dar. Sie umfasst sowohl den situativen Kontext als auch die darin enthaltenen Beziehungsmuster und Handlungsentwürfe einschließlich der unbewussten Wünsche und Ängste. Die Szene beschreibt somit einen intersubjektiven Raum. Diese Intersubjektivität der Szene kommt nun auch bei ihrer Verknüpfung zur Geltung. Wie die Erinnerung, so ist auch das Trauma immer Beziehungsgeschehen, also intersubjektiv konstituiert.

Die Identität von Trauma und Erinnerung findet sich auch in dem berühmten Satz: „Der Hysterische leide an Reminiszenzen“ [3]. Als traumatisch wirksam wird dann eine Erinnerung verstanden, die als innerer Fremdkörper wirkt. Die Bezeichnung „Fremdkörper” verweist darauf, dass etwas Äußeres, anderes in die psychische Struktur aufgenommen wird, ohne jedoch dort assimiliert werden zu können.

Die Zweizeitigkeit, die Verknüpfung zweier Erlebnisse aus unterschiedlichen lebensgeschichtlichen Zeitpunkten, ist ein entscheidendes Merkmal des Freud´schen Traumakonzepts, das er am Beispiel eines sexuellen Traumas entwickelt. Paradigmatisch stehen hierfür ein Zeitpunkt in der frühen Kindheit sowie einer nach der Pubertät. Das erste Erlebnis, die Verführungsszene, zeigt noch keine Wirkung, da das Kind weder über die somatischen Voraussetzungen der (genitalen) Erregung verfügt noch über die kognitiven Möglichkeiten, um die Bedeutung dieser Szene zu verstehen. Laplanche formuliert dies folgendermaßen: „Zwar ist das Ereignis an sich sexuell, aber deswegen nimmt es für das Subjekt keine sexuelle Bedeutung an: es ist ‚präsexuell sexuell´“ [4]. Erst die 2. Szene nach der Pubertät führt zu einem traumatischen Anstieg der Erregung, obwohl sie häufig nicht aus einem sexuellen, sondern aus einem eigentlich banalen, alltäglichen Ereignis besteht. Traumatisch wirksam wird sie durch eine Assoziation mit der 1. Szene – als Erinnerung. Diese Verknüpfung kommt jedoch erst durch erweiterte kognitive, affektive und somatische Reaktionsmöglichkeiten zustande.

Im Rahmen dieser Verführungs- und Traumatheorie entwickelt Freud den Begriff der Nachträglichkeit. Nach Laplanche und Pontalis werden im Modus der Nachträglichkeit frühere Erfahrungen, Eindrücke und Erinnerungsspuren nach dem jeweils erreichten Entwicklungsstand sowie aufgrund neuer Erfahrungen umgearbeitet. So erhalten sie einen neuen Sinn und eine neue psychische Wirksamkeit.

So erklärte Freud zu seinem berühmten Patienten, dem „Wolfsmann“, dass ein Traum des 4-Jährigen dessen Beobachtung des Koitus im Alter von 1½ „zur nachträglichen Wirkung bringt“ [5]. Der Analysierte, so Freud, verlieh im Alter von 25 „Eindrücken und Regungen aus seinem vierten Jahr Worte“, die er als Kind „nicht gefunden hätte“. Mit 1½ konnte das Kind auf seinen Eindruck nicht reagieren. Ergriffen wird es davon erst, als der Eindruck sich im Alter von 4 wiederholt, und erst mit 25 kann der Analysand erfassen, „was damals in ihm vorgegangen“ war. Mehrfach erfuhr das Geschehen Umschriften, frühere Erfahrungen sind dabei bedeutsam für spätere, und vice versa.

Allgemeine Verführungssituation als Prototyp des Traumas

Der Primat des Anderen ist die große Neuerung, die Laplanche in den psychoanalytischen Diskurs einbringt. Er fordert uns auf, nicht vom Subjekt aus zu denken, sondern vom Anderen her. Vom Anderen, erklärt er, gehe eine Botschaft aus, die vom Subjekt übersetzt werden muss. Die Entwicklung des Kindes beginnt damit in einer asymmetrischen Kommunikationssituation von Anrede und Antwort – das Kind wird strukturell dem Anderen unterworfen. Menschliche Entwicklung wird nicht vom Ich aus konzipiert, sondern vom Anderen, vom Fremden, Unverfügbaren her. Diese Blickrichtung entspricht dem zentralen Anliegen einer Psychoanalyse, der es um das Verstehen des Unbewussten geht, das dem Ich nicht Zugänglichen, dem Unverfügbaren.

Der Kern aber des Unbewussten ist das Sexuelle, die Konfrontation mit dem unbewussten Begehren der Erwachsenen, was Laplanche als „Urverführung“ bezeichnet. Sein Übersetzungsmodell spricht von „rätselhaften Botschaften“, die der Säugling nur unzureichend verarbeiten kann. Jedes Stillen und Füttern, jedes Wickeln oder Baden ist danach mit unbewussten, sexuellen Fantasien des Erwachsenen verbunden, die auch diesem nicht zugänglich sind. Beide Dimensionen menschlichen Lebens, die der späte Freud voneinander getrennt hatte – die Selbsterhaltung und das Sexuelle – wirken in jedem Moment des Lebens zusammen.

In die entstehende psychische Struktur schreibt sich diese Konfrontation des Säuglings bzw. des Kleinkinds mit dem unbewussten Begehren des Erwachsenen ein, was Laplanche „Intromission“ nennt, um den traumatischen Charakter der Dynamik deutlich zu machen. Die „rätselhafte Botschaft“ wird gleichsam in den Säugling intromittiert, „hineingeschickt“, der ihr zunächst passiv ausgeliefert ist. Der Säugling sucht die rätselhafte Botschaft zu entziffern, ist jedoch zum Verarbeiten noch gar nicht in der Lage, weshalb unübersetzbare Reste zurückbleiben, die Freud „Reminiszenzen“ nannte. Innere Fremdkörper werden eingeschrieben, die den Kern des Unbewussten des Kindes, das Sexuelle, bilden. Gewiss ist „der kompetente Säugling“ durchaus fähig zu Gegenseitigkeit und Aktivität. Doch die asymmetrische, sexualisierte Verführungsszene ist in ihrer Struktur universell. Jeder Mensch hat sie erlebt. Passivität und Ausgeliefertsein wiederum sind zentrale Elemente traumatischen Geschehens, und somit darf die universelle Verführungssituation als „Urbild“ [6] des Traumas gelten, als sein Prototyp.

Laplanche weist dabei auf eine Passage in Freuds „Traumdeutung“ hin: „An der Frauenbrust treffen sich Liebe und Hunger. Ein junger Mann, erzählt die Anekdote, der ein großer Verehrer der Frauenschönheit wurde, äußerte einmal, als die Rede auf die schöne Amme kam, die ihn als

Säugling genährt: es tue ihm leid, die gute Gelegenheit damals nicht besser ausgenützt zu haben." [7]. Allerdings fehlte Freud ein wichtiger Aspekt der Verknüpfung: die Amme und deren Begehren. Ja, in der Vergangenheit wird ein Keim gesetzt, der später aufgeht, und ja, die Vergangenheit wird nach dem Verständnis der Gegenwart betrachtet. Es stimmt also: In der Anekdote verbindet der junge Mann sein erwachsenes sexuelles Interesse mit der Amme. Doch es gab in der früheren Szene das unbewusste Begehren der Amme und deren „rätselhafte Botschaft", die auf das Kind einwirkt. Sie erst drängt zu den Umschriften, die das Unbewusste und die Sexualität des Kindes entstehen lassen. Die Pointe der Nachträglichkeit ist, dass das spätere Geschehen für das frühere ebenso bedeutsam ist wie das frühere für das spätere, und diese Dynamik enthält keine linear kausale, keine deterministische Zeitachse. Es muss nicht traumatisch ausgehen – es kann. Und es kommt darauf wann, was wann und wie geschieht.

Merke

Zum Trauma gehört die Reizüberflutung des Organismus, die nicht adäquat psychisch verarbeitet werden kann, und in einer Art Notfallmaßnahme eingekapselt werden muss, damit die Psyche weiter funktioniert.

So bilden sich innere Fremdkörper, unbewusste Fantasien. Sie sind Reste von Szenen, die nicht integriert werden konnten. Traumatisierend kann außerdem sein, wenn etwa soziale Situationen angemessenes Reagieren verhindern. Nicht zuletzt wirken innerpsychische Konflikte traumatisch, wenn das Verarbeiten bzw. das Symbolisieren von Erfahrung behindert werden.

Laplanche spricht in seinem Modell bewusst von Übersetzung und nicht von Interpretation. Ihm geht es um die auffordernde Ansprache des Anderen, die dazu drängt, dass ich sie in eine mir geläufige Sprache bringe. Im Falle des Traumas werden die „Überlebsel" in einer 2. Szene durch ein entsprechendes Ereignis oder Erlebnis wiederbelebt, was zu einem bedrohlichen Anstieg von Erregung führt, die durch erneute Übersetzung nicht gebunden und verarbeitet werden kann. Das äußere Ereignis trifft immer auf eine Fantasie, die es aktiviert. Es ist dabei allerdings nicht nur als eine Art Auslöser zu verstehen. Zentral ist vielmehr das Zusammenspiel von Ereignis und Fantasie; d. h. ein Ereignis bleibt nicht äußerlich, sondern erhält Bedeutung für das Subjekt, indem es sich unbewusst phantasmatisch auflädt. Die unbewusste Dimension macht dabei auch deutlich, dass es nicht das Subjekt ist, in dessen Verfügungsgewalt diese Bedeutungsgebung liegen würde, es ist dieser vielmehr passiv unterworfen.

An anderer Stelle bezeichnet Freud eine solche psychische Arbeitsanforderung, wie die eines Fremdkörpers, der zur Übersetzung drängt, als „Trieb". Das Übersetzungsmodell des Traumas macht daher deutlich, dass Trauma und Trieb oder Begehren miteinander verbunden sind.

Merke

Für eine psychoanalytische Traumadefinition ist es wichtig, dass das Ereignis keine determinierende Wirkung besitzt. Aus dem Ereignis geht kein Symptom hervor. Das Symptom ist eben nicht die direkte Folge des Ereignisses, sondern das Ergebnis der Übersetzung.

Insofern ist es auch problematisch, von Trauma*folgen* zu sprechen. Vielmehr ist es ein höchst subjektives Geschehen, welche Bedeutung einem traumatischen Ereignis in der Lebensgeschichte des Subjekts zukommt, unter welchen Bedingungen die Gewalt erlebt wurde und mit welchen unbewussten Fantasien sie sich verbindet.

Traumatische Erfahrungen im Erwachsenenalter rühren aufgrund der ohnmächtigen Situation an die grundlegende Passivität, mit der das Kind den unbewussten Fantasien Erwachsener ausgesetzt war. Sie ist allerdings vom Säugling nie gefühlt worden und wird erstmals real, überwältigend spürbar im Trauma.

Daher der Eindruck „eines plötzlichen Aktuell-Werdens einer alten unbewussten Angst" [8]. Worin sie aber nun genau besteht, ist höchst individuell und kann nur für jede Person spezifisch herausgefunden werden. Aus diesem Grund erscheinen mir auch allgemeine Annahmen darüber wenig hilfreich, wie man sie manchmal in der Traumaliteratur findet, wie etwa, dass ein Trauma im Kern als primärer Objektverlust erlebt werde oder dass hinter den Selbstvorwürfen der Hass auf die Mutter steht, die das Subjekt nicht schützen konnte [9]. Wenngleich dies durchaus zutreffen mag, ist es für die Verarbeitung der Traumatisierung unerlässlich, den unbewussten Fantasien des Subjekts bzw. dessen Übersetzungen nachzugehen.

Traumabearbeitung in der Psychotherapie

Das hier entfaltete Verständnis von der Zweizeitigkeit des Traumas und die das Trauma konstituierende Bedeutung von Erinnerung und Nachträglichkeit werden häufig zugunsten einer einfachen Kausalkette von Trauma als Ereignis und symptomhaften Traumafolgen ersetzt. Auch neuere Ansätze in der Psychoanalyse betonen inzwischen die „realen Umstände", das vermeintlich Gegebene, das weitgehend unabhängig von subjektiven und v. a. nachträglichen Bedeutungssetzungen traumatisch wirkt [10]. Das Selbstbewusstsein, mit der eine solche Neueinschätzung als wissenschaftlicher Fortschritt begriffen wird, macht staunen. Denn sie fällt weit hinter psychoanalytische Einsichten zurück, die in der unbewussten psychischen Arbeit, die im Modus der Nachträglichkeit erfolgt, das zentrale Agens der Symptombildung sehen. Nun ist es also wieder das Ereignis, das traumatisch wirkt. Die Nachträglichkeit, die einem Ereignis erst Sinn und Bedeutung gibt, die damit auch prinzipiell veränderbar ist, gerät aus dem Blick. Es ist verblüffend, dass diese subjektive Bedeutungssetzung nur noch selten konzeptualisiert wird, weil erst sie verständlich machen kann, warum und wie eine Traumatherapie wirkt.

In der Psychotherapie lässt sich beobachten, wie sich die verschiedenen Übersetzungsversuche der rätselhaften Botschaften (die man auch als „Sinngebungsversuche" bezeichnen könnte) in einem Symptom verdichten und wie es in der Analyse zu einer erneuten Umschrift kommen muss, damit das Symptom gemildert wird. Diese Umschrift kann nur in der Übertragung bzw. der therapeutischen Beziehung erfolgen, was insbesondere bei traumatisierten PatientInnen mit besonderen Schwierigkeiten verbunden ist. Denn eine traumatisierende Übertragung anzunehmen bedeutet, in die Position des Täters zu kommen, wenngleich natürlich im Vergleich zur außeranalytischen bzw. außertherapeutischen Erfahrung in stark gemilderter Form. Aber dies ist für beide Beteiligten nicht leicht zu ertragen.

So wird denn auch nicht zuletzt mit der Entwicklung spezifischer Traumatherapien die Sinnhaftigkeit psychoanalytischen bzw. psychodynamischen Arbeitens mit traumatisierten PatientInnen infrage gestellt. Luise Reddemann formulierte ihren Standpunkt überaus deutlich: „Auch eignet sich die Regressionen fördernde Haltung herkömmlicher psychoanalytischer Behandlungen nicht für die Behandlung traumatisierter Patientinnen und Patienten. Ausdrücklich wird davon abgesehen, die Pathologie in der therapeutischen Beziehung zu entfalten. Vielmehr sollen die traumatischen Erfahrungen gerade nicht in die therapeutische Beziehung eindringen, denn in diesem Fall könnten sie zu einer übertragungsbedingten Verzerrung der Wahrnehmung des Therapeuten führen" [11].

Ich halte diese Sichtweise allerdings für nicht unproblematisch, da ich mir nicht vorstellen kann, wie es praktisch möglich sein sollte, die Pathologie aus der Übertragung herauszuhalten. Schließlich ist die Übertragung ubiquitär, sie schlägt sich unvermeidlich in jeder Beziehung nieder – im Alltag ebenso wie in der Therapie – und lässt sich nicht auf Psychoanalysen beschränken. Insofern ist jede Wahrnehmung des Therapeuten durch die traumatischen Erfahrungen des Patienten (mit)bestimmt. Daher ist es notwendig, die Übertragung zu bearbeiten, denn andernfalls wird sie agiert oder verdichtet sich im Symptom.

Die traumatisierende Übertragung stellt nicht einfach eine negative Übertragung dar. Sie unterscheidet sich durch eine nahezu existenziell bedrohliche Dimension, die oft als Verwirrung und unerklärliche Unruhe auf Seiten des Analysanden spürbar ist und sich in der Gegenübertragung häufig ebenfalls durch eine massive Verunsicherung bemerkbar macht sowie auch durch heftige Schuldgefühle bzw. das Gefühl, etwas grundlegend falsch gemacht zu haben.

Doch zeigt sich an der deutlichen Milderung der Symptome im weiteren Verlauf, dass die Akzeptanz einer traumatisierenden Übertragung durch AnalytikerIn/TherapeutIn und PatientIn die unbewussten Fantasien, Überlebsel oder Reminiszenzen, zugänglich macht und Affekte spürbar werden, die bisher noch nie eine Ausdrucksgestalt finden konnten. Für das Verarbeiten von Traumata ist es also unerlässlich, den unbewussten Übersetzungsversuchen des Subjekts nachzugehen und die Übertragungen zu bearbeiten, die sich aus den komplexen Überlebseln ergeben. Hier besteht die Kunst darin, diese Übertragungen wahrzunehmen. Das Modell der Übersetzung ist dabei ein kluger Assistent.

FAZIT

Der Begriff des Traumas kann nicht schematisch für äußere Ereignisse verwendet werden, sondern muss im Rahmen einer Psychotherapie gemeinsam mit dem Patienten in seiner individuellen Bedeutung bearbeitet werden. Diese subjektive Neubewertung ermöglicht es, die Spaltungen zurückzunehmen und die Erfahrungen in die psychische Struktur zu integrieren. Die Übertragungsbeziehung stellt dazu einen psychotherapeutischen Raum bereit, in dem zeitlich getrennte Erlebnisse assoziativ im Hier und Jetzt in der Beziehung zum Therapeuten erlebbar werden. Denn erst dieses nachträgliche Erleben ermöglicht die Veränderung der inneren Bilder und Beziehungsrepräsentanzen.

Interessenkonflikt

Die Autorin gibt an, dass kein Interessenkonflikt besteht.

Autorinnen/Autoren

Ilka Quindeau

Prof. Dr. phil. habil., Dipl.-Psych., Dipl.-Soz.; sie ist Psychoanalytikerin und Lehranalytikerin (DPV-IPA) sowie Präsidentin der International Psychoanalytic University in Berlin. Ihre Arbeitsschwerpunkte sind Geschlechter-, Biografie- und Traumaforschung.

Korrespondenzadresse

Prof. Dr. Ilka Quindeau

International Psychoanalytic University
Stromstr. 1
10555 Berlin

Literatur

[1] Mentzos S. Lehrbuch der Psychodynamik. Die Funktion der Dysfunktionalität psychischer Störungen. Göttingen: Vandenhoeck & Ruprecht; 2010

[2] Quindeau I. Spur und Umschrift. Die konstitutive Bedeutung von Erinnerung in der Psychoanalyse. München: Fink; 2004

[3] Freud S. Studien über Hysterie. GW I. Frankfurt a. M.: Fischer; 1895

[4] Laplanche J. Neue Grundlagen für die Psychoanalyse. Gießen: Psychosozial; 2011

[5] Freud S. Aus der Geschichte einer infantilen Neurose. GW XII. Frankfurt a. M.: Fischer; 1918

[6] Müller-Pozzi H. Eine Triebtheorie für unsere Zeit. Sexualität und Konflikt in der Psychoanalyse. Bern: Huber; 2008

[7] Freud S. Traumdeutung. GW II/III. Frankfurt a. M.: Fischer; 1900: 211

[8] Reik T. Der Schrecken. In: Reik T, Hrsg. Der unbekannte Mörder. Frankfurt: Fischer; 1926

[9] Ehlert-Balzer M. Das Trauma als Objektbeziehung. Forum der Psychoanalyse; 1996

[10] Coates SW. Können Babys Traumata im Gedächtnis behalten? Symbolische Formen der Repräsentation bei frühkindlicher Traumatisierung. Psyche 2018; 72: 993–1021

[11] Reddemann L, Wöller W. Psychodynamische Verfahren. In: Seidler H, Freyberger HJ, Maerker A, Hrsg. Handbuch der Psychotraumatologie. Stuttgart: Klett-Cotta; 2015: 673–684

Bibliografie

DOI https://doi.org/10.1055/a-0771-5039
PiD - Psychotherapie im Dialog 2019; 20: 26–31

ISSN 1438-7026

Diagnostik von Traumafolgestörungen: Was ändert sich mit der ICD-11?

Annett Lotzin, Jennifer Louise Mauer und Volker Köllner

Am 18. Juni 2018 veröffentlichte die Weltgesundheitsorganisation die 11. Version der „Internationalen Klassifikation psychischer Störungen" (ICD-11). Welche grundlegenden Neuerungen im Bereich der belastungsbezogenen psychischen Störungen vorgenommen wurden und welche Instrumente zur Diagnostik zur Verfügung stehen, wird in diesem Beitrag dargestellt.

Einleitung

In der ICD-11 wurde erstmals eine Kategorie der „spezifisch belastungsbezogenen psychischen Störungen" (engl. „disorders specifically associated with stress") aufgenommen. In dieser Kategorie werden Störungsbilder zusammengefasst, welche als direkte Folge des Erlebens verschiedener Arten von Belastungen entstehen können (▶ **Tab. 1**).

Hierzu zählen die Anpassungsstörung, die nach einer psychosozialen Belastung auftreten kann, sowie die Posttraumatische Belastungsstörung (PTBS), die sich nach einem extrem bedrohlichen oder entsetzlichen Ereignis entwickeln kann.

Das Kapitel umfasst zudem die erstmals in die ICD-11 eingeführte Komplexe PTBS. Eine weitere bedeutsame Neuerung betrifft die Einführung der Anhaltenden Trauerstörung (engl. „prolonged grief disorder"). Zu den spezifisch belastungsbezogenen Störungen werden zudem die reaktive Bindungsstörung (engl. „reactive attachment disorder") und die Beziehungsstörung mit Enthemmung (engl. "Disinhibited social engagement disorder") gezählt, die in der Kindheit als Reaktion auf wiederholte oder andauernde Vernachlässigung oder Missbrauch durch Fürsorgepersonen auftreten können.

Neue Diagnosekonzepte

Die Komplexe Posttraumatische Belastungsstörung

Diagnosekriterien

Im Rahmen der Entwicklung der ICD-11 wurden von der Weltgesundheitsorganisation (WHO) Feldstudien durchgeführt [2]. Daraus resultierte, dass die Komplexe PTBS die Kategorie ist, die am häufigsten zur Aufnahme in die ICD-11 vorgeschlagen wurde [2]. Mit dieser Diagnose sollen die komplexeren klinischen Symptome beschrieben werden, welche nach besonders schwerwiegenden und andauernden – meist interpersonalen – Belastungen auftreten und die durch die Diagnosekriterien der PTBS nur unzureichend abgedeckt werden [3].

Für die Diagnose der Komplexen PTBS wird ein extrem bedrohliches oder entsetzliches Ereignis bzw. eine Serie von Ereignissen vorausgesetzt. Charakteristisch sind lang andauernde oder sich wiederholende Ereignisse, aus denen ein Entkommen schwierig oder unmöglich ist, wie z. B. Folter, Zwangsarbeit oder Völkermord, aber auch andauernder sexueller Missbrauch oder körperliche Misshandlung in der Kindheit [1].

Bezüglich der Kriterien der 3 Kernsymptombereiche der PTBS (Wiedererleben des Ereignisses, Vermeidung von Gedanken oder Aktivitäten, die an das Ereignis erinnern, anhaltendes Gefühl einer erhöhten Bedrohung) unterscheiden sich die PTBS und die Komplexe PTBS nicht voneinander.

Für die Erfüllung der Diagnose der Komplexen PTBS müssen jedoch zusätzliche Schwierigkeiten vorhanden sein, die folgende Bereiche betreffen:

- Emotionsregulation
- die persönlichen Grundüberzeugungen
- die Beziehungsfähigkeit

So berichten Betroffene von Emotionen und Impulsen, die als wenig steuerbar wahrgenommen werden. Zur Emotionsregulation dienen dann häufig selbstschädigende Verhaltensweisen wie Selbstverletzung oder Substanzkonsum.

Persönliche Grundüberzeugungen sind anhaltend negativ geprägt. So ist die Überzeugung charakteristisch, selbst schwach, dauerhaft beschädigt und wertlos zu sein. Anhaltende Gefühle von Scham und Schuld sind ebenfalls typisch. Insbesondere bei sexuellem Missbrauch erleben Betroffene erheblichen Ekel vor dem eigenen Körper. Andere Menschen werden als wenig vertrauenswürdig

▸ **Tab. 1** Übersicht der „spezifisch belastungsbezogenen psychischen Störungen" nach ICD-11

Störung nach ICD-11	Stressor	Symptomkriterien nach ICD-11	Zeitkriterium nach ICD-11
PTBS	Schicksalshafte oder durch Menschen verursachte Typ-I-Traumata (einmalig, kurz); häufig im Erwachsenenalter erlebt	• Wiedererleben • Vermeidung von Gedanken und Aktivitäten, die an das Ereignis erinnern • anhaltendes Gefühl einer erhöhten aktuellen Bedrohung	Symptome müssen mindestens mehrere Wochen anhalten.
Komplexe PTBS	i. d. R. durch Menschen verursachte-Typ-II Traumata (mehrfach, langfristig); häufig Kindheitstraumata; Ereignisse, aus denen ein Entkommen schwierig oder unmöglich ist	• Wiedererleben • Vermeidung von Gedanken und Aktivitäten, die an das Ereignis erinnern • anhaltendes Gefühl einer erhöhten aktuellen Bedrohung • Schwierigkeiten in der Emotionsregulation • negative persönliche Grundüberzeugungen • Schwierigkeiten Beziehungen aufrechtzuerhalten oder sich anderen Nahe zu fühlen	Liegt nicht vor.
Anhaltende Trauerstörung	Tod eines Partners, Elternteils oder einer anderen nahestehenden Person	• intensive Sehnsucht nach dem Verstorbenen • gedankliches Verhaftet-Sein mit dem Verstorbenen oder den Todesumständen, begleitet von tiefem emotionalem Leid	Länger als 6 Monate nach dem Tod einer nahen Bezugsperson.
Anpassungsstörung	psychosozialer Stressor (z. B. Scheidung, Krankheit, Konflikte)	• Beschäftigung mit dem belastenden Ereignis oder seinen Folgen, einschließlich übertriebenes sich Sorgen, wiederkehrende belastende Gedanken an das Ereignis oder Grübeln über seine Auswirkungen • mangelnde Anpassung an die veränderte Lebenssituation	Tritt i. d. R. innerhalb eines Monats nach dem Stressor auf und dauert i. d. R. nicht länger als 6 Monate.
Reaktive Bindungsstörung	Stressor in früher Kindheit (z. B. schwere Vernachlässigung, Misshandlung oder institutionelle Deprivation)	• keine Zuwendung zur Fürsorgeperson, um Trost, Unterstützung und Fürsorge zu erhalten, selbst wenn eine angemessene Fürsorgeperson verfügbar ist • kaum Annäherungsverhalten gegenüber Erwachsenen • keine Reaktion, wenn Trost angeboten wird	Diagnose ausschließlich in den ersten 5 Lebensjahren. Die Diagnose kann jedoch nicht vor dem 1. Lebensjahr (oder einem Entwicklungsalter von weniger als 9 Monaten) gestellt werden.
Beziehungsstörung mit Enthemmung	Stressor in früher Kindheit (z. B. schwere Vernachlässigung, Misshandlung oder institutionelle Deprivation)	• wahllose Annäherung an Erwachsene • Fehlen von Zurückhaltung • Weggehen mit unbekannten Erwachsenen • übermäßig vertrautes Verhalten gegenüber Fremden	Diagnose ausschließlich in den ersten 5 Lebensjahren. Die Diagnose kann jedoch nicht vor dem 1. Lebensjahr (oder einem Entwicklungsalter von weniger als 9 Monaten) gestellt werden.

wahrgenommen. Entsprechend dieser negativen Grundüberzeugungen beschreiben Betroffene eine anhaltend dysphorische oder depressive Stimmung, die von tiefer Verzweiflung und Hoffnungslosigkeit geprägt ist und mit chronischer Suizidalität einhergehen kann.

Zudem berichten Betroffene von Schwierigkeiten in der Beziehungsfunktion. Aufgrund ihrer Missbrauchs- oder Misshandlungserfahrungen vermeiden es Betroffene sich anderen Menschen nahe zu fühlen und haben Schwierigkeiten soziale Beziehungen einzugehen oder aufrechtzuerhalten.

Studienergebnisse zur Validität des Konzepts der Komplexen PTBS

Breits in den 90er Jahren schlug die amerikanische Traumaforscherin Judith Herman das Konzept der Komplexen Belastungsstörung vor [4]. Im Zuge der Entwicklung der ICD-11 wurden mehrere Studien durchgeführt, in denen die Validität des Konzepts untersucht wurde. Es liegen bereits mehrere Studienbefunde vor, die die in der ICD-11 vorgeschlagenen Dimensionen der Komplexen PTBS und die Abgrenzung zur PTBS empirisch bestätigen.

Hierbei fanden sich in der Mehrheit der durchgeführten Studien mindestens 2 Subgruppen [5]: Während die eine Gruppe besonders in den 3 Kernbereichen der PTBS (Wiedererleben, Vermeidung, Gefühl der Bedrohung) eine hohe Ausprägung verzeichnete, zeigte die zweite Gruppe zusätzlich eine hohe Ausprägung in den 3 Symptombereichen, die für die Komplexe PTBS vorgeschlagen worden sind (Emotionsregulation, persönliche Grundüberzeugungen, Beziehungsunfähigkeit). Auch hinsichtlich der beruflichen Leistungsfähigkeit und der Erwerbsprognose zeigten sich Patienten mit einer Komplexen PTBS stärker beeinträchtigt [6].

Diagnostik der Komplexen PTBS

Durch die Hinzunahme der Komplexen PTBS wurde ein wesentlicher Schritt in Richtung einer verbesserten Diagnostik komplexer Traumafolgestörungen eingeschlagen. Diagnostische Interviews basierend auf den neuen Kriterien werden aktuell noch entwickelt. Verfügbar sind bislang strukturierte Interviews, die eine Diagnosestellung der Komplexen PTBS nach dem DESNOS Konzept („Disorder of Extreme Stress Not Otherwise Specified") des DSM-IV erlauben [7]. Für das Structured Clinical Interview for Disorders of Extreme Stress (SIDES) [8], liegt eine deutsche Übersetzung vor [9]. In dieser werden anhand von 48 Items die Symptome der Komplexen PTBS in 7 Symptombereichen auf einer 3-stufigen Skala erhoben.

Eine Modifikation des SIDES stellt das Interview zur Komplexen Posttraumatischen Belastungsstörung (IK-PTBS) [10] dar. Dieses misst die Symptombelastung der Komplexen PTBS in 6 Symptombereichen anhand von 40 Items. Der Summenscore aller Items dient als Index für den Schweregrad und kann für eine Verlaufsmessung herangezogen werden. Erste Validierungsstudien weisen auf eine gute interne Konsistenz der Gesamtskala hin. Die interne Konsistenz der Subskalen wird hingegen als unbefriedigend eingestuft [11].

Da bislang kein validiertes Interview zur Erfassung der Komplexen PTBS nach der ICD-11 vorliegt, wäre ein alternatives Vorgehen, die Kernsymptome der PTBS mit einem etablierten strukturierten klinischen Interview zu erfassen und zusätzlich die komplexen Symptome mit anderen Instrumenten zu erheben. Ein häufig eingesetztes Instrument zur Erfassung von Emotionsregulationsproblemen ist beispielsweise die Difficulties in Emotion Regulation Scale (DERS) [12].

Im Bereich der Selbstbeurteilungsinstrumente zur Erfassung der Komplexen PTBS ist der International Trauma Questionnaire (ITQ) [13] das derzeit am besten untersuchte Instrument. Eine deutsche Version ist verfügbar [14]. Der ITQ ist auf der Basis der Symptomkriterien nach ICD-11 entwickelt worden. Er erfasst die PTBS Kernsymptome sowie die 3 weiteren komplexen Symptombereiche der Komplexen PTBS mit jeweils 2 Items. Die psychometrischen Eigenschaften der englischsprachigen Version wurden bereits in mehreren Studien untersucht und überwiegend als gut eingeschätzt.

Die anhaltende Trauerstörung

Die Diagnosekriterien der anhaltenden Trauerstörung

Die anhaltende Trauerstörung bezeichnet eine Störung, bei der Betroffene nach dem Tod eines Partners, Elternteils, Kindes oder einer anderen nahestehenden Person mit anhaltender und tiefgreifender Trauer reagieren, die über eine normale Trauerreaktion deutlich hinausgeht [1].

Diese Trauerreaktion ist durch intensive Sehnsucht nach dem Verstorbenen, gedankliches Verhaftet-Sein mit dem Verstorbenen (engl. „persistent occupation") sowie tiefes emotionales Leid gekennzeichnet. Charakteristische Symptome umfassen Traurigkeit, Schuldgefühle, Wut, Verleugnung, Schwierigkeiten den Tod anzunehmen, das Gefühl einen Teil des eigenen Selbst verloren zu haben, die Unfähigkeit eine positive Stimmung zu erleben, emotionale Taubheit sowie Schwierigkeiten bei der Beschäftigung mit sozialen oder anderen Aktivitäten.

Die Trauerreaktion muss sich über einen atypisch langen Zeitraum nach dem Verlust fortsetzen, der mindestens sechs Monate umfasst und die erwarteten sozialen, kulturellen oder religiösen Normen deutlich übersteigen. Gemäß einer 2017 veröffentlichten Meta-Analyse weist die Diagnose einer anhaltenden Trauerstörung eine hohe diagnostische Spezifität (95,0–98,3 %) sowie eine hohe prädiktive Validität auf [15].

Diagnostik der anhaltenden Trauerstörung

Bei der Diagnostik der anhaltenden Trauerstörung gilt es zu beachten, dass diese von einer normalen Trauerreaktion, aber auch von depressiven Erkrankungen, der PTBS und der Anpassungsstörung abzugrenzen ist. Zur Diagnosestellung liegt mit dem Prolonged-Grief 13 (PG-13) [16] ein Interview mit hoher interner Konsistenz, guter Retest-Reliabilität und zufriedenstellender konvergenter Validität vor.

Das am häufigsten verwendete Selbstbeurteilungsverfahren ist das Inventory of Complicated Grief (ICG) [17], welches in einer deutschen Version vorliegt (ICG-D) [18]. Das ICG-D orientiert sich an der Definition der komplizierten Trauer nach Prigerson et al. [17] und erfasst die komplizierte Trauerstörung anhand von 19 Items. Validierungsstudien weisen auf eine gute interne Konsistenz, Retest-Reliabilität sowie auf seine Konstruktvalidität hin.

In der klinischen Praxis findet zudem der Brief Grief Questionnaire (BGQ) [19] Anwendung. Anhand von 22 Items werden neben Gefühlen von Trauer auch Ärger und Schuld sowie kognitives Verhaftet-Sein erfasst. Erste Befunde weisen auf eine hohe interne Konsistenz des Fragebogens hin, das Instrument bedarf jedoch noch weiterer Erprobung.

Allerdings entsprechen weder das ICG, das PG-13 noch der BCQ den Symptomkriterien der Anhaltenden Trauerstörung nach ICD-11. Zum aktuellen Zeitpunkt gibt es somit noch kein ausgereiftes Instrument, um dieses Störungsbild nach ICD-11 zu erfassen.

Veränderungen in bestehenden Diagnosekonzepten

Die Posttraumatische Belastungsstörung

Neben der Einführung der neuen Störungskategorien wurden bei den bereits in der ICD-10 inkludierten Konzepten deutliche Veränderungen vorgenommen. Eine wesentliche Änderung in den Diagnosekriterien der PTBS betrifft die Konzeption des Traumakriteriums, welches in der ICD-11 weniger eng gefasst wird.

Für die Diagnose einer PTBS nach ICD-11 wird das Erleben eines extrem bedrohlichen oder entsetzlichen Ereignisses bzw. einer Serie von Ereignissen verlangt [1]. Der in der ICD-10 vorhandene Zusatz „[…] das nahezu bei jedem tiefgreifende Verzweiflung auslösen würde" wurde gestrichen. Die neue Definition ist weniger restriktiv und erscheint in Hinblick auf große interindividuelle Unterschiede in der Bewertung ein- und derselben belastenden Situation sinnvoll.

Im Vergleich zur ICD-10 wurden die Symptomkriterien auf die zentralsten Symptome komprimiert. In der neuen Fassung wird auf eher unspezifische Symptome, wie etwa Konzentrationsschwierigkeiten oder Ein- und Durchschlafstörungen verzichtet. Dies soll dazu dienen, die Diagnose einer PTBS leichter von anderen Belastungsstörungen abgrenzen zu können [5].

Eine weitere bedeutsame Änderung besteht in der Lockerung des Zeitkriteriums. Während nach der ICD-10 die Symptome innerhalb von 6 Monaten nach dem Belastungsereignis auftreten mussten, müssen die Symptome nach ICD-11 nun lediglich mehrere Wochen anhalten.

Die Anpassungsstörung

Das neue Konzept der Anpassungsstörung wird ausführlich im Beitrag von Bachem et al. in diesem Heft dargestellt.

Belastungsstörungen in der Kindheit

Als weitere Belastungsstörungen werden die „Reaktive Bindungsstörung" und die „Beziehungsstörung mit Enthemmung" in das Kapitel der „spezifisch belastungsbezogenen psychischen Störungen" einbezogen. Hierbei handelt es sich um Störungen, welche ausschließlich in den ersten 5 Lebensjahren diagnostiziert werden können.

Beide Störungsbilder wurden bereits in der ICD-10 im Kapitel zu Verhaltens- und emotionalen Störungen mit Beginn in der Kindheit und Jugend beschrieben und kennzeichnen Bindungsstörungen, welche im Zusammenhang mit schwerer Vernachlässigung, Misshandlung oder institutioneller Deprivation auftreten können.

Kinder mit einer reaktiven Bindungsstörung zeigen kaum sicherheitssuchendes Verhalten gegenüber Fürsorgepersonen und suchen diese nur selten auf, um Trost, Unterstützung oder andere Formen von Fürsorge zu erhalten. Kinder mit einer Beziehungsstörung mit Enthemmung zeigen das entgegengesetzte Verhalten. Sie nähern sich Erwachsenen nahezu wahllos an und zeigen auch gegenüber Fremden scheinbar vertrautes Verhalten.

Die akute Belastungsreaktion

Eine Suche nach der akuten Belastungsreaktion wird im Kapitel der „spezifisch belastungsbezogenen psychischen Störungen" vergeblich sein. In der ICD-11 wird diese nicht mehr als Diagnosekategorie, d. h. als psychische Erkrankung, berücksichtigt.

Stattdessen wurde die akute Belastungsreaktion in das Kapitel der „Probleme im Zusammenhang mit schädlichen oder traumatischen Ereignissen" (analog zu den Z-Kategorien der ICD-10) eingeordnet [1]. Damit zeigt sich hier ein deutlicher Unterschied zum DSM-5, in dem die akute Belastungsreaktion weiterhin diagnostiziert werden kann.

FAZIT

Mit der ICD-11 wurde das Kapitel der „spezifisch belastungsbezogenen psychischen Störungen" eingeführt, in dem erstmals Störungen zusammengefasst werden, die als direkte Folge von verschiedenen Formen von Belastungen auftreten können.
Mit der Komplexen PTBS und der anhaltenden Trauerstörung wurden 2 neue Diagnosekategorien eingeführt, mit denen entsprechende Personengruppen nun erstmals diagnostiziert und einer entsprechenden Behandlung zugeführt werden können.
Die Diagnosekriterien für die Anpassungsstörung und die PTBS wurden präziser und praktikabler formuliert.

Interessenkonflikt

Die Autoren erklären keine Interessenkonflikte zu haben, d.h. keine finanziellen oder persönlichen Beziehungen zu Dritten, deren Interessen vom Beitragsinhalt positiv oder negativ betroffen sein könnten.

Autorinnen/Autoren

Annett Lotzin

Dr. rer. nat. Dipl.-Psych.; Diplom-Psychologin, wissenschaftliche Mitarbeiterin am Universitätsklinikum Hamburg-Eppendorf, Arbeitsgruppe Trauma- und Stressforschung und Visiting Senior Research Fellow an der University of Melbourne, Phoenix Australia Centre for Posttraumatic Mental Health.

Jennifer Louise Maurer

Cand. Psych.; seit 2016 Studium der Psychologie an der Universität Hamburg, Mitarbeiterin der Arbeitsgruppe Trauma- und Stressforschung des Universitätsklinikums Hamburg-Eppendorf.

Volker Köllner

Prof. Dr. med.; ist Facharzt für Psychosomatische Medizin. Er war u. a. Oberarzt am Universitätsklinikum Dresden und Chefarzt der Fachklinik für Psychosomatische Medizin in Blieskastel. Seit 2015 ist er Chefarzt der Abteilung Verhaltenstherapie und Psychosomatik und ärztlicher Direktor am Rehazentrum Seehof der DRV (Deutsche Rentenversicherung Bund) in Teltow bei Berlin. Er ist Professor für Psychosomatische Medizin an der Medizinischen Fakultät Homburg/Saar und Lehrbeauftragter der Universitätsmedizin Charité, Berlin. Wissenschaftlich ist er in der Forschungsgruppe Psychosomatische Rehabilitation der Charité aktiv.

Korrespondenzadresse

Dr. rer. nat. Dipl.-Psych. Annett Lotzin
Universitätsklinikum Hamburg-Eppendorf,
Klinik für Psychiatrie und Psychotherapie
Martinistr. 52
20246 Hamburg
A.Lotzin@uke.de

Literatur

[1] World Health Organization. ICD-11 Beta Draft – Joint Linearization for Mortality and Morbidity Statistics (2018). Im Internet: https://icd.who.int

[2] Robles R, Fresán A, Evans SC et al. Problematic, absent and stigmatizing diagnoses in current mental disorders classifications: Results from the WHO-WPA and WHO-IUPsyS Global Surveys. Int J Clin Health Psychol 2014; 14: 165–177. doi: 10.1016/j.ijchp.2014.03.003

[3] Maercker A, Hecker T, Augsburger M et al. ICD-11 prevalence rates of posttraumatic stress disorder and complex posttraumatic stress disorder in a german nationwide sample. J Nerv Ment Dis 2018; 206: 270–276. doi: 10.1097/NMD.0000000000000790

[4] Herman JL. Trauma and recovery. New York: HarperCollins Publishers; 1992

[5] Brewin CR, Cloitre M, Hyland P et al. A review of current evidence regarding the ICD-11 proposals for diagnosing PTSD and complex PTSD. Clin Psychol Rev 2017; 58: 1–15. doi: 10.1016/j.cpr.2017.09.001

[6] Brenner L, Wagner B, Köllner V. Komplexe posttraumatische Belastungsstörung (kPTBS) – Prävalenz, komorbide Diagnosen und Symptombelastung in der psychosomatischen Rehabilitation. Berlin: DRV-Schriften; 2018: 437–438

[7] Van der Kolk BA, Roth S, Pelcovitz D, Sunday S, Spinazzola J. Disorders of extreme stress: The empirical foundation of a complex adaptation to trauma. J Trauma Stress 2005; 18: 389–399. doi: 10.1002/jts.20047

[8] Pelcovitz D, van der Kolk B, Roth S et al. Development of a criteria set and a structured interview for disorders of extreme stress (SIDES). J Trauma Stress 1997; 10: 3–16

[9] Teegen F, Spieker-Hagelsieper C, Grotwinkel M. Structured interview for disorders of extreme stress (SIDES). Hamburg: Universität Hamburg; 1998

[10] Sack M, Hofmann A. Interview zur komplexen posttraumatischen Belastungsstörung (IK-PTBS) (2001). Im Internet: http://www.martinsack.de/_downloads/Interview_zur_komplexen_PTBS.pdf

[11] Boroske-Leiner K, Hofmann A, Sack M. Ergebnisse zur internen und externen Validität des Interviews zur komplexen Posttraumatischen Belastungsstörung (I-kPTBS). Psychother Psychosom Med Psychol PPmP 2008; 58: 192–199

[12] Gratz KL, Roemer L. Multidimensional assessment of emotion regulation and dysregulation: Development, factor structure, and initial validation of the difficulties in emotion regulation scale. J Psychopathol Behav Assess 2004; 26: 41–54. doi: 10.1023/B:JOBA.0000007455.08539.94

[13] Cloitre M, Shevlin M, Brewin CR et al. The International Trauma Questionnaire: development of a self-report measure of ICD-11 PTSD and complex PTSD. Acta Psychiatr Scand 2018; 138: 536–546. doi: 10.1111/acps.12956

[14] Knefel M, Lueger-Schuster B, Maercker A. Internationaler Traumafragebogen, Forschungsversion: Deutsche Version Unveröffentlichtes Manual. Wien, Österreich: Universität Wien.[International Trauma Questionnaire, research version, German version]. 2013

[15] Lundorff M, Holmgren H, Zachariae R et al. Prevalence of prolonged grief disorder in adult bereavement: A systematic review and meta-analysis. J Affect Disord 2017; 212: 138–149. doi: 10.1016/j.jad.2017.01.030

[16] Prigerson H, Maciejewski P. Prolonged Grief Disorder (PG-13) Scale. Unveröffentlichtes Manuskript, Boston, MA: Dana-Farber Cancer Institute Center for Psychooncology & Palliative Care Research.

[17] Prigerson HG, Maciejewski PK, Reynolds CF et al. Inventory of complicated grief: A scale to measure maladaptive symptoms of loss. Psychiatry Res 1995; 59: 65–79

[18] Lumbeck G, Brandstätter M, Geissner E. Erstvalidierung der deutschen Version des „Inventory of Complicated Grief"(ICG-D). Z Für Klin Psychol Psychother 2012; 41: 243–248. doi: 10.1026/1616-3443/a000172

[19] Byrne GJA, Raphael B. A longitudinal study of bereavement phenomena in recently widowed elderly men. Psychol Med 1994; 24: 411–421

Bibliografie

DOI https://doi.org/10.1055/a-0771-4985
PiD - Psychotherapie im Dialog 2019; 20: 32–36

ISSN 1438-7026

Thieme

Kleine Traumata und das neue Konzept der Anpassungsstörung

Rahel Bachem, Louisa Lorenz, Volker Köllner

Die Anpassungsstörung gilt als Verlegenheitsdiagnose und wurde aufgrund diverser Validitätsprobleme lange Zeit kontrovers diskutiert. Ein neues Störungskonzept im ICD-11 soll den bekannten Schwierigkeiten entgegentreten. Zum ersten Mal werden spezifische Symptome für die Anpassungsstörung definiert.

Einleitung

Eine Anpassungsstörung ist eine maladaptive Reaktion auf ein psychosoziales kritisches Lebensereignis (z. B. Jobverlust, Beziehungsabbruch) oder anhaltende belastende Lebensumstände (z. B. schwerwiegende Erkrankung, Konflikte am Arbeitsplatz, Migration). Sie tritt normalerweise innerhalb eines Monats nach dem Einsetzen des Stressors auf. Mit einer Prävalenz von 5–20 % in ambulanten und 5–26,5 % in stationären Behandlungssettings ist die Anpassungsstörung eine der häufigsten Diagnosen in der psychotherapeutischen Praxis [1].

Problembereiche

Trotz der hohen klinischen Relevanz gilt die Anpassungsstörung als Verlegenheitsdiagnose mit geringer Validität und Reliabilität.

Keine Symptomkriterien Im Gegensatz zu den meisten anderen psychischen Störungen waren für die Anpassungsstörung bis zum Erscheinen des ICD-11 keine positiv formulierten Symptomkriterien festgelegt. Wenn spezifische Symptomkriterien fehlen, ist die Abgrenzung zu anderen Störungsbildern schwierig – insbesondere bezüglich subsyndromaler Depression oder Angststörungen. Aber auch die Unterscheidung von normalem, nicht pathologischem Stress und Anpassungsstörung ist problematisch. Größtenteils ist diese dem subjektiven Urteil des Klinikers hinsichtlich Leidensdruck und Funktionseinschränkung des Patienten unterstellt.

Eine Ausschlussdiagnose Die Anpassungsstörung wird als Ausschlussdiagnose gehandhabt und immer dann vergeben, wenn die Kriterien einer anderen, spezifischeren Störung nicht erfüllt sind. Obwohl dies praktische Vorteile für die Kostenübernahme durch die Krankenkassen hat, besteht gleichzeitig das Risiko, das Störungsbild zu bagatellisieren. Hinzu kommt, dass diese Ausschlussregel des ICD-10 häufig nicht beachtet wird. Die Anpassungsstörung kommt dem Bedürfnis von Patienten und Therapeuten nach, eine Ursache der Symptomatik bezeichnen zu können. Sie wird deshalb häufig auch dann kodiert, wenn eigentlich eine andere Diagnose vorliegt [2].

Merke

Aufgrund unscharfer Diagnosekriterien ist die Anpassungsstörung bisher ein Störungsbild mit geringer Reliabilität und Validität.

Klinische Relevanz der Diagnose

Risikopopulation Der relativ hohe Anteil von Spontanremissionen impliziert, dass es sich bei der Anpassungsstörung um eine leichte Diagnose handelt. Dem gegenüber steht die Tatsache, dass ein bis zu 12-fach erhöhtes Suizidrisiko besteht [3]. Zudem ist der sozialmedizinische Verlauf ähnlich beeinträchtigt wie bei einer depressiven Störung [4]. Die Symptome können darüber hinaus chronifizieren oder in eine vollwertige Diagnose übergehen. Ebenfalls besteht ein hohes Risiko von komorbiden Problemen wie etwa Substanzmissbrauch [5]. Patienten mit einer Anpassungsstörung stellen somit eine Risikopopulation für langfristig beeinträchtigende psychosoziale Schwierigkeiten dar. Dies indiziert eine grundsätzliche Überarbeitung des Konzepts der Anpassungsstörung.

Ein neues Störungskonzept

ICD-11 Konzept Im ICD-11 und DSM-5 wird die Anpassungsstörung erstmals in der Gruppe der stressbezogenen Störungen neben posttraumatischer Belastungsstörung (PTBS), komplexer PTBS und komplizierter Trauer eingeordnet. Auf Mardi Horowitz [6] geht der Vorschlag zurück, die Anpassungsstörung als ein Stressfolgesyndrom zu verstehen. Sein Erklärungsmodell bildet die Grundlage, auf der Maercker et al. [7] ein neues Konzept der Anpassungsstörungen entwickelten und auf der die ICD-11 Kriterien aufbauen. Im ICD-11 (WHO, 2018) werden für die Anpassungsstörung 2 Hauptsymptomgruppen definiert:

1. **Präokkupation** (gedankliches Verhaftetsein) umfasst wiederkehrende und belastende Gedanken, übermäßiges Grübeln oder anhaltende Sorgen bezüglich des Stressereignisses.
2. **Fehlanpassung** zeigt sich in einem Interessensverlust gegenüber der Arbeit, dem sozialen Leben, der Beziehung zu anderen und den Freizeitaktivitäten. Es kann auch zu Konzentrations- und Schlafproblemen kommen.

Es werden im ICD-11 keine Subtypen mehr bestimmt. Allerdings werden in der Forschung nach wie vor akzessorische Symptome beschrieben wie z. Bsp. Angst, Depression, Vermeidung oder Störung des Sozialverhaltens. Die aktuellen diagnostischen ICD-11 Kriterien sind in Box 1 aufgeführt.

Merke

In der ICD-11 Konzeptualisierung als Stressfolgesyndrom sind Präokkupationen und Fehlanpassungssymptome zentral für die Diagnose Anpassungsstörung.

BOX 1: DIAGNOSEKRITERIEN NACH ICD-11

a. Maladaptive Reaktion auf einen einzelnen oder mehrere psychosoziale Stressoren, die innerhalb eines Monates auftritt.
b. Präokkupationen mit dem Stressor oder seiner Konsequenzen (z. B. gedankliches Verhaftetsein, wiederkehrende Gedanken, Rumination).
c. Fehlanpassung (z. B. Schlaf- und Konzentrationsprobleme, verringerter Selbstwert).
d. Signifikante Beeinträchtigung in wichtigen Funktionsbereichen.
e. Die Symptome erfüllen nicht die Kriterien einer anderen psychischen Störung.
Die Symptome bestehen üblicherweise nicht länger als 6 Monate nach Ende der Belastung oder ihrer Folgen.

Abgrenzung von anderen Stressfolgesyndromen

Komorbidität Neu kann die Anpassungsstörung in bestimmten Fällen auch in Kombination mit anderen Diagnosen vergeben werden, sofern substanzielle, nicht-überlappende Symptome bestehen und unterschiedliche Störungsverläufe erkennbar sind. Es darf aber weiterhin keine Anpassungsstörung diagnostiziert werden, wenn ein Lebensereignis zur Verschlimmerung der Symptome einer bereits bestehenden Störung führte.

Posttraumatische Belastungsstörung Konzeptuell ist im ICD-11 die Anpassungsstörung näher an die PTBS herangerückt worden. Erste Befunde deuten jedoch darauf hin, dass die beiden Diagnosen von Klinikern gut abgegrenzt werden konnten [8]. Eine Anpassungsstörung kann auch in Reaktion auf ein traumatisches Ereignis auftreten, sofern die Kriterien für eine PTBS nicht erreicht sind.

Trauerreaktionen Während im ICD-10 Trauerreaktionen mit pathologischem Ausmaß diagnostisch zumeist als Anpassungsstörungen eingestuft wurden, sind diese im ICD-11 als ein unabhängiges Störungsbild („anhaltende Trauerstörung“) aufgeführt.

Verbitterungsstörung Wird ein Lebensereignis als schlimme Kränkung erlebt und kommen bei den Betroffenen grundlegende Wertesysteme ins Wanken, ist die affektive Reaktion oft Verbitterung [9]. Besteht bei einem Patienten mit Verbitterungssymptomatik keine Depression, sollte der Therapeut die Kriterien der Anpassungsstörung prüfen.

FALLBEISPIEL TEIL 1

Frau F., eine 52-jährige Lohnbuchhalterin, arbeitet seit ihrer Ausbildung im gleichen Unternehmen und hat sich als „rechte Hand“ des Seniorchefs eine verantwortungsvolle Position erarbeitet. Nach einem Generationswechsel kommt es immer wieder zu Konflikten mit dem Juniorchef, der von ihr verlangt, „auf Kosten der Gründlichkeit schneller zu arbeiten“. Schließlich wird sie nach einem Streit in einen anderen Bereich versetzt, was sie als massive Kränkung und Degradierung erlebt. Sie bekommt Herzrasen und verfällt in eine schmerzhaft angespannte Starre, wenn sie auch nur an den Arbeitsplatz denkt und kann sich nicht mehr vorstellen, diesen je wieder zu betreten. Sie grübelt stundenlang, was sie nur falsch gemacht hat, zieht sich zurück, entwickelt Schlafstörungen und macht sich Vorwürfe, ihre Familie oft gegenüber der Arbeit zu vernachlässigen. Der Hausarzt schreibt sie zunächst krank. Die Kriterien einer depressiven Episode sind nicht erfüllt, weil die Symptome nicht durchgängig über 2 Wochen bestehen. Wenn die Familie oder Freunde sie mit gemeinsamen Aktivitäten vom Arbeitskontext ablenken, kann sie durchaus Freude empfinden und ist emotional schwingungsfähig.

Erfassung der Anpassungsstörung nach ICD-11

Fragebogen Der Adjustment Disorder – New Module (ADNM) erfasst die Anpassungsstörung im Sinne des ICD-11 und enthält eine Liste mit Belastungsfaktoren sowie eine Symptomliste gemäß ICD-11. Es liegen eine Langform mit 20 Items (ADNM-20) sowie Kurzversionen mit 8 bzw. 4 Items vor, die sich alle als reliabel erwiesen haben.

Am besten validiert ist der ADNM-20, der eine adäquate Sensitivität (87 %) und Spezifität (74 %) aufweist. Der Cut-off für klinische Signifikanz liegt bei 47,5 [10]. Die Instrumente sind zugänglich unter: https://www.psychologie.uzh.ch/de/bereiche/hea/psypath/ForschungTools/Fragebogen.html

Strukturiertes Interview In den meisten strukturierten Interviews wurde die Anpassungsstörung bisher nicht oder nur ungenügend erfasst. Für das Composite Diagnostic International Interview (CIDI; [11]) ist jedoch kürzlich eine neue Sektion zur Erfassung der Anpassungsstörung nach DSM-5 und ICD-11 entwickelt worden (CIDI AD-Modul). Erste Studienergebnisse weisen auf zufriedenstellende Validität und Reliabilität hin [12].

Merke

Dank spezifischer Symptomkriterien wird die Anpassungsstörung nach ICD-11 objektiv erfassbar. Diese Entwicklung hat in letzter Zeit auch das Forschungsinteresse deutlich erhöht (Box 2).

BOX 2: ZÜRICHER STUDIE

An einer Hochrisiko-Stichprobe von Personen, die ihren Arbeitsplatz ungewollt verloren haben, konnte gezeigt werden, dass ...

- der ADNM- und das AD-CIDI-Modul zufriedenstellende psychometrische Eigenschaften aufweisen und somit Anpassungsstörungen reliabel erfasst und diagnostiziert werden können.
- circa 27 % der Betroffenen die Kernsymptomatik einer Anpassungsstörung in den ersten 9 Monaten nach der Entlassung zeigen.
- circa 15 % der Betroffenen auch im Verlauf der ersten 15 Monate nach der Entlassung von vielen Anpassungsstörungssymptomen berichten.
- neben entlassungs- und personenbezogenen Faktoren (z. B. schlechtere finanzielle Situation, weibliches Geschlecht) auch intrapersonelle (z. B. geringere Selbstwirksamkeitserwartung) und interpersonelle Faktoren (z. B. geringere soziale Unterstützung) mit einer stärkeren Symptomatik zusammenhängen.

Therapie der Anpassungsstörung

Elemente zur Behandlung verwandter Störungen

Therapeutische Interventionen können verhindern, dass Anpassungssymptome chronifizieren und das Suizidrisiko verringern. Trotz des häufig transienten Verlaufs der Anpassungsstörung sind Interventionen daher oft indiziert. Bisher wurden jedoch nur wenige störungsspezifische Interventionen für die Anpassungsstörung entwickelt und die Wirksamkeit der Therapie selten in klinischen Studien überprüft. Empfehlungen zur Behandlung der Anpassungsstörung orientieren sich zumeist an Therapiebausteinen, die sich in der Behandlung von anderen Störungsbildern als wirksam erwiesen haben. Je nach Symptomprofil stammen diese insbesondere aus der Therapie von Depressionen oder Angststörungen. Ein wichtiges Ziel der Intervention bei Anpassungsstörung ist die Integration des kritischen Lebensereignisses in die eigene Lebensgeschichte.

KVT Aus dem Bereich der kognitiv-verhaltenstherapeutischen Interventionen haben sich insbesondere Problemlösetrainings als wirksam erwiesen. Ein manualisiertes deutschsprachiges Problemlösetraining für Einzel- und Gruppensettings ist das Therapieprogramm für Anpassungsstörungen [13]. Es gliedert sich in die Schritte

1. Realisieren des Problems,
2. Akzeptanz der Situation,
3. Planung des Problemlöseprozesses und die
4. Realisierung der Lösungsstrategie.

Das Programm bezieht auch die Angehörigen in den Therapieprozess ein. In einer ersten Validierungsstudie konnten die allgemeine Befindlichkeit erfolgreich verbessert sowie Angst und Ärger reduziert werden.

Psychodynamische Interventionen Die psychodynamische Therapie der Anpassungsstörung fokussiert auf das Aufdecken und Bewusstwerden repetitiver Konflikte und war als Kurzzeittherapie wirksam (Übersicht bei [14]).

Störungs-unspezifische Interventionen Auch störungsunspezifische Interventionen können sich zur Therapie der Anpassungsstörung eignen – insbesondere wenn starke innere Widerstände bestehen, die veränderte Situation anzunehmen. Dies gilt etwa für Akzeptanz- und Commitment-Therapie. In eine ähnliche Richtung geht die von Linden et al. [15] zur Behandlung der Verbitterungsstörung entwickelte Weisheitstherapie.

Allgemeine Wirkfaktoren Von hoher Relevanz auch für die Behandlung der Anpassungsstörung ist eine therapeutische Beziehungsgestaltung geprägt von Empathie, Validierung und Anerkennung des Leidensdruckes sowie Ressourcenstärkung.

Therapieimplikationen des ICD-11 Konzepts

Das alte Konzept der Anpassungsstörung impliziert, dass es sich um eine subsyndromale Variante von Angst und Depressivität handelt. Im Gegensatz dazu bietet die neue Konzeptualisierung als Stressfolgesyndrom dank des spezifischen Symptomprofils neue Ansatzpunkte für Interventionen. Aufgrund der konzeptuellen Nähe bietet es sich vor allem an, Interventionen aus der Therapie der PTBS in Betracht zu ziehen. Es könnten beispielsweise Expositionsverfahren oder therapeutische Schreibaufgaben in Betracht gezogen werden. Kognitive Umstrukturierung dürfte insbesondere bei der Behandlung von Präokkupationen oder Schuldgefühlen wirksam sein.

Erste empirische Ergebnisse

Eye Movement Desensitization and Reprocessing (EMDR) Eine erste Studie hat gezeigt, dass EMDR bei Patienten mit Anpassungsstörungen erfolgreich Ängste reduzieren konnte, die durch intrusive Erinnerungen an das Lebensereignis ausgelöst worden sind [16].

Selbsthilferatgeber Eine erste modulare KVT-Intervention wurde an der Universität Zürich in Form eines Selbsthilferatgebers entwickelt – orientiert am Symptomprofil des ICD-11. Zunächst wurde der Ratgeber für Einbruchsopfer mit Anpassungsstörung konzipiert, später wurde der Fokus auf andere Ereignisbezüge und Therapiesettings (Online-Therapie) ausgeweitet [17]. Die Module behandeln die Themen

1. bessere Selbstwahrnehmung,
2. Selbstexposition,
3. Aktivierung angenehmer Tätigkeiten und Ziele sowie
4. Erholungsfähigkeit und Entspannung.

Insbesondere der Teil zur Selbstexposition übernimmt Techniken, die aus der Traumabehandlung bekannt sind. In einer Validierungsstudie zeigten sich reduzierte Präokkupationssymptome [18].

Pharmakotherapie

Medikation Die Wirksamkeit von Psychopharmaka bei Anpassungsstörungen ist nicht eindeutig belegt. Daher wird von alleiniger medikamentöser Behandlung abgeraten. Gemäß der vorliegenden Studienbefunde können allenfalls Antidepressiva oder pflanzliche Substanzen begleitend zur Psychotherapie eingesetzt werden, wenn deren Effekt alleine nicht ausreicht. Auf den Einsatz von Benzodiazepinen sollte aufgrund des hohen Abhängigkeitspotenzials verzichtet werden (Überblick bei [14]).

FALLBEISPIEL TEIL 2

Nach 3 Monaten AU wurde bei Frau F. auf Initiative der Krankenkasse eine psychosomatische Rehabilitation eingeleitet. Hier nahm sie an einer verhaltenstherapeutischen Gruppe zur Bewältigung schwerwiegender Lebensereignisse teil. In dieser wurde mit Methoden der Weisheitstherapie in 3 Schritten an einer Neubewertung gearbeitet:

1. Die erlittene Kränkung und die damit verbundenen Gefühle zulassen und die entstandene Ungewissheit aushalten.
2. Kognitive Umstrukturierung und Neubewertung.
3. Neue Lösungsmöglichkeiten erarbeiten.

Als sehr hilfreich erlebte sie hier ihre Mitpatienten, von denen sie viel emotionale Unterstützung erfuhr. Eine besonders kränkende Situation mit dem Juniorchef, die sie auch in ihren Träumen immer wieder verfolgte, wurde in der Einzeltherapie mit Hilfe von EMDR bearbeitet. Sie entschloss sich schließlich, nicht mehr an den Arbeitsplatz zurückzukehren und einen Auflösungsvertrag anzustreben. Sie nahm an einer ambulanten Reha-Nachsorgegruppe teil und es gelang ihr, nach 3 Monaten einen neuen Arbeitsplatz mit geregelteren Arbeitszeiten und besserer Bezahlung zu finden.

FAZIT

Im ICD-11 ist die Anpassungsstörung als eine Stressfolgestörung zu verstehen und sollte daher nicht weiter als unspezifische Form der Depression gehandhabt werden. Dank konkreter Symptomkriterien kommt es zu einer diagnostischen Verfeinerung des Konzepts und zu vereinfachter Handhabbarkeit in der Praxis. Psychotherapie ist die Behandlungsmethode der Wahl, auch um einer Chronifizierung und dem Übergang in ein schwereres Störungsbild vorzubeugen. Hierbei können auch Methoden aus der Traumatherapie zum Einsatz kommen.

Interessenkonflikt

Die Autoren geben an, dass kein Interessenkonflikt besteht.

Autorinnen/Autoren

Rahel Bachem

Dr. phil., promovierte an der Universität Zürich in klinischer Psychologie. Zurzeit tätig an der Tel Aviv University am I-CORE Research Center for Mass Trauma. Forschung zu den systemischen Implikationen von Kriegstraumatisierung und PTBS in den Familien ehemaliger Kriegsgefangener, Veteranen sowie in Geflüchtetenfamilien aus Eritrea. In Ausbildung zur Psychologischen Psychotherapeutin am Klaus-Grawe-Institut für Psychologische Therapie Zürich.

Louisa Lorenz

Dr. phil., Psychologin MSc. Promotion an der Universität Zürich. Schwerpunkte: Anpassungs- und Belastungsfolgestörungen, Umgang mit Stress, Folgen von Arbeitsplatzverlust. In Ausbildung zur Psychologischen Psychotherapeutin am Klaus-Grawe-Institut für Psychologische Therapie Zürich. Psychotherapeutische Tätigkeit in der Klinik im Hasel AG, Gontenschwil, Schwerpunkt Substanz- und Traumafolgestörungen. Lehrbeauftragte des Psychologischen Instituts der Universität Zürich.

Volker Köllner

Prof. Dr. med., Facharzt für Psychosomatische Medizin. Oberarzt am Universitätsklinikum Dresden und Chefarzt der Fachklinik für Psychosomatische Medizin Blieskastel. Seit 2015 Chefarzt der Abteilung Verhaltenstherapie und Psychosomatik und ärztlicher Direktor am Rehazentrum Seehof der Deutsche Rentenversicherung Bund in Teltow bei Berlin. Professor für Psychosomatische Medizin an der Medizinischen Fakultät Homburg/Saar, Lehrbeauftragter der Universitätsmedizin Charité, Berlin. In der Forschungsgruppe Psychosomatische Rehabilitation der Charité aktiv.

Korrespondenzadresse

Rahel Bachem
I-Core Research Center for Mass Trauma
Tel Aviv University
Chaim Levanon 30
Tel Aviv, 699 7801
Israel
rahel.bachem@gmail.com

Literatur

[1] Schroth S, Köllner V. Anpassungsstörungen: Eine schwierige Diagnose. PSYCH up2date 2018; 12: 399–409

[2] Terber S, Untersinger I, Köllner V. Wer findet was? Vergleich von klinischer Diagnostik und strukturiertem Interview bei Angst- und Anpassungsstörungen. Psychother im Dialog 2012; 13: 26–30

[3] Gradus JL, Qin P, Lincoln AK et al. The association between adjustment disorder diagnosed at psychiatric treatment facilities and completed suicide. Clin Epidemiol 2010; 2: 23–28

[4] Köllner V, Tauchnitz D, Neu R. Unterscheiden sich Rehabilitanden mit berufsbezogenen Anpassungsstörungen und depressiven Störungen im Verlauf der medizinisch-beruflich orientierten psychosomatischen Rehabilitation. Prax Klin Verhal und Rehabil 2018; 31: 48–56

[5] O'Donnell ML, Alkemade N, Creamer M et al. A longitudinal study of adjustment disorder after trauma exposure. Am J Psychiatry 2016; 173: 1231–1238

[6] Horowitz MJ. Stress response syndromes 2nd ed. New York: Aronson, 1986

[7] Maercker A, Einsle F, Köllner V. Adjustment disorders as stress response syndromes: A new diagnostic concept and its exploration in a medical sample. Psychopathology 2007; 40: 135–146

[8] Keeley JW, Reed GM, Roberts MC et al. Disorders specifically associated with stress: A case-controlled field study for ICD-11 mental and behavioural disorders. Int J Clin Heal Psychol 2016; 16: 109–127

[9] Linden M. Verbitterung und posttraumatische Verbitterungsstörung. Göttingen: Hogrefe, 2017

[10] Lorenz L, Bachem R, Maercker A. The Adjustment Disorder–New Module 20 as a screening instrument: Cluster analysis and cut-off values. Int J Occup Environ Med 2016; 7: 215–222

[11] Wittchen HU, Pfister H. DIA-X-Interviews: Manual für Screening-Verfahren und Interview. Frankfurt: Swets & Zeitlinger, 1997

[12] Perkonigg A, Strehle J, Beesdo-Baum K et al. Reliability and validity of the ICD-11 adjustment disorder diagnosis according to a new module for the Composite International Diagnostic Interview. Submitt Publ 2018

[13] Reschke K, Kusel A, Teichmann K, Hallensleben, R. TAPS. Therapieprogramm für Anpassungsstörungen. Aachen: Shaker Verlag, 2011

[14] Bachem R, Casey P. Adjustment disorder: A diagnose whose time has come. J Affect Disord 2017; 227: 243–253

[15] Linden M, Baumann K, Bieberei B, Lorenz C, Rotter M. Treatment of posttraumatic embitterment disorder with cognitive behaviour therapy based on wisdom psychology and hedonia strategies. Psychother Psychosom 2011; 80: 199–205

[16] Cvetek R. EMDR treatment of distressful experiences that fail to meet the criteria for PTSD. J EMDR Pract Res 2008; 2: 2–14

[17] Maercker A, Bachem R, Lorenz L, Moser CT, Berger T. Adjustment disorders are uniquely suited for eHealth interventions: Concept and case study. JMIR Ment Heal 2015; 2: 1–15

[18] Bachem R, Maercker A. Self-help interventions for adjustment disorder problems: A randomized waiting-list controlled study in a sample of burglary victims. Cogn Behav Ther 2016; 45: 397–413

Bibliografie

DOI https://doi.org/10.1055/a-0771-5094
PiD - Psychotherapie im Dialog 2019; 20: 37–41

ISSN 1438-7026

Intergenerationale Weitergabe von Traumata

Rahel Bachem

Wenn ein nahestehender Mensch ein Trauma erlebt, ist dies auch für Angehörige oft schwer zu ertragen. Durch den ständigen Kontakt mit der posttraumatischen Symptomatik können sich psychische Symptome entwickeln, die jenen der Betroffenen selbst sehr ähnlich sind: Alpträume, erhöhte Wachsamkeit, sowie Vermeidung von Trigger, die Erinnerungen an das Trauma wachrufen. Ein Überblick anhand einer Studie zu den Langzeitfolgen von Kriegsgefangenschaft.

Sekundäre Traumatisierung und Vulnerabilität

Menschen, die ein Trauma erlebt haben, leiden in der Folge oft an diversen psychischen Beeinträchtigungen, die ihre Lebensqualität deutlich einschränken. Die Folgen von traumatischen Erlebnissen reichen jedoch weit über das Individuum hinaus und beeinflussen das gesamte Familiensystem, sodass Traumafolgen von einer Generation auf die nächste übertragen werden können.

Sekundäre Traumatisierung wurde erstmals von dem amerikanischen Psychiater Charles Figley erkannt und als Begriff eingeführt [1]. Sind Kinder die sekundär Betroffenen, wird von intergenerationaler Traumatisierung gesprochen. Im engeren Sinne versteht man darunter PTBS-ähnliche Symptome, aber auch andere Beeinträchtigungen wie erhöhter Stress, Ängste, oder depressive Beschwerden. Dieses Phänomen wurde häufig im Rahmen von Kriegen und Massentraumatisierung untersucht.

Nicht alle Nachkommen von Traumaüberlebenden weisen sekundäre psychopathologische Symptome auf: repräsentative Bevölkerungsstichproben der zweiten Generation von Holocaust Überlebenden zeigten in einer Metaanalyse keine signifikant höhere Symptomatik als Gleichaltrige, deren Eltern nicht vom Holocaust betroffen waren. Nachkommen von Holocaust Überlebenden sind allerdings vulnerabler, sobald sie mit zusätzlichen stressreichen Lebensereignissen konfrontiert sind. Die intergenerationalen Effekte von Traumata können sich also neben psychopathologischen Symptomen auch als eine latente Vulnerabilität für Stress manifestieren [2].

Merke

Das Ausmaß von sekundärer PTBS bei Kindern hängt von der Art des Traumas (interpersonell vs. non-personell) und der Stärke der PTBS Symptomatik der Eltern ab [3]. (s. Infobox)

FORMEN VON KRIEGSTRAUMATA

Besonders schwerwiegend sind von Menschen verursachte traumatische Erfahrungen, wie etwa Kriegsgefangenschaft. Neben einer hohen Prävalenz von PTBS und anderen Beschwerden, können solche interpersonellen Traumata die Beziehungsfähigkeit der Betroffenen lebenslang beeinträchtigen. Die Betroffenen werden über einen längeren Zeitraum schlimmer körperlicher und psychischer Folter unterzogen. Sie befinden sich in einem Verhältnis der totalen Abhängigkeit von den Tätern. Dabei entstehen oft intime, jedoch in höchstem Grade missbräuchliche Beziehungen. Im Gegensatz dazu sind die traumatischen Erlebnisse von Soldaten im Kampfeinsatz überwiegend non-personeller Natur.

Empirische Untersuchung der intergenerationalen Folgen von Kriegstrauma

Empirisch untersucht wurde sekundäre Traumatisierung unter anderem in einer israelischen Studie. Veteranen und eine Gruppe ehemaliger Kriegsgefangener des Yom Kippur Krieges (1973) sowie deren Partnerinnen und Kinder wurden über mehrere Jahrzehnte begleitet [4]. Mehr als 40 Jahre nach dem Krieg wiesen erwachsene Kinder ehemaliger Kriegsgefangener mehr Intrusionen und Vermeidung auf als Kinder von Veteranen, die nicht in Gefangenschaft gerieten. Bezüglich Hyperarousal gab es keinen Unterschied. Sie berichteten ebenfalls mehr Depression, Angst, Feindseligkeit, sowie paranoide Gedanken [5].

Merke

Auch im Erwachsenenalter berichten Kinder schwer interpersonell traumatisierter Personen vermehrt von psychopathologischen Auffälligkeiten.

Mechanismen des intergenerationalen Einflusses von PTBS

Wie können psychopathologische Symptome und andere psychische Beschwerden intergenerational übertragen werden? Verschiedene psychologische und physiologische Mechanismen spielen eine Rolle:

Erziehungsverhalten

Positives Erziehungsverhalten wird als adäquate elterliche Reaktion auf die Bedürfnisse des Kindes nach Liebe und Schutz definiert, wobei gleichzeitig die Bedürfnisse des Kindes nach Exploration der eigenen Umgebung respektiert werden sollen [6]. Wenn ein Elternteil an einer PTBS leidet, hat dies einen direkten Einfluss auf das Elternverhalten und das emotionale Klima in der Familie. Unterschiedliche Symptome der PTBS können das Erziehungsverhalten auf spezifische Art und Weise beeinträchtigen:

Vermeidung

Insbesondere Überlebende interpersoneller Traumata, deren Grundvertrauen in andere Menschen stark erschüttert wurde, haben oft Schwierigkeiten, sich langfristig auf intime Beziehungen einzulassen. Dies betrifft selbst die eigenen Kinder und kann zu einer reduzierten Partizipation im Leben des Kindes führen- in extremen Fällen sogar zu einer emotionalen Abkoppelung. Emotionale Taubheit führt dazu, dass Eltern weniger verfügbar sind und Probleme haben, nahe, bedeutsame, zärtliche, und unterstützende Interaktionen mit den Kindern zu pflegen [7].

Vermeidungsverhalten traumatisierter Eltern kann auch den Kommunikationsstil in der Familie beeinflussen und im Extremfall kommt es zu einer sogenannten „conspiracy of silence“ (s. Infobox).

Traumabezogene Kognitionen und Weltanschauungen

Traumaüberlebende haben die Erfahrung gemacht, dass die Welt kein sicherer, vorhersehbarer Ort ist oder, dass andere Menschen sich feindselig, übergriffig oder grausam verhalten können [10]. Solche Erfahrungen haben das Potenzial, bestehende Weltanschauungen grundlegend zu verändern. Neue Situationen, Abweichung von Routinen, oder Kontakt mit unbekannten Personen können deshalb als bedrohlich eingestuft werden mit erhöhtem Bedürfnis, das eigene Kind zu schützen. Die Folge ist, dass Eltern zu überbehütendem Verhalten neigen. Durch die eingeschränkte Autonomie haben die Kinder Schwierigkeiten, altersgerechte Erfahrungen zu machen [11].

Hyperarousal

Auch wenn in der Langzeitstudie keine Übertragung von Hyperarousalsymptomen festgestellt werden konnte, kann Übererregbarkeit zu einer Senkung der Frustrationstoleranz führen und zur Folge haben, dass ein Elternteil mit PTBS in stressreichen Situationen schneller wütend und aggressiv wird [12]. Das Risiko für familiäre Gewalt ist dadurch erhöht und die Kinder sind zusätzlich dem Risiko für primäre Traumatisierung ausgesetzt. Betroffene Eltern erleben häufig Schuldgefühle, Scham oder Hilflosigkeit bezüglich ihrer gewalttätigen Reaktionen, was wiederum psychischen Stress erzeugt. Ein solcher Teufelskreis ist sehr belastend für die Eltern-Kind-Beziehung [13].

CONSPIRACY OF SILENCE

„Conspiracy of silence“ bezeichnet die nonverbale Abmachung, in der Familie nicht über das Trauma der Eltern zu sprechen. Kinder nehmen die posttraumatische Symptomatik der Eltern zwar wahr, erhalten dafür jedoch keine Erklärung und das Füllen der Informationslücken ist gänzlich ihrer Imagination überlassen. Bei erwachsenen Kindern der zweiten Generation von Holocaust Überlebenden zeigte sich, dass wenig explizite Informationen zum Trauma der Eltern mit zwischenmenschlichen Schwierigkeiten assoziiert ist, insbesondere dem Zulassen emotionaler Nähe[8]. Als Kommunikationsstil der Wahl gilt moduliertes Offenlegen, wobei der Zeitpunkt und die Art der Offenlegung den kognitiven und emotionalen Bedürfnissen des Kindes angepasst werden sollen. Moduliertes Offenlegen soll zudem der posttraumatischen Symptomatik der Eltern angepasst sein, wobei eine stärker ausgeprägte PTBS auch mehr Erklärungsbedarf erzeugt [9].

EMPIRISCHE ERGEBNISSE

Im Vergleich zu Veteranen, die nicht in Gefangenschaft waren, berichteten die ehemaligen Kriegsgefangenen eine reduzierte Nähe zu ihren Kindern und beschrieben sich selbst als weniger sensitiv für deren Bedürfnisse. Dieser Eindruck wurde von den erwachsenen Kindern der ehemaligen Gefangenen geteilt. Sie gaben an, dass ihre Väter sie in ihrer Kindheit stärker kontrollierten, sich mehr in Entscheidungsprozesse einmischten und ihre Selbständigkeit stärker einschränkten. Darüber hinaus beschrieben sie, weniger väterliche Zuwendung erhalten zu haben, als es die Kinder der Veteranen berichteten. Die Wahrnehmungen der Kinder bezüglich Nähe und Kontrolle ihres Vaters konnte den Zusammenhang von väterlicher PTBS und sekundärer PTBS der Kinder zu einem Großteil erklären [14].

Merke

Geringe elterliche Sensitivität und hostiles Erziehungsverhalten sind vermutlich psychosoziale ‚Vermittler‘ für sekundäre Traumatisierung von Kindern und stehen in Zusammenhang mit den Symptomclustern der PTBS.

Kortisolspiegel

Der Intergenerationale Einfluss von Traumata kann auch mittels physiologischer Prozesse stattfinden. Ein wichtiger Vermittler zwischen PTBS Symptomen in der Elterngeneration und der erhöhten Prävalenz von psychopathologischen Symptomen in der Generation der Kinder ist der Kortisolspiegel. Eine Studie hat gezeigt, dass Kinder, deren Mütter während der Schwangerschaft die Anschläge auf das World Trade Center miterlebten und in der Folge eine PTBS entwickelten, einen niedrigeren Kortisolspiegel aufwiesen als Kinder unbelasteter Mütter [15]. Ein geringerer Kortisolspiegel der Mutter ging außerdem mit höherem psychischem Stress bei den Kindern einher, wenn sie mit unbekannten Reizen wie lauten Geräuschen oder fremden Personen konfrontiert wurden. Die oben genannte latente Vulnerabilität für PTBS bei Nachkommen traumatisierter Eltern [2] könnte somit teilweise den Besonderheiten im Kortisolhaushalt der zweiten Generation zuschreibbar sein [16].

Interpersonelle Schwierigkeiten sekundär traumatisierter Kinder

Beziehungsschemata

Wichtige Schemata zum Beziehungsverhalten werden in der Kindheit in der Interaktion mit den Eltern gebildet und haben einen lebenslangen Einfluss auf die Art und Weise, wie zwischenmenschliche Beziehungen gelebt werden. Aus diesem Grund können die Folgen sekundärer Traumaexposition auch noch im Erwachsenenalter deutlich spürbar sein.

Die Kinder ehemaliger Kriegsgefangener berichteten 40 Jahre nach der Gefangenschaft ähnliche Beziehungsdefizite wie ihre Väter, was sich in höheren Bindungsunsicherheiten (d. h. mehr ängstlichen und vermeidenden Bindungstendenzen) äußerte. Ausgeprägte Tendenzen zu ängstlicher oder vermeidender Bindung waren gleichzeitig mit stärker ausgeprägten sekundären PTBS Symptomen assoziiert.

Selbstdifferenzierung

Selbstdifferenzierung erlaubt dem Kind idealerweise, zu einem emotional autonomen Individuum heranzuwachsen, sich aber gleichzeitig als mit anderen verbunden wahrzunehmen. Einschränkungen in der Autonomie können Schwierigkeiten verursachen, die eigene Identität zu differenzieren und sich vom Trauma eines Elternteils abzugrenzen. Eine niedrigere Selbstdifferenzierung war in der vorliegenden Studie ebenfalls mit mehr sekundären PTBS Symptomen verbunden [17].

Systemische Sicht auf intergenerationalen Traumatransfer

Wird die Familie als holistisches System verstanden, sollten zum Verständnis von intergenerationalem Traumatransfer alle Familienmitglieder berücksichtigt werden und auch der Rolle des zweiten, potenziell ebenfalls sekundär traumatisierten Elternteils Beachtung geschenkt werden. In der israelischen Studie berichteten die Partnerinnen ehemaliger Kriegsgefangener im Vergleich zu den Partnerinnen von Veteranen mehr sekundäre PTBS Symptome, mehr Somatisierung, schlechtere allgemeine psychische Gesundheit, einen tieferen Selbstwert und mehr negative Kognitionen. Je stärker die PTBS des Mannes ausgeprägt war, desto stärker war auch die Partnerin belastet.

Vater-Mutter-Kind-Triaden

Was passiert nun, wenn ein Kind in eine Familie hinein geboren wird, in der der Vater an PTBS leidet und die Mutter sekundär traumatisiert ist? Am Beispiel der Kriegsgefangenen und ihrer Familien wurde gezeigt, dass die intergenerationale Traumatisierung des Kindes sogar stärker von der sekundären PTBS der Mutter herrührt als von der primären PTBS des Vaters. Dies könnte insbesondere damit zusammenhängen, dass die Mütter die primären Bezugspersonen der Kinder waren und diese somit der mütterlichen Symptomatik stärker ausgesetzt waren. Die zentrale Rolle der sekundär traumatisierten Mütter wird weiterhin dadurch verdeutlicht, dass auch die primäre PTBS der Väter von der Ausprägung ihrer sekundären Symptomatik beeinflusst wurde. Insbesondere in Gesellschaften mit traditionellen Familienwerten, wie etwa Israel, fällt der Mutter die Rolle der „Stützpfeiler der Familie" zu. Eine sekundäre Belastungsreaktion mag sie in der Ausübung dieser Rolle beeinträchtigen, was einen Einfluss auf die psychische Gesundheit aller Familienmitglieder hat [18, 19].

Merke

In einem Familiensystem stehen die primären und sekundären posttraumatischen Belastungssymptome aller Familienmitglieder miteinander in Verbindung.

FAZIT

Traumafolgen sollten in einem systemischen Kontext verstanden werden. Es kann daher sinnvoll sein, traumatisierte PatientInnen mit Kindern für Prozesse intergenerationaler Traumaweitergabe zu sensibilisieren. Psychoedukation und Beratung zum Umgang mit PTBS in der Erziehung können sie in ihrer Elternrolle stärken und den intergenerationalen Traumatransfer einschränken. Psychosoziale Unterstützung der PartnerInnen von Traumatisierten sollte ebenfalls in Betracht gezogen werden, was besonders zentral ist, wenn der sekundär exponierte Elternteil die Hauptbezugsperson der Kinder ist.

Interessenkonflikt

Die Autorin gibt an, dass kein Interessenkonflikt besteht.

Autorinnen/Autoren

Rahel Bachem

Dr. phil., Promotion an der Universität Zürich in klinischer Psychologie. In Ausbildung zur psychologischen Psychotherapeutin in Kognitiver Verhaltenstherapie mit interpersonalem Schwerpunkt am Klaus-Grawe-Institut für Psychologische Therapie Zürich. Zurzeit tätig an der Tel Aviv University in Israel, am I-CORE Research Center for Mass Trauma. Schwerpunkte: systemische Implikationen von Kriegstraumatisierung und PTBS.

Korrespondenzadresse

Rahel Bachem

I-Core Research Center for Mass Trauma
Tel Aviv University
Chaim Levanon 30
Tel Aviv, 699 7801
Israel
rahel.bachem@gmail.com

Literatur

[1] Figley CR. Compassion fatigue: Toward a new understanding of the costs of caring. In: Stamm BH (Hrsg.). Secondary traumatic stress: Self-care issues for clinicians, researchers, and educators. Baltimore, MD: The Sidran Press, 1995: 3–28

[2] van IJzendoorn MH, Bakermans-Kranenburg MJ, Sagi-Schwartz A. Are children of Holocaust survivors less well-adapted? A meta-analytic investigation of secondary traumatization. J Trauma Stress 2003; 16: 459–469

[3] Lambert JE, Engh R, Hasbun A, Holzer J. Impact of post-traumatic stress disorder on the relationship quality and psychological distress of intimate partners: A meta-analytic review. J Fam Psychol 2012; 26: 729–737

[4] Solomon Z, Horesh D, Ein-Dor T, Ohry A. Predictors of PTSD trajectories following captivity: A 35-year longitudinal study. Psychiatry Res 2012; 199: 188–194

[5] Stein JY, Aloni R, Crompton L, Zerach G, Solomon Z. Intergenerational aftermath of war captivity: When children bear their fathers' traumatic past. In: Hoven C, Tyano S, Amsel L (Hrsg.). Children's Mental Health Needs after Major Disasters, an International Perspective. New York, NY: Springer

[6] Parker G, Tupling H, Brown LB. A parental bonding instrument. Br J Med Psychol 1979; 52: 1–10

[7] Herman JL. Trauma and recovery. New York, N. Y.: Basic books, 1992

[8] Wiseman H, Barber JP, Raz A, Yam I, Foltz C, Livne-Snir S. Parental communication of Holocaust experiences and interpersonal patterns in offspring of Holocaust survivors. Int J Behav Dev 2002; 26: 371–381

[9] Dalgaard NT, Montgomery E. Disclosure and silencing: A systematic review of the literature on patterns of trauma communication in refugee families. Transcult Psychiatry 2015; 52: 579–593

[10] Janoff-Bulman R. Assumptive worlds and the stress of traumatic events: Applications of the schema construct. Soc Cogn 1989; 7: 113–136

[11] Grotevant HD, Cooper CR. Individuation in family relationships. Hum Dev 1986; 29: 82–100

[12] Solomon Z, Dekel R, Zerach G. The relationships between posttraumatic stress symptom clusters and marital intimacy among war veterans. J Fam Psychol 2008; 22: 659–666

[13] Rosenheck R, Fontana A. Transgenerational effects of abusive violence on the children of Vietnam combat veterans. J Trauma Stress 1998; 11: 731–742

[14] Zerach G, Aloni R. Secondary traumatization among former prisoners of wars' adult children: The mediating role of parental bonding. Anxiety Stress Coping 2015; 28: 162–178

[15] Yehuda R, Engel SM, Brand SR, Seckl J, Marcus SM, Berkowitz GS. Transgenerational effects of posttraumatic stress disorder in babies of mothers exposed to the World Trade Center attacks during pregnancy. J Clin Endocrinol Metab 2005; 90: 4115–4118

[16] Yehuda R, Teicher MH, Seckl JR, Grossman RA, Morris A, Bierer LM. Parental posttraumatic stress disorder as a vulnerability factor for low cortisol trait in offspring of Holocaust survivors. Arch Gen Psychiatry 2007; 64: 1040–1048

[17] Nicolai S, Zerach G, Solomon Z. The roles of fathers' posttraumatic stress symptoms and adult offspring' s differentiation of the self in the intergenerational transmission of captivity trauma. J Clin Psychol 2016; 73: 848–863

[18] Bachem R, Levin Y, Zerach G, Solomon Z. A systemic approach to intergenerational transmission of trauma: The role of parental posttraumatic stress, marital adjustment, and dyadic self-disclosure. J Marital Fam Ther 2017; 44: 543–555

[19] Levin Y, Bachem R, Solomon Z. Traumatization, marital adjustment, and parenting among veterans and their spouses: A longitudinal study of reciprocal relations. Fam Process 2017; 56: 926–942

Bibliografie

DOI https://doi.org/10.1055/a-0771-5215
PiD - Psychotherapie im Dialog 2019; 20: 42–45

ISSN 1438-7026

Traumatherapie bei Geflüchteten

Christoph Nikendei, David Kindermann, Florian Junne, Anja Greinacher

Migration wird als intendierte oder zwangsläufige Veränderung des Lebensmittelpunkts verstanden. Die Prävalenz an Traumafolgestörungen und komorbiden psychischen Erkrankungen ist in vielen Populationen von Geflüchteten gegenüber der Normalbevölkerung deutlich erhöht. Auch die an der Versorgung beteiligten Berufsgruppen weisen eine hohe psychische Belastung im Sinne der Sekundärtraumatisierung auf.

Gewalt- und Zwangsmigration

Häufig ist es der Versuch, Chancen anderenorts wahrzunehmen oder flexibel auf Krisen zu reagieren. Aber auch Kriegshandlungen, Bombardierung, Folter, sexuelle Gewalt und Terror können zu Flucht, Vertreibung und Deportation und damit zur Zwangs- und Gewaltmigration führen [1]. Mitte des Jahres 2018 waren es über 68 Mio. Menschen, die sich aufgrund dieser oder ähnlicher Bedrohungen auf der Flucht befanden. Neben diesen schwierigen Lebensumständen stellen Perimigrationstraumata und -stressoren sowie Bedrohung von Leib und Leben durch gefährliche Fluchtrouten erhebliche Belastungen für die Geflüchteten dar. Selbst nach Ankunft in der Zieldestination können Postmigrationsstressoren wie die Anhörungen im Rahmen des Asylverfahrens, die Trennung und der Tod von Angehörigen, der erlebte soziale Statusverlust und Akkulturationsstress extrem belasten und als Ausgangspunkt für die Erstmanifestation, Aufrechterhaltung oder Exazerbation von psychischen Störungen in Frage kommen [2].

Prävalenz von Traumafolgestörungen und komorbiden psychischen Erkrankungen

Für die posttraumatische Belastungsstörung (PTBS) bei Geflüchteten konnten bei institutionsbasierten Erhebungen Prävalenzen zwischen 6,7–76,7 % und für populationsbasierte Stichproben Prävalenzen zwischen 16,4–54,9 % identifiziert werden [3]. Hinsichtlich depressiver Störungen wurden populationsbasierte Prävalenzen von 12,5–57,4 % ermittelt; für Angst- und Panikstörungen konnte eine Rate von 20,7 % in einer Stichprobe Asylsuchender unterschiedlicher Herkunftsländer festgestellt werden. In einer institutionsbasierten Untersuchung konnte ein Substanzabusus, unabhängig vom Suchtmittel, in 17,4 % der Fälle nachgewiesen werden [4]. Die hier dargestellten Häufigkeiten sind z. T. erheblich von der untersuchten Zielpopulation (institutionsbasiert vs. populationsbasiert) und den verwendeten Erhebungsinstrumenten abhängig.

Traumatherapeutische Verfahren und Studien zur Wirksamkeit

In der Praxis scheinen viele therapeutische Herangehensweisen eine positive Wirkung zu haben. Allerdings sind viele dieser Behandlungsmethoden nicht empirisch validiert. Eine Übersicht zu den Verfahren und Methoden, die bei der Arbeit mit Geflüchteten zum Einsatz kommen, bietet ▶ **Tab. 1**. Dort werden zudem zu den nachfolgend skizzierten traumatherapeutischen Verfahren exemplarisch relevante Studien zur Wirksamkeit des Verfahrens bei Geflüchteten dargestellt. Eine detaillierte Beschreibung findet sich bei Nikendei et al. [5].

Expositionsverfahren

Laut den S3-Leitlinien zur PTBS sind konfrontationsbasierte Expositionsverfahren, z. B. Eye Movement Desensitization and Reprocessing (EMDR), als Methode der Wahl für die Behandlung der PTBS vorgesehen. Diese Therapieansätze verfolgen das Ziel einer verbesserten Symptomkontrolle, also Reduktion von Intrusionen, Flashbacks, Albträumen und damit auch des Vermeidungsverhaltens, indem eine aktive Konfrontation der Patientinnen und Patienten mit den traumatischen Erlebnissen stattfindet. Die traumatischen Erinnerungen werden damit auf einer Raum-Zeit-Achse neu verortet und finden kontextuellen Anschluss an nicht traumatische biografische Ereignisse [5].

Narrative Verfahren

Einen vergleichbaren Ansatz verfolgen die narrativen Verfahren, deren prominentester Vertreter die narrative Expositionstherapie ist (NET). Narrative Verfahren fördern das Versprachlichen von belastenden Ereignissen, wodurch die traumatische Erfahrung in die individuelle Biografie integriert werden soll. Das Erzählen (oder auch das Verschrift-

Nikendei C et al. Traumatherapie bei Geflüchteten ... PiD - Psychotherapie im Dialog 2019; 20: 46–50

▶ **Tab. 1** Darstellung traumatherapeutischer Verfahren, beispielhafter Methoden und zugehörige exemplarische Studien zur Traumatherapie von Geflüchteten.

Studie	Verfahren	Design	Stichprobe	Ergebnis
Konfrontationsbasierte Expositionsverfahren				
• Eye Movement Desensitization and Reprocessing (EMDR) • prolongierte Exposition in sensu • kognitiv-behaviorale Traumatherapie				
ter Heide, Mooren, van de Schoot, de Jongh, and Kleber 2016[1]	EMDR vs. Stabilisierung	RCT: 2 Behandlungsgruppen: 12 h EMDR (n = 36) vs. 12 h Stabilisierung (n = 36)	72 erwachsene Geflüchtete mit PTBS	deutlich reduzierte PTBS-Symptomatik bei 40 % der Patienten in beiden Gruppen
Narrative Methoden				
• narrative Expositionstherapie (NET) • Imagery Rescripting and Reprocessing Therapy (IRRT) • Imagery Rehearsal Therapy (IRT) • Testimony Therapy (TT) • Life Review Therapy (LRT)				
Adenauer et al. 2011[2]	NET	RCT, 2 Gruppen: NET (n = 16) vs. Wartekontrollgruppe (n = 18)	34 erwachsene Geflüchtete mit PTBS	PTBS- und Depressionssymptome mit signifikantem Rückgang im Vergleich zur Kontrollgruppe
Psychodynamische Methoden zur Behandlung von Traumafolgestörungen				
• Psychodynamisch Imaginative Trauma Therapie (PITT)				
Es existieren bisher keine empirischen Daten zur Wirksamkeit bei Anwendung der Verfahren bei Geflüchteten.				
Körperorientierte Verfahren				
• Somatic Experiencing (SE) • konzentrative Bewegungstherapie (KBT) • Feldenkrais				
Es existieren bisher keine empirischen Daten zur Wirksamkeit bei Anwendung der Verfahren bei Geflüchteten.				
Ressourcenaktivierung/Stabilisierungstechniken				
• Imaginationsübungen • Skills • achtsamkeitsbasierte Stabilisierungsübungen				
Hinton et al. 2005[3]	Achtsamkeit	RCT: individuelle kognitive VT, kulturell adaptiert; Untersuchungsgruppe (n = 20) und Wartekontrollgruppe (n = 20)	40 erwachsene Genozid-Geflüchtete aus Kambodscha mit PTBS-Symptomatik	deutliche Verbesserungen in Untersuchungsgruppe im Vergleich zur Kontrollgruppe in allen Parametern
Gruppenpsychotherapie				
• gruppentherapeutische imaginative Stabilisierungsübungen • ressourcenorientierte Gruppentherapie • Tanz-, Musik-, Gestaltungstherapie in der Gruppe				
Zehetmair et al. 2018[4]	imaginative stabilisierende Gruppensitzungen	Pilotstudie: 2 × pro Woche offene Gruppe; Messungen vor und nach den Gruppensitzungen	43 traumatisierte männliche Geflüchtete in einer Erstaufnahmeeinrichtung	signifikante Reduktion von Distress- und Angstsymptomen; PTBS- und Depressionssymptome unverändert

SIT = Stress Inoculation Module, RCT = randomized controlled trial

1 = Adenauer H, Catani C, Gola H et al. Narrative exposure therapy for PTSD increases top-down processing of aversive stimuli-evidence from a randomized controlled treatment trial. BMC Neurosci 2011; 12: 1

2 = Hinton DE, Chhean D, Pich V et al. A randomized controlled trial of cognitive-behavior therapy for Cambodian refugees with treatment-resistant PTSD and panic attacks: A cross-over design. J Traum Stress 2005; 18: 617–629

3 = ter Heide FJJ, Mooren TM, van de Schoot R et al. Eye movement desensitization and reprocessing therapy vs. stabilisation as usual for refugees: randomised controlled trial. Brit J Psy 2016; doi:10.1192/bjp.bp.115.167775

4 = Zehetmair C, Kaufmann C, Tegeler I et al. Psychotherapeutic Group Intervention for Traumatized Male Refugees using Imaginative Stabilization Techniques – a Pilot Study in a German Reception Center. Front Psy 2018; 9: 533

lichen) ist dabei eine wichtige Form der Identitätsbildung und hilft, Belastungen zu verarbeiten [5]. Für die NET besteht die weitreichendste Datenbasis inklusive metaanalytischer Untersuchungen zum Einsatz bei Geflüchteten. In der NET wird insbesondere in Krisenregionen ein Peer-Ansatz gewählt, bei dem LaienhelferInnen in der Durchführung trainiert werden. Neben einer besseren Akzeptanz durch die Betroffenen und einer größeren Anzahl von möglichen Behandlungen zeigt der Peer-Ansatz höhere Effektstärken als die Durchführung durch qualifizierte Psychotherapeuten.

Psychodynamische Methoden

Im Rahmen psychodynamischer Methoden zur Behandlung von Traumafolgestörungen werden häufig psychodynamische Ansätze mit imaginativen, der Hypnotherapie entstammenden Techniken kombiniert. Eine weit verbreitete Methode ist z. B. die „Bühnenmetapher", die dazu dient, die Symptomatik in einem „imaginären Raum" zu bearbeiten. Der Behandlungsplan folgt einem Phasenmodell von Stabilisierung, konfrontativer Arbeit, Wiederanknüpfung und Neuanfang, wobei die Arbeit an traumatischen Beziehungsmustern und am Welt- und Selbstverständnis der Patienten im Mittelpunkt steht.

Körperbasierte und Stabilisierungsmethoden

Körperbasierte Traumamodelle gehen davon aus, dass traumatische Ereignisse eine körperliche Stressreaktion bei den Betroffenen auslösen. In den traumaorientierten Körpertherapieverfahren werden die resultierende systematische Dysregulation des Körpers und das als somatisches Muster „gespeicherte" Trauma behandelt.

Bei den Techniken zur Ressourcenaktivierung und Stabilisierung stehen hingegen das Erkennen und Fördern bereits vorhandener Fähigkeiten und Ressourcen, sowie das Anreichern und Erweitern dieser Fähigkeiten durch Informationen, Training von selbstregulatorischen Fähigkeiten und Erarbeitung von Bewältigungskompetenzen im Vordergrund.

Gruppentherapeutische Ansätze

Für gruppentherapeutische Ansätze konnte gezeigt werden, dass sich sowohl ressourcenorientierte Ansätze als auch Tanz-, Musik- und Kunsttherapie positiv auf die Traumasymptomatik und das Wohlbefinden von Geflüchteten auswirken können. Allerdings wird in der Literatur angemahnt, dass die Evidenzlage speziell für die gruppentherapeutischen Verfahren noch als unzureichend einzuschätzen ist [6].

Merke

Untersuchungen zur Wirksamkeit von traumatherapeutischen Verfahren für Geflüchtete im Einzel- und Gruppensetting zeigen positive Effekte in der Reduktion traumaspezifischer und komorbider psychischer Symptome. Bei den Expositionsverfahren besteht für die narrative Expositionstherapie (NET) die breiteste Datenbasis für ihre Wirksamkeit. Viele Verfahren und Methoden sind empirisch noch nicht validiert.

Rahmenbedingungen und Zugang zur Versorgung in Deutschland

Versorgungssituation in den Registrierungszentren

Im Rahmen der Registrierung von Asylbewerbern ist eine ärztliche Inaugenscheinnahme im Rahmen des Asylbewerberleitungsgesetzes (AsylbLG) zwingend vorgeschrieben. Ziel ist es, ansteckende Erkrankungen und lebensbedrohliche Zustände von Geflüchteten zu identifizieren und akuten gesundheitlichen Schaden abzuwenden. Allerdings unterliegt die inhaltliche Ausgestaltung der ärztlichen Inaugenscheinnahme der Festlegung durch die Bundesländer, so dass die Schwerpunktsetzung erheblich variiert. Die Existenz von medizinischen Ambulanzen in Registrierungszentren stellt eine Seltenheit dar [7], ebenso wie psychosoziale Sprechstunden für psychisch belastete Geflüchtete [4]. Eine Evaluation des psychischen Gesundheitsstatus ist nicht Gegenstand der ärztlichen Inaugenscheinnahme [8].

Rahmenbedingungen für die Inanspruchnahme psychotherapeutischer Versorgung

Die Klärung von Rahmenbedingungen und der Entwurf eines Gesamtbehandlungsplans [5] sind zentral für die Einleitung einer psychotherapeutischen Behandlung. Insbesondere ist die asylrechtliche Situation zu berücksichtigen, von der die Finanzierung einer psychotherapeutischen Behandlung maßgeblich abhängt. Bis zur Anerkennung des Asylbewerbers als Flüchtling unterliegt der Geflüchtete dem Asylbewerberleitungsgesetz (§§ 3, 4 und 6 AsylbLG). Während dieser Zeit müssen psychotherapeutische Behandlungen beim Sozialamt oder Regierungspräsidium beantragt werden.

Die Verfahren der Begutachtung der Anträge auf Psychotherapie sind weder standardisiert, noch ist festgelegt, welche Qualifikation Gutachter vorzuweisen haben. Während die Quote der Bewilligung von Psychotherapien von gesetzlich krankenversicherten PatientInnen bei 97–99 % liegt, wird der Antrag von Geflüchteten bei den genannten Stellen nur zu 50 % (Jahr 2013) bzw. 85 % (Jahr 2015) positiv beschieden [9]. Nach einer Aufenthaltszeit in Deutschland von über 15 Monaten erhalten Asylbewerber mit Aufenthaltsgestattung sog. „Analogleistungen" nach § 2 AsylbLG (entsprechend SGB XII), die weitgehend den Gesundheitsleistungen der gesetzlichen Krankenversicherungen entsprechen. Bei Anerkennung des Geflüchteten als Flüchtling unterliegt dieser meist der Versicherungspflicht in der gesetzlichen Krankenversicherung (entsprechend SGB II). Die unzureichende Finanzierungslage und Verfügbarkeit von Dolmetschern, auf die im Beitrag von Helmboldt et al. (in diesem Heft) näher eingegangen wird, legt den verstärkten Einsatz von fremdsprachigen PsychotherapeutInnen nahe, weshalb dringlich solche Register etabliert werden müssen.

Bestehende Versorgungsangebote

Die ambulante psychotherapeutische Versorgung ist aufgrund der genannten Faktoren stark restringiert, weshalb diese aktuell in bedeutendem Umfang von den Folterzentren mit Hilfe von Projekt- und Spendengeldern [10], von Beratungsstellen, lokalen Verbänden und Netzwerken getragen wird [11]. Ambulanzen mit Sprechstunden für Geflüchtete und stationäre Versorgungsangebote für Geflüchtete an Universitäts- und Fachkliniken sind eine Seltenheit. Ein Therapieführer mit den entsprechenden Versorgungsangeboten findet sich bei Greinacher et al. [11]. Neben ambulanten Anlaufstellen gibt es niederschwellige telefon- und internetbasierte Hilfsangebote. Diese können eine erste Stabilisierung sowie Orientierung und Informationen geben.

Longitudinale Studien zur psychischen Belastung und dem Zugang zur Versorgung

Longitudinale Verlaufsstudien zur psychischen Versorgung von Geflüchteten unterschiedlicher Herkunftsländer mit Follow-up-Zeiträumen bis zu 28 Monaten zeigen im Wesentlichen eine Persistenz oder sogar Zunahme der psychischen Belastungssymptome. Einzelne Studien berichten auch über eine Teilremission der Depressivität und Traumasymptomatik sowie Verbesserung der Lebensqualität. Prospektive longitudinale und retrospektive Untersuchungen weisen darauf hin, dass sich unter 20 % der psychisch belasteten Geflüchteten in psychotherapeutischer Behandlung befinden und höchstens 50 % eine psychopharmakologische Therapie erhalten [12].

Psychische Belastungen im Rahmen der Arbeit mit Geflüchteten

Untersuchungen zu Sozialarbeitern und Dolmetschern, die in der Geflüchtetenversorgung tätig sind, deuten darauf hin, dass diese in 20–60 % der Fälle eine psychische Belastung im Sinne einer Sekundärtraumatisierung aufweisen [13][14]. Für PsychologInnen und ÄrztInnen existieren nur Berichte mit unzureichenden Stichprobengrößen [13]. Studien zu TraumatherapeutInnen außerhalb der Geflüchtetenversorgung zeigen jedoch eine erhebliche Belastung dieser Berufsgruppe mit Symptomen der Sekundärtraumatisierung, deren Ausprägung im Verlauf der Berufsbiografie zuzunehmen scheint. Entsprechend führen die Angehörigen der benannten Berufsgruppen einen hohen Bedarf an Super- und Intervision an. Über 35 % verfügen jedoch über keinerlei Zugang zu Super- oder Intervisionsveranstaltungen [13], die für die Versorgung der hoch belasteten Geflüchtetengruppe unabdingbar ist [15].

FAZIT

Obwohl etablierte und wirksame Behandlungsansätze existieren, zeigt sich in longitudinalen Studien, dass nur einer geringen Anzahl an Geflüchteten eine psychotherapeutische und etwa der Hälfte der Geflüchteten eine medikamentöse Therapie zu Teil wird. Gründe für die unzureichende psychotherapeutische Versorgung sind in der fehlenden Finanzierung von Therapie und Dolmetschern zu sehen. Auch den Helfern selbst stehen Supervisions- und Intervisionsmaßnahmen bei der sehr belastenden Tätigkeit mit Geflüchteten nur in unzureichendem Umfang zu Verfügung.

Interessenkonflikt

Die Autoren geben an, dass kein Interessenkonflikt besteht.

Autorinnen/Autoren

Christoph Nikendei

Facharzt für Innere Medizin sowie Facharzt für Psychosomatische Medizin und Psychotherapie und ist als Leitender Oberarzt und Leiter der Sektion Psychotraumatologie an der Universitätsklinik Heidelberg für Allgemeine Innere Medizin und Psychosomatik tätig. Klinische Schwerpunkte sind die Behandlung von PatientInnen mit Traumafolgestörungen und Versorgung von Geflüchteten. Wissenschaftliche Interessensgebiete sind Traumafolgestörungen, Psychotherapieforschung, Gedächtnisforschung und Forschung zur Medizindidaktik.

Dr. med. David Kindermann

Zentrum für Psychosoziale Medizin der Universität Heidelberg; Universitätsklinik für Allgemeine Innere Medizin und Psychosomatik

Dr. med. Florian Junne

Abteilung Innere Medizin VI – Psychosomatische Medizin und Psychotherapie, Universitätsklinik Tübingen

MSc. Psych. Anja Greinacher

Zentrum für Psychosoziale Medizin der Universität Heidelberg; Universitätsklinik für Allgemeine Innere Medizin und Psychosomatik

Korrespondenzadresse

Prof. (apl.) Dr. med. Christoph Nikendei, MME
Zentrum für Psychosoziale Medizin der Universitätsklinik Heidelberg
Universitätsklinik für Allgemeine Innere Medizin und Psychosomatik
Thibautstr. 4
69115 Heidelberg
christoph.nikendei@med.uni-heidelberg.de

Literatur

[1] Oltmer J. Zusammenhänge zwischen Migration und Entwicklung. Bonn: Brandt; 2015. Im Internet: https://www.tdh.de/fileadmin/user_upload/inhalte/10_Material/Themeninfos/2015-07_Migrationsstudie-deu.pdf; Stand: 06.03.2019

[2] Nikendei C, Greinacher A, Sack M. Traumafolgestörungen und psychische Komorbidität: Konzeption und Diagnostik. In: Borcsa M, Nikendei C. Hrsg. Psychotherapie nach Flucht und Vertreibung: Eine interprofessionelle Perspektive auf die Hilfe für Flüchtlinge. Stuttgart: Thieme; 2017: 86–89

[3] Bozorgmehr K, Mohsenpour A, Saure D et al. Systematische Übersicht und „Mapping "empirischer Studien des Gesundheitszustands und der medizinischen Versorgung von Flüchtlingen und Asylsuchenden in Deutschland (1990–2014). Bundesgesblatt Gesforsch Gesschutz 2016; 59: 599–620

[4] Huhn D, Kohl RM, Manok N et al. Entwicklung, Implementierung und Patientenspektrum einer Ambulanz für Geflüchtete mit Traumafolgestörungen und psychischen Belastungen in einer Landeserstaufnahmeeinrichtung. Psychotherapeut 2017; 333–340

[5] Nikendei C, Greinacher A, Sack M. Therapie von Traumafolgestörungen: Gesamtbehandlungsplan, Therapieverfahren und deren Wirksamkeit. In: Borcsa M, Nikendei C, Hrsg. Psychotherapie nach Flucht und Vertreibung: Eine Interprofessionelle Perspektive auf die Hilfe für Flüchtlinge. Stuttgart: Thieme; 2017: 86–100

[6] Roberts NP, Thompson CT, Vidgen A. Psychological interventions for post-traumatic stress disorder in refugees and asylum seekers: A systematic review and meta-analysis. Clin Psy Rev 2018; 63: 66–79

[7] Adler G, Huhn D, Nikendei C et al. Entwicklung und Implementierung einer Medizinischen Ambulanz in einer Erstaufnahmeeinrichtung für Asylsuchende des Landes Baden-Württemberg. Z Evid Fortbil Qual Geswesen 2017; 126: 31–42

[8] Bozorgmehr K, Nöst S, Wahedi K. Health examination of asylum seekers: A nationwide analysis of state policies in Germany: § 62 of the asylum law. Bundesgesblatt Gesforsch Gesschutz 2017; 60: 108–117

[9] Baron J, Schriefers S. Versorgungsbericht zur psychosozialen Versorgung von Flüchtlingen und Folteropfern in Deutschland. Bundesweite Arbeitsgemeinschaft der Psychosozialen Zentren für Flüchtlinge und Folteropfer (BAfF) e. V.; 2015

[10] Baron J, Flory L. Versorgungsbericht zur psychosozialen Versorgung von Flüchtlingen und Folteropfern in Deutschland. 2. akt. Aufl. Bundesweite Arbeitsgemeinschaft der Psychosozialen Zentren für Flüchtlinge und Folteropfer (BAfF) e. V.; 2016

[11] Greinacher A, Derreza-Greeven C, Nikendei C. Praxisleitfaden und Therapieführer. In: Borcsa M, Nikendei C, Hrsg. Psychotherapie nach Flucht und Vertreibung: Eine interprofessionelle Perspektive auf die Hilfe für Flüchtlinge. Stuttgart: Thieme; 2017: 188–202

[12] Brandenburg H, Kindermann D, Nikendei C et al. Zugang von Geflüchteten zur psychiatrisch-psychotherapeutischen Versorgung. In: 69. Jahrestagung des Deutschen Kollegiums für Psychosomatische Medizin (DKPM). Berlin; 2019

[13] Denkinger JK, Rometsch-Ogioun El Sount C, Windthorst P et al. Prevalence and determinants of secondary traumatization in caregivers working with women and children who suffered extreme violence by the 'Islamic State'. Front Psy 2018; 9: 234

[14] Kindermann D., Schmid C., Derreza-Greeven C., Huhn D., Kohl R.M., Nila K., Schleyer M., Daniels J., Ditzen B., Herzog W., Nikendei C. Prevalence of and risk factors for secondary traumatization in interpreters for refugees: a cross-sectional study. Psychopathology 2017; 50: 262–272

[15] Daniels J, Manthey A, Nikendei C. Besondere Belastungen in der Psychotherapie mit Flüchtlingen. In: Borcsa M, Nikendei C, Hrsg. Psychotherapie nach Flucht und Vertreibung: Eine interprofessionelle Perspektive auf die Hilfe für Flüchtlinge. Stuttgart: Thieme; 2017: 175–181

Bibliografie

DOI https://doi.org/10.1055/a-0771-5193
PiD - Psychotherapie im Dialog 2019; 20: 46–50

ISSN 1438-7026

Behandlung der posttraumatischen Belastungsstörung bei Kindern und Jugendlichen – ein Fallbeispiel

Anna Vogel, Rita Rosner

Für die Behandlung der posttraumatischen Belastungsstörung (PTBS) im Kindes- und Jugendalter liegen positive Nachweise für unterschiedliche Interventionen vor. Der vorliegende Artikel bietet einen Überblick über Besonderheiten von Diagnostik und Behandlung in dieser Altersgruppe. Ein besonderer Schwerpunkt soll der Darstellung der Cognitive Processing Therapy (CPT) zukommen, einem gut evaluierten Verfahren, das erfolgreich für das Jugendalter adaptiert werden konnte.

Posttraumatische Belastungsstörung bei Kindern und Jugendlichen

Mehr als die Hälfte aller Kinder und Jugendlichen erleben eines oder mehrere potenziell traumatische Ereignisse vor Eintritt in das Erwachsenenalter. Bei Jugendlichen bis zum 17. Lebensjahr liegt die Lebenszeitprävalenz für eine PTBS bei etwa 5 % [1]. Zahlen zur Häufigkeit traumatischer Ereignisse und damit auch einer PTBS können (abhängig von sozialen, gesellschaftlichen und umweltbezogenen Rahmenbedingungen) jedoch auch deutlich höher ausfallen.

Während Angststörungen, Depression und Aufmerksamkeitsdefizit-Hyperaktivitäts-Störungen (ADHS) in allen Altersgruppen häufig komorbid auftreten, finden sich einige Diagnosen altersspezifisch vermehrt, z. B. Trennungsängste im Vorschulalter oder Selbstverletzung und Substanzmissbrauch bei Jugendlichen [2].

Differenzialdiagnostisch muss die PTBS von anderen Störungen abgegrenzt werden, die in der Folge von schweren Belastungen auftreten können und im ICD-11 im Kapitel „Trauma- und Stressstörungen" zusammengefasst sind. Für eine adäquate Differenzialdiagnostik bzgl. anderer Störungsbilder ist zudem eine behutsame Evaluation des zeitlichen Verlaufs der Symptome entscheidend [3]. Eine genaue Erhebung der Symptomatik mittels strukturierter und psychometrisch validierter Erhebungsinstrumente ist daher unabdingbar. Da Eltern die Symptomatik ihrer Kinder häufig unterschätzen, ist immer auch eine Exploration des Kindes selbst nötig [4]. Mit steigendem Entwicklungsalter (i. d. R. ab etwa 14 Jahren) ist der Einbezug von Bezugspersonen in den diagnostischen Prozess nicht mehr zwingend erforderlich.

Behandlung

Für das Kindes- und Jugendalter liegen mittlerweile eine Reihe randomisierter kontrollierter Interventionsstudien vor. Aktuelle Metaanalysen [5][6] zeigen, dass kognitiv-verhaltenstherapeutisch orientierte Verfahren die am besten untersuchte Therapieform sind. Kontrollierte Effektstärken liegen im mittleren bis hohen Bereich für die Reduktion von PTBS-Symptomen und im mittleren Bereich für die komorbide Angst- und Depressionssymptomatik. Insbesondere kognitive und expositionsbasierte Interventionen sowie das spezifische Manual „Traumafokussierte Kognitive Verhaltenstherapie" (TF-KVT) [7] – nicht zu verwechseln mit dem generischen Überbegriff für verschiedene Interventionen – zeigten die größten Effekte. Im Gegensatz zur Studienlage bei Erwachsenen liegen für die Eye Movement Desensitization and Reprocessing Therapie (EMDR) [8] im Kindes- und Jugendalter aktuell zu wenige methodisch gute Studien vor, sodass EMDR zwar als vielversprechend gelten kann, aber nicht genügend abgesichert ist [3].

Merke

Kognitiv-verhaltenstherapeutische Verfahren stellen die am besten untersuchte Therapieform bei PTBS im Kinder- und Jugendalter dar.

PRAXISTIPP

Online-Lernkurs TF-KVT

Einen ausführlichen Online-Lernkurs zur TF-KVT bietet die kostenfreie deutschsprachige Website http://tfkvt.ku.de. Jede Therapiephase wird mit Hilfe von theoretischem Input, Praxisbeispielen und Videos veranschaulicht.

▶ **Tab. 1** Therapieaufbau und -inhalte der jugendangepassten CPT.

Sitzung	Behandlungsstrategien
0	Anamnese und Therapievereinbarungen
1 und 2	Psychoedukation zu PTBS und Therapierational, Bestimmung von Therapiezielen
B1[a]	Psychoedukation zu PTBS und Therapierational
3	Identifikation von Stuck Points zum traumatischen Ereignis und dessen Folgen durch Schreiben und Diskutieren eines Berichts über die Auswirkungen der Traumatisierung auf das eigene Leben („Impact Statement"), Psychoedukation zu Gefühlen, Einführung zum Zusammenhang zwischen Situationen, Gedanken und Gefühlen
B2[a]	Ziele, Erwartungen, Sorgen und Bedenken der Bezugspersonen; Unterstützungsmöglichkeiten für Jugendliche/n während Therapie
4	Identifikation von Gedanken und Gefühlen
B3[a]	Hinterfragung von und Bearbeitung dysfunktionaler Überzeugungen und Verhaltensweisen
5 und 6	Konfrontation mit dem traumatischen Ereignis in Form von schriftlichen Berichten, erste Hinterfragung dysfunktionaler Überzeugungen
7–9	Hinterfragung von Stuck Points und Erarbeitung alternativer, hilfreicher Überzeugungen
10 bis 14	Hinterfragung und Bearbeitung von Stuck Points spezifisch bezüglich der Themen Sicherheit, Vertrauen, Kontrolle, Wertschätzung, Selbstfürsorge und Intimität
B4[a,b]	Reflexion und Abschluss
15	Rückblick, Evaluation der Therapieziele, Identifikation von restlichen Stuck Points zum traumatischen Ereignis und dessen Folgen durch Diskutieren eines 2. Impact Statements

Anmerkungen:
PTBS = posttraumatische Belastungsstörung
a = Sitzung optional
b = Sitzung wahlweise nach Sitzung 15

Cognitive Processing Therapy für Jugendliche

Für die Altersgruppe zwischen 14 und 18 Jahren liegen aktuell nur wenige Studien vor. Einzeluntersuchungen existieren für die Prolongierte Exposition [9] und die Cognitive Processing Therapy (CPT) [10] und zeigen eine hohe Wirksamkeit. Da sich in Metaanalysen v. a. für kognitive Interventionen die höchsten Effektstärken ergeben [11], lohnt es sich, der CPT mit ihrem kognitiven Fokus auch bei der Behandlung von Jugendlichen Aufmerksamkeit zu widmen.

Die CPT [12] ist ein für Erwachsene zur Behandlung einer PTBS entwickeltes Verfahren, das bereits für eine Vielzahl unterschiedlichster Traumatypen und Stichproben evaluiert wurde (für einen Überblick s. [13][14]). Das Standardprotokoll für die CPT sieht neben überwiegend kognitiven Interventionen in 2 Sitzungen eine Konfrontation mit dem traumatischen Ereignis vor. Der Fokus liegt aber auf der Bearbeitung von dysfunktionalen kognitiven Schemata, sog. Stuck Points. Eine Besonderheit der CPT ist, dass zusätzlich die 5 Bereiche Sicherheit, Vertrauen, Macht und Kontrolle, Wertschätzung sowie Intimität besonders thematisiert werden.

Es gibt bereits Hinweise, dass die CPT auch bei Jugendlichen wirkt. So wurde beispielsweise eine entwicklungsangepasste Form der CPT für Jugendliche speziell nach sexuellem und körperlichem Missbrauch entwickelt und erfolgreich evaluiert [10][15], bei der die CPT in zeitlich intensivierter Form u. a. in Kombination mit einem vorgeschalteten Emotionsregulationstraining erfolgt.

Therapieprogramm

Mit dem Ziel der Entwicklung einer Form der CPT für Jugendliche und junge Erwachsene mit einer PTBS, die auf unterschiedliche traumatische Ereignisse zurückzuführen ist, erprobte unsere Arbeitsgruppe in den letzten Jahren eine jugendangepasste Form der CPT, die vom zeitlichen Umfang her der ursprünglichen CPT entspricht. Die vor- und nachgeschalteten Module zur Behandlungsmotivation, Emotionsregulation und jugendspezifischen Themen, wie wir sie für die Behandlung von missbrauchten und misshandelten Jugendlichen entwickelt haben, werden hier nicht angeboten. Als Grundlage diente das ins Deutsche übersetzte CPT-Protokoll [13], bestehend aus 15 Sitzungen, an dem nur wenige jugendspezifische Anpassungen vorgenommen wurden. Anpassungen betrafen eine Überarbeitung und Vereinfachung der Arbeitsblätter in Anlehnung an Matulis et al. [15]. Weiterhin wurden Inhalte und Arbeitsblätter für bis zu 4 optionale Bezugspersonensitzungen ausgearbeitet. Um auf aktuelle Themen der Jugendlichen eingehen oder bestimmte Manualinhalte vertiefen zu können, wurde außerdem die Möglichkeit von bis zu 3 sog. „Jokersitzungen" eingeräumt. Eine Sitzung wurde zum Kennenlernen und für Organisatorisches eingeführt. Der genaue Ablauf der jugendangepassten CPT ist ▶ **Tab. 1** zu entnehmen.

Wirksamkeitsnachweise

Die Wirksamkeit der jugendangepassten CPT wurde in einer unkontrollierten Pilotstudie im Prä-Post-Design zu 4 Messzeitpunkten (Prä, Post, 6 Wochen und 6 Monate nach Behandlungsende) an 17 Jugendlichen und jungen Erwachsenen untersucht [16]. PTBS-Symptomatik im Fremdurteil wurde mit dem Interview zu Belastungsstörungen bei Kindern und Jugendlichen (IBS-KJ) [17] erhoben. Dimensionale sekundäre Outcomes stellten PTBS-Symptomatik im Selbstbericht, depressive und dissoziative Symptomatik, Borderline-Symptomatik und Verhaltensprobleme dar. Insgesamt zeigte sich eine signifikante Besserung in der posttraumatischen und komorbiden Symptomatik zwischen den Erhebungen. Sowohl für die PTBS-Symptomatik im Fremdurteil sowie für die PTBS-Symptomatik im Selbstbericht, depressive und Borderline-Symptomatik zeigten sich zum Post-Messzeitpunkt große Effektstärken, die auch über die 6-Wochen- und 6-Monats-Katamnese stabil blieben. Für Veränderungen hinsichtlich Dissoziation und Verhaltensproblemen zeigten sich kleine bis mittlere Effektstärken.

Somit scheint es sich bei der jugendangepassten CPT um eine vielversprechende Intervention zu handeln, die im nächsten Schritt einer Überprüfung in einem randomisiert-kontrollierten Design unterzogen werden sollte.

FALLBEISPIEL

Vorstellungsanlass

Charlotte ist 16 Jahre und Schülerin. Sie berichtet von einem Rollerunfall vor 4 Monaten, bei dem sie schwere Verletzungen erlitten habe, von denen sie sich aber gut erholt habe. Dennoch kommen ihr oft ganz unvermittelt Szenen vom Unfall in den Sinn, die sie stark ängstigen und Zittern auslösen. Sie könne oft abends nicht einschlafen und schrecke nachts von Albträumen hoch. Ablenken durch Serienschauen gelinge nur schlecht. Um sich „runterzubringen", habe sie in den letzten Monaten zudem mit dem Rauchen begonnen. Charlotte habe schon früher Probleme gehabt, in der Schule aufzupassen. Seit dem Unfall haben sich die Konzentrationsprobleme verstärkt und es gelinge ihr nur schlecht, im Unterricht zu folgen. Mit der Mutter gebe es in letzter Zeit oft Streit. Charlotte gehe dann „schnell an die Decke" und neige zu Beschimpfungen.

Anamnese

Charlotte ist die einzige Tochter ihrer verheirateten Eltern und lebt mit diesen in einem Haushalt.
Auch als Kind sei es bei Charlotte immer wieder zu Unfällen gekommen, beim Spielen oder beim Sport. Ihre Mutter habe darauf stets mit Sorgen aber auch Verboten reagiert. Seit dem Rollerunfall verwende die Mutter viel Zeit darauf, sich um Charlotte zu kümmern. Da sich Charlotte hiervon „kontrolliert" fühle, komme es immer häufiger zu Konflikten. Suizidversuche sowie Selbstmordgedanken werden glaubhaft verneint. Es werden keine psychotherapeutischen oder psychiatrischen Vorbehandlungen berichtet.

Baseline-Diagnostik

Charlotte erfüllte im strukturierten klinischen Interview vor Therapiebeginn die Kriterien für eine Nikotinabhängigkeit. Zudem zeigten sich Symptome einer teilremittierten ADHS. Im IBS-KJ erreichte Charlotte einen Gesamtwert von 39 und erfüllte die Kriterien für eine PTBS-Diagnose. Eine Selbsteinschätzung der PTBS-Symptomatik erbrachte einen Wert von 26 im UCLA PTSD Reaction Index (UCLA) [18]. Die Werte der anderen eingesetzten Fragebogenverfahren lagen im klinisch unauffälligen Bereich.

Therapieverlauf

Nach einer ausführlichen Psychoedukation, Festlegung von individuellen Therapiezielen, dem Verfassen des ersten Impact Statements und dem Sammeln erster Stuck Points wurde Charlotte gebeten, als Hausaufgabe das Unfallereignis detailliert aufzuschreiben. In der darauffolgenden Stunde las sie dem Therapeuten den Traumabericht vor und weitere Details sowie damit einhergehende Gedanken und Gefühle wurden exploriert. In den nächsten Sitzungen erfolgte eine intensive kognitive Arbeit, in der zunächst unfallbezogene Schuldgefühle und Selbstvorwürfe bearbeitet wurden. Dafür wurden verschiedene Arbeitsblätter eingeführt und um hilfreiche Fragen zum Aufdecken dysfunktionaler Überzeugungen erweitert. Systematisch wurden dann die weiteren Themen der CPT angegangen. Bei Charlotte fanden sich die meisten Stuck Points bezüglich der Bereiche Sicherheit, Kontrolle, aber auch Selbstwert. Dabei spielten insbesondere die Themen Autonomie gegenüber der Mutter sowie Selbstzweifel aufgrund einer ADHS-bedingten Fehleranfälligkeit bedeutsame Rollen. In insgesamt 3 Bezugspersonenstunden mit der Mutter erfolgte insbesondere eine ausführliche Hinterfragung von Befürchtungen um die Sicherheit der Tochter.

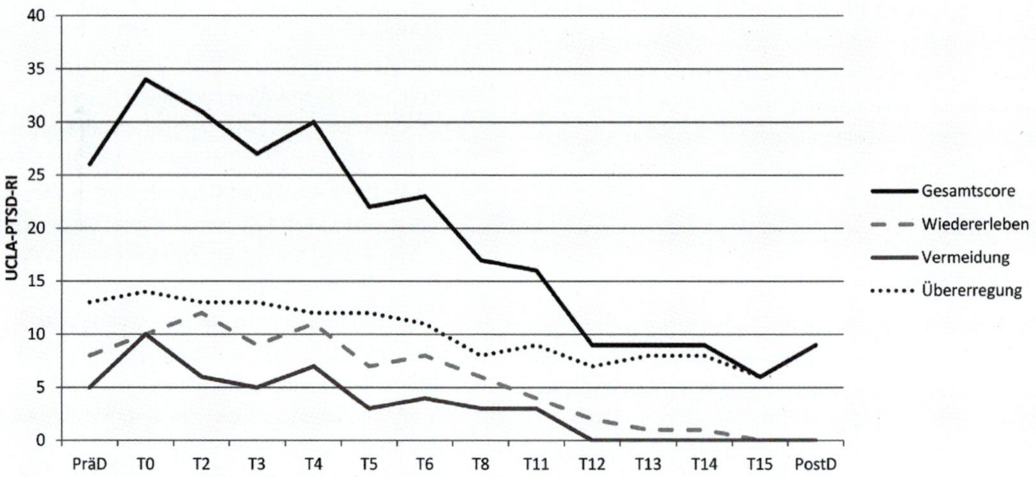

▶ **Abb. 1** Verlauf des UCLA-Gesamtscores der Patientin Charlotte. Anmerkungen: PostD = Postdiagnostik, PräD = Prädiagnostik, T = Therapiesitzung, UCLA-PTSD-RI = UCLA PTSD Reaction Index.

Therapieergebnis

In der Diagnostik direkt nach Ende der Therapie zeigte sich im IBS-KJ eine deutliche Symptomreduktion mit einem Abfall von 39 auf 9 Punkte. Die Diagnose einer PTBS war nicht mehr erfüllt. Eine ähnliche Verbesserung zeichnete sich auch in der Selbsteinschätzung mittels UCLA ab. Hier kam es zu einem Absinken des Gesamtwerts von 26 zu 9. Da der UCLA auch während der Therapie regelmäßig erhoben wurde, kann der Verlauf der wahrgenommenen Symptombelastung in ▶ **Abb. 1** nachvollzogen werden. Am Ende der Therapie berichtete Charlotte, dass sie kaum noch an den Unfall denken müsse und wieder gut schlafen könne. Auch die Konflikte mit der Mutter seien reduziert. Die Mutter beschreibt ihrerseits, dass Charlotte viel ausgeglichener und nahbarer geworden sei. Lediglich Konzentrationsprobleme traten weiterhin auf und wurden im Rahmen der Katamnesen besonders monitoriert.

FAZIT

Während sich für die Behandlung der PTBS im Kindesalter die meisten Befunde zur Wirksamkeit zu dem spezifischen Manual der TF-KVT nach Cohen et al. finden, konnte unsere Arbeitsgruppe mit der Anwendung der CPT bei Jugendlichen und jungen Erwachsenen vielversprechende Erfahrungen sammeln. Da die CPT auf Konzepten beruht, die den meisten approbierten Psychotherapeuten vertraut sind, ist sie leicht zu erlernen. Zudem ist sie beim Vorliegen komorbider Störungen auch sehr gut mit anderen Behandlungsmodulen vereinbar.

Interessenkonflikt

Die Autorinnen geben an, dass keine Interessenkonflikte vorliegen.

Autorinnen/Autoren

Anna Vogel

Dipl.-Psych., ist wissenschaftliche Mitarbeiterin an der Katholischen Universität Eichstätt-Ingolstadt. An der Psychotherapeutischen Hochschulambulanz in Ingolstadt koordiniert sie Behandlungsstudien zur posttraumatischen Belastungsstörung bei Jugendlichen und zur anhaltenden Trauerstörung bei Erwachsenen.

Rita Rosner

Prof. Dr., Dipl.-Psych.; Psychologische Psychotherapeutin, Inhaberin des Lehrstuhls für Klinische und Biologische Psychologie an der Katholischen Universität Eichstätt-Ingolstadt. Bereits in den 1990er Jahren untersuchte sie den Zusammenhang zwischen psychischer Gesundheit und Krieg, Flucht und Migration in der Folge der Kriege im ehemaligen Jugoslawien. Aktuelle BMBF- und DFG-geförderte Projekte beschäftigen sich mit der Behandlung posttraumatischer Belastungsstörungen bei Kindern und Jugendlichen und mit der Behandlung der anhaltenden Trauerstörung im Erwachsenenalter.

Korrespondenzadresse

Dipl.-Psych. Anna Vogel
Katholische Universität Eichstätt-Ingolstadt
Lehrstuhl für Klinische und Biologische Psychologie
Ostenstr. 25
85072 Eichstätt
anna.vogel@ku.de

Literatur

[1] Landolt MA, Schnyder U, Maier T et al. Trauma Exposure and Posttraumatic Stress Disorder in Adolescents: A National Survey in Switzerland. J Trauma Stress 2013; 26: 209–216. doi:10.1002/jts.21794

[2] Phoenix Australia – Centre for Posttraumatic Mental Health. Acute Stress Disorder & Posttraumatic Stress Disorder in Children & Adolescents – A Practitioner Guide to Treatment. Melbourne: Phoenix Australia; 2013

[3] Rosner R, Gutermann J, Landolt MA et al. Diagnose und Behandlung der PTBS bei Kindern und Jugendlichen. In: Schäfer I, Gast U, Hofmann A, Knaevelsrud C, Lampe A, Liebermann P, Maercker A, Rosner R, Wöller W, Hrsg. S3-Leitline Posttraumatische Belastungsstörung. Springer; [in Druck]

[4] Meiser-Stedman R, Smith P, Glucksman E et al. Parent and child agreement for acute stress disorder, post-traumatic stress disorder and other psychopathology in a prospective study of children and adolescents exposed to single-event trauma. J Abnorm Child Psychol 2007; 35: 191–201. doi:10.1007/s10802-006-9068-1

[5] Morina N, Koerssen R, Pollet TV. Interventions for children and adolescents with posttraumatic stress disorder: A meta-analysis of comparative outcome studies. Clin Psychol Rev 2016; 47: 41–54. doi:10.1016/j.cpr.2016.05.006

[6] Gutermann J, Schreiber F, Matulis S et al. Psychological Treatments for Symptoms of Posttraumatic Stress Disorder in Children, Adolescents, and Young Adults. A Meta-Analysis. Clin Child Fam Psychol Rev 2016. doi:10.1007/s10567-016-0202-5

[7] Cohen JA, Mannarino AP, Deblinger E. Traumafokussierte kognitive Verhaltenstherapie bei Kindern und Jugendlichen. Heidelberg: Springer; 2009

[8] Shapiro F, Wesselmann D, Mevissen L. Eye Movement Desensitization and Reprocessing Therapy (EMDR). In: Landolt MA, Cloitre M, Schnyder U, Hrsg. Evidence-Based Treatments for Trauma Related Disorders in Children and Adolescents. Cham: Springer; 2017

[9] Foa EB, McLean CP, Capaldi S et al. Prolonged exposure vs supportive counseling for sexual abuse-related PTSD in adolescent girls: a randomized clinical trial. JAMA 2013; 310: 2650–2657. doi:10.1001/jama.2013.282829

[10] Rosner R, Rimane E, Frick U et al. Effect of Developmentally Adapted Cognitive Processing Therapy for Youth with Symptoms of Posttraumatic Stress Disorder after Childhood Sexual and Physical Abuse: A Randomized Clinical Trial. JAMA 2019. doi:10.1001/jamapsychiatry.2018.4349

[11] Watts BV, Schnurr PP, Mayo L et al. Meta-Analysis of the Efficacy of Treatments for Posttraumatic Stress Disorder. J Clin Psychiatry 2013; 74: e541-e550. doi:10.4088/JCP.12r08225

[12] Resick PA, Monson CM, Chard KM. Cognitive processing therapy for PTSD. A comprehensive manual. New York: The Guilford Press; 2016

[13] König J, Resick PA, Karl R, Rosner R. Posttraumatische Belastungsstörung. Ein Manual zur Cognitive Processing Therapy. Göttingen: Hogrefe; 2012

[14] Asmundson GJG, Thorisdottir AS, Roden-Foreman JW et al. A meta-analytic review of cognitive processing therapy for adults with posttraumatic stress disorder. Cogn Behav Ther 2018: 1–14. doi:10.1080/16506073.2018.1522371

[15] Matulis S, Resick PA, Rosner R et al. Developmentally Adapted Cognitive Processing Therapy for Adolescents Suffering from Posttraumatic Stress Disorder after Childhood Sexual or Physical Abuse: A Pilot Study. Clin Child Fam Psychol Rev 2014; 17: 173–190. doi:10.1007/s10567-013-0156-9

[16] Vogel A, Hagl M, Rosner R. Evidence-Based Treatments for Adolescents and Young Adults with PTSD and Results of an Uncontrolled Trial with Cognitive Processing Therapy [in Vorb.]

[17] Steil R, Füchsel G. IBS-KJ. Interviews zu Belastungsstörungen bei Kindern und Jugendlichen. Diagnostik der akuten und der posttraumatischen Belastungsstörung. Göttingen: Hogrefe; 2006

[18] Arbeitsgruppe Psychotraumatologie KJP Ulm. UCLA PTSD Reaction Index. Jugendlichenversion. Ulm: Klinik für Kinder- und Jugendpsychiatrie; 2010

Bibliografie

DOI https://doi.org/10.1055/s-00000117
PiD - Psychotherapie im Dialog 2019; 20: 51–55

ISSN 1438-7026

Somatische Folgen von Traumatisierungen aus Sicht der Kardiologie

Eike Langheim

Das rein somatische und akutmedizinische Krankheitsverständnis definiert bei vielen Erkrankungen klare Risikofaktoren. Für eine koronare Herzerkrankung mit der möglichen Folge eines Herzinfarkts werden immer „die klassischen Vier" angegeben: Rauchen, Hypercholesterinämie, Bluthochdruck und Diabetes mellitus. Nur beiläufig erwähnt werden auch Übergewicht und Stress. Aber – wenn das traumatisch Vergangene nicht vergeht, dann leidet auch der Körper.

Stress in der kardiologischen Medizin

Stress wird im organmedizinischen Verständnis nicht klar definiert. Psychosoziale Faktoren spielen jedoch in der kardiologischen Medizin eine wichtige Rolle [1]. Inzwischen ist klar, dass in Folge von Traumatisierungen auch körperliche Veränderungen entstehen, welche insbesondere in der Herz-Kreislauf-Medizin von Bedeutung sein können. Diese Tatsachen können die bisher erlernte Sicht des somatisch denkenden Arztes und Kardiologen ganz schön „auf den Kopf stellen".

Aber auch diejenigen, die ein Trauma aus psychotherapeutischer Sicht behandeln, sollten wissen, dass ihr Thema auch häufig körperliche Beeinträchtigungen zur Folge hat. Diese bringen wiederum eine Verschlechterung des psychischen Befindens, also eine Verstärkung des Traumas durch medizinische Akutereignisse und Störungen der Krankheitsverarbeitung mit sich. Es kann die Hypothese aufgestellt werden, dass eine psychologische Intervention auch körperlich hilft – auch wenn es hier bisher wenig untersuchte Evidenz gibt. Dennoch ergeben Analysen erste Hinweise auf eine die Mortalität senkende Wirkung psychologischer Interventionen bei der koronaren Herzkrankheit (s. Infobox) [2].

Häufigkeit posttraumatischer Störungen

Die Formen traumatischen Erlebens sind vielfältig. Eine hilfreiche Unterscheidung ist die zwischen körperlichem, sexuellem und emotionalem Missbrauch bzw. körperlicher oder emotionaler Vernachlässigung [3]. In einer Untersuchung von 2010 wurde eine Stichprobe von 2054 Personen in der deutschen Bevölkerung mit der deutschen Version des Childhood Trauma Questionnaire zu möglichen Misshandlungen in Kindheit und Jugend befragt. 1,6 % der befragten Personen berichteten über schweren emotionalen, 2,8 % über schweren körperlichen, 1,9 % über schweren sexuellen Missbrauch sowie 6,6 % über schwere emotionale und 10,8 % über schwere körperliche Vernachlässigung in Kindheit und Jugend. Eine eindeutige Zuordnung zu einer Gesellschaftsschicht ergab sich dabei nicht [4].

Zudem ist auch von einer hohen Dunkelziffer auszugehen. Dass aber auch angenommen werden muss, dass hier auch der Grundstein für psychisches aber eben auch körperliches Leiden mit einer damit einhergehenden Mortalitätserhöhung gelegt wird, potenziert diese Umstände. Somatische und psychische Medizin sind umso mehr gefragt, Traumatisierung als Risikofaktor zu erfragen und in der Gestaltung der Arzt-Patient-Beziehung zu berücksichtigen (z. B. traumasensible Gestaltung von Untersuchungssituationen).

INFO

Herzkranzgefäßerkrankung (koronare Herzkrankheit)

Grundlage der Herzkranzgefäßerkrankung ist eine Veränderung der Schlagadern (Arterien) mit der Folge einer Arteriosklerose. Diese führt über einen entzündlichen Prozess zu Ablagerungen in den Arterien und kann über Verengungen der Adern eine Unterversorgung mit Sauerstoff (Ischämie) bewirken. Diese ist vor allem bei den herzversorgenden Arterien – den Herzkranzgefäßen – wichtig. Wird ein Herzkranzgefäß durch Reizung der Ablagerung und daraus folgender Bildung eines Blutgerinnsels verschlossen, so entsteht ein Herzinfarkt, heute als „akutes Koronarsyndrom" bezeichnet. Im Rahmen der somatischen Therapie gibt es heute sehr effektive akutmedizinische aber auch prophylaktische Behandlungen.

„Giftige Mixtur"

Inzwischen sind viele Zusammenhänge zwischen posttraumatischer Belastung und somatischen Problemen bekannt. Diese Vorgänge können bis auf die zelluläre und biochemische Ebene zurückverfolgt werden. Beschrieben bzw. diskutiert werden Telomer-Dysfunktionen (Telomere sind die stabilisierenden Enden unserer Chromosomen), mitochondriale Dysfunktion, Stress des endoplasmatischen Retikulums und (besonders im Zusammenhang mit Herz-Kreislauf-Erkrankungen wichtig) die neuroendokrine Aktivierung. Dadurch gibt es direkte Auswirkungen auf hormonelle Regulationen und die Entwicklungen von körperlichen Erkrankungen (s. Infobox) [5].

INFO

Folgen von Traumatisierungen

Physische bzw. somatische Folgen, die bei traumatisierten Patientengruppen im Vergleich häufiger nachgewiesen werden konnten [5]:

- erhöhte Waist-Hip-Ratio
- Adipositas
- Hypertonus
- Dyslipidämien
- kardio- und zerebrovaskuläre Erkrankung
- Tachykardie
- metabolisches Syndrom
- nicht zirrhotische Lebererkrankungen
- Diabetes mellitus
- frühzeitiger Tod
- Infektanfälligkeit
- Magengeschwüre
- HIV-seropositiv
- rheumatoide Arthritis
- Psoriasis
- Schilddrüsenerkrankungen
- chronische Schmerzen
- Fibromyalgie-Syndrom
- Fatigue-Syndrom
- muskuloskelettale Fehlfunktionen
- Knochendemineralisation
- Osteoarthritis
- Schlafstörungen

Physiologische und biochemische Auswirkungen traumatischer Störungen

Vergleiche physiologischer Parameter von traumatisierten und nicht traumatisierten Patienten (auch mit anderen psychischen Erkrankungen) ergaben in zahlreichen Untersuchungen relevante Unterschiede. Diese sind sehr vielfältig:

Plasma- und Urin-Kortisol-Spiegel waren bei PTBS-Patienten niedriger als bei nicht an PTBS erkrankten Patienten mit Trauma in der Vorgeschichte bzw. als bei einem Normalkollektiv. Hypokortisolismus ist charakterisiert durch die Symptomtrias Schmerz, Fatigue und erhöhte Stresssensibilität. Die Frage, ob PTBS niedrige Kortisolspiegel bewirkt oder ein niedriger Kortisolspiegel ein prädisponierender Faktor für PTBS ist, ist nicht geklärt [6].

Die neuroendokrine Aktivierung spielt bei der Pathophysiologie, der Entwicklung und der Progression der chronischen Herzinsuffizienz eine bedeutende Rolle, ist aber auch mit einer erhöhten Inzidenz von Gefäßerkrankungen assoziiert.

Bei PTBS finden sich erhöhte Adrenalin- und Noradrenalinspiegel im Urin im Vergleich zu Patienten mit anderen psychischen Erkrankungen [7]. Daraus resultiert ein erhöhter Sympathikotonus mit den Symptomen Tremor, Tachykardie, Hypertonie und einer eingeschränkten Herzfrequenzvariabilität. Die vermehrte Sympathikus-Aktivität spielt eine zentrale Rolle in der Aktivierung des blutdruckregulierenden Renin-Angiotensin-Aldosteron-Systems (RAAS) und damit bei der Pathogenese der arteriellen Hypertonie, des kardiovaskulären Remodeling (Umbauprozesse) und der Insulinresistenz.

Systemische Reaktionen bei PTBS erzeugen Inflammation. Inflammation wiederum ist der Entzündungsprozess, der die vaskuläre Funktion beeinflusst. Chronischer PTBS-Stress stellt die pathophysiologische Verbindung zwischen psychischem Stress und der Entwicklung von somatischen Störungen mit einer inflammatorischen Ätiologie her, so auch zu den kardiometabolischen Problemen.

PTBS-Kollektive haben einen erhöhten Body Mass Index (BMI) [8]. Es besteht eine starke Assoziation zwischen PTBS und dem Risiko zur zentralen Adipositas [9]. In einer Studie mit 12 992 Teilnehmern > 16 Jahre war Adipositas signifikant mit der PTBS assoziiert (OR = 2,64) [10]. PTBS-Patienten haben eine erhöhte Insulinresistenz, wobei die Regel gilt: „Je größer der BMI, desto höher die Wahrscheinlichkeit einer Insulinresistenz." Das wiederum führt zu einer erhöhten Inzidenz an Diabetes mellitus, was mit einem erhöhten Risiko für metabolische Syndrome assoziiert ist.

Schlafmangel steht ebenfalls im Zusammenhang mit der PTBS, mit riskantem Suchtverhalten und Selbstmordversuchen. Die Ausprägung der PTBS-Symptome ist auch vom Ausmaß der Schlafstörung abhängig: Die Insomnie ist charakterisiert durch Ein- und Durchschlafstörungen, frühes Erwachen, schlechte Schlafqualität, gefolgt von signifikanten Alltagsproblemen. 70–91 % der PTBS-Patienten beklagen eine Insomnie. Auch schlafbezogene Atmungsstörungen sowie bewegungsbedingte Schlafstörungen sind häufiger bei PTBS-Patienten als bei der Allgemeinbevölkerung. Hinzu kommt, dass PTBS-Patienten von traumabezogenen Albträumen geplagt sind (19–71 %, abhängig von der Ausprägung der PTBS) [11]. Chronische Schlafstörungen verstärken altersbezogene chronische kardiometabolische Störungen und verschlechtern deren Prognose. Epidemiologische Studien zeigen eine Kausalität zwischen Schlafstörungen und Adipositas, metabolischem Syndrom, Diabetes mellitus, Hypertonus, Arteriosklerose, Schlaganfall, Herzinsuffizienz, Herzrhythmusstörungen, plötzlichem Herztod, verkürzter Lebensdauer – und sie verschlechtern eine vorbestehende PTBS.

Merke

Die Mixtur aus zellulären, hormonellen, schlaf-, stress- und verhaltensbezogenen Faktoren führen zum wichtigsten somatischen Folgeproblem der posttraumatischen Störungen – dem metabolischen Syndrom und dem damit verbundenen Risiko kardiovaskulärer Erkrankungen.

Das metabolische Syndrom und PTBS sind eng miteinander verbunden. Die Definition des metabolischen Syndroms beinhaltet Störungen des Lipidstoffwechsels mit erhöhten Triglyzerid- und Cholesterinwerten, sowie erniedrigten Spiegeln von HDL (high density lipoprotein). Hinzu kommen Störungen des Glukosestoffwechsels bis hin zum manifesten Diabetes mellitus Typ 2, Bluthochdruck und der abdominellen Adipositas mit vermehrtem Bauchumfang.

Die das metabolische Syndrom definierenden Faktoren entsprechen den bereits erwähnten somatischen Risikofaktoren für Herz- und Gefäßerkrankungen, die noch ergänzt werden durch Bewegungsmangel und Suchtverhalten (u. a. Nikotinabusus).

Koronare Herzerkrankung und Mortalität

Zahlreiche epidemiologische Studien zeigen eine Beziehung von traumabezogenen Störungen einschließlich PTBS mit einem erhöhten kardiovaskulären Risiko, arteriellem Hypertonus, erhöhter Gerinnungsneigung und der koronaren Herzerkrankung [12][13].

Interessant ist, dass Veränderungen im Vergleich sogar messbar sind. Um arteriosklerotische Gefäßveränderungen rechtzeitig zu erfassen, wird mittels Sonografie die Dicke der Gefäßinnenhaut (sog. Intima-Media-Dicke) der Halsschlagader (A. carotis communis) beidseitig bestimmt. Diese konnte bei einem sonst gleichen Patientenkollektiv mit oder ohne PTBS unterschiedlich gemessen werden und war bei posttraumatischer Belastung dicker als beim Normalkollektiv. Dieses wiederum steht für ein erhöhtes Risiko von arteriosklerosebedingten Erkrankungen [14].

PTBS ist ein Risikofaktor für eine erhöhte Mortalität, unabhängig von Alter, Geschlecht und anderen konventionellen Risikofaktoren. PTBS ist ein starker und unabhängiger Prädiktor eines erhöhten Risikos für kardiale Ereignisse und für die „all-cause mortality“ (adjusted hazard ratio 3,38; $p = 0{,}015$) [15][16][17].

Merke

Eine PTBS erhöht die Herz-Kreislauf-Mortalität signifikant und sollte damit in die Risikobewertung der somatischen Behandlung einbezogen werden.

Konsequenzen

Für die medizinische Behandlung

Eine traumatische Störung wie die PTBS als Risikofaktor für ein akutes Koronarsyndrom sollte zumindest bei den von einem metabolischen Syndrom betroffenen Patienten in Erwägung gezogen werden. Für den organmedizinisch behandelnden Arzt ist es wichtig, ein Gespür auch für ursächliche psychische Störungen zu haben. Wir müssen uns darüber im Klaren sein, dass auch das medizinische Ereignis selbst (z. B. Herzinfarkt) ein Trauma hinterlässt oder ein vorbestehendes Trauma verstärkt bzw. wieder evident werden lässt.

Merke

Oft lässt sich nach einem Akutereignis eine Schnittmenge aus Angst, Depression und posttraumatischer Belastung definieren mit unterschiedlichen Anteilen der einzelnen Komponenten.

Das durchlebte herzmedizinische Akutereignis hinterlässt zudem oft einen Sturz aus der gewohnten Wirklichkeit mit Nahtoderlebnissen bei der Intervention, Operation oder durch eine Wiederbelebung bei Herzstillstand. Wiederholte Krankenhausaufenthalte, Herzkatheter, Arztbesuche, verändertes Selbstwerterleben, größere Abhängigkeit von anderen, Leistungseinbruch und Gefährdung der Erwerbsfähigkeit führen häufig bei fehlender Resilienz zu einer Verschlechterung der psychischen oder posttraumatischen Situation.

PTBS-bedingtes Vermeidungsverhalten kann dazu führen, dass Untersuchungstermine oder Krankenhausaufenthalte vermieden oder lebenswichtige Medikamente nicht genommen werden [18]. Es ist dabei wichtig, im Patientenkontakt sowohl in der akuten als auch in der daran anschließenden Behandlungsphase sensibel zu kommunizieren bzw. auch gezielt nach psychosozialen Vorbelastungen als Risikofaktor zu fragen. Ziel muss es hier sein, einer pathologischen Krankheitsverarbeitung vorzubeugen und die betroffenen Patienten vorzeitig einer psychologischen Intervention zuzuführen. Hier kann z. B. die Anschlussheilbehandlung von Patienten nach Herzinfarkt mit gezielter Erkennung psychologischer Behandlungsnotwendigkeit durch das psychologische Fachpersonal hilfreich sein.

Für die psychotherapeutische Behandlung

In der psychotherapeutischen bzw. psychosomatischen Behandlung geht es aus Sicht des somatischen Mediziners u. a. darum zu unterscheiden, ob durch das medizinische Ereignis eine psychische oder posttraumatische Störung entstanden ist oder ob diese Störungen vorbestehend mit zu dem medizinischen Ereignis beigetragen haben. Des Weiteren ist über Notwendigkeit und Art einer (Trauma-)Therapie zu entscheiden und im Falle einer notwendigen psychopharmakologischen Behandlung eine fachärztliche Betreuung durch Psychiater oder Psychosomatiker einzuleiten. Auch hier kann ein rehabilitativer Ansatz mit Durchführung einer psychosomatischen Rehabilitation sinnvoll sein.

Collaborative Care

In der alltäglichen Praxis haben sich auch interdisziplinäre Modelle als hilfreich erwiesen, z. B. eine psychokardiologische Rehabilitation. Diese Behandlung ermöglicht durch kardiologischen und psychosomatischen Facharztstandard eine gezielte Analyse der kardialen Situation als auch der Ausprägung daraus resultierender oder auch vorbestehender posttraumatischer Störungen. Gezielt kann versucht werden, den Zusammenhang des metabolischen Syndroms als häufige Ursache für ein kardiales Akutereignis mit der PTBS zu erarbeiten und dann gezielt interdisziplinär zu behandeln. Hier können Traumatherapien zumindest eingeleitet werden. Solche Angebote sind aber noch nicht flächendeckend zu finden [19][20].

Persönliches Fazit

Meine eigene Sicht auf die von mir ausgeübte Medizin bezog sich jahrelang als akutmedizinisch tätiger Kardiologe (aber auch zu Beginn meiner Tätigkeit in der kardiologischen Rehabilitation) auf eine komplett somatische, wenn man so will „schulmedizinische" Interpretation der Probleme meiner Patienten. Die Kardiologie kann doch toll behandeln heute, was wollen die Leute mehr? Meine Vorstellung eines „posttraumatischen Patienten" war die eines ausgemergelten, nervösen, vielleicht eher essgestörten Menschen. Interessant fand ich das Thema also im Zusammenhang mit meiner kardiologischen Tätigkeit gar nicht.

Die Zeit, in der man sich mit kardiologischen Patienten befasst, zeigt aber zunehmend, dass die Akutmedizin, vielleicht sogar die Medizin an sich, oft Spuren hinterlässt. Ein falsches Wort des Akutmediziners (z. B. „Oh, was ist denn das für ein katastrophales EKG...?!") wird häufig nie vergessen.

Als sich im Zusammenhang mit der psychokardiologischen Aktivität unserer Klinik das Interesse an psychosozialen Ursachen verstärkte und ich auch noch in einem Vortrag erfuhr, dass die Folge von Traumatisierungen ganz anders ist als ich es mir vorgestellt hatte, da hat mich das Thema berührt. Es ist doch gerade das metabolische Syndrom, das uns täglich begegnet. Ich hatte das bisher für ein Wohlstandsphänomen gehalten. Das ist es wohl auch immer noch, aber die Neigung dazu kann eben auch posttraumatisch sein – vielleicht als Kompensationsmechanismus. Menschen, die bei anderen ein Trauma durch Misshandlung, Missbrauch oder auch Vernachlässigung bewusst verursachen, schädigen nicht nur die Psyche, sondern auch den Körper und die Gesundheitschancen. Bemühungen zu einer Vorbeugung auch in dieser Hinsicht sollten stark ergänzt werden. Es bleibt aus meiner Sicht ein schwieriges, teils schockierendes und belastendes Thema.

FAZIT

Posttraumatische Störungen sind assoziiert mit dem metabolischen Syndrom, was zur Steigerung der kardiovaskulären Mortalität führt. Ziel sollte es sein, nach einem daraus resultierenden Akutereignis (z. B. Herzinfarkt) weiteren medizinischen oder psychosozialen Problemen vorzubeugen. Dies wäre auch interdisziplinär vorstellbar, z. B. durch eine psychokardiologische Intervention (Collaborative Care).
In der Psychotherapie ist es wichtig, mangelnde Selbstfürsorge und selbstschädigendes Verhalten (v. a. Rauchen, Alkoholabusus und Vermeidung notweniger medizinischer Untersuchungen und Behandlungen) zu thematisieren.

Interessenkonflikt

Der Autor gibt an, dass kein Interessenkonflikt besteht.

Autorinnen/Autoren

Eike Langheim

Dr. med.; Facharzt für Innere Medizin, Kardiologie, Sozialmedizin, Rehabilitationswesen; Chefarzt der Abteilung Kardiologie des Reha-Zentrums Seehof der Deutschen Rentenversicherung Bund in Teltow bei Berlin. Ausbildung zum Kardiologen im Krankenhaus Berlin Neukölln und in den DRK-Kliniken Berlin-Köpenick. Seit 2007 Tätigkeit in leitender Funktion in der kardiologischen Rehabilitation. Er leitet gemeinsam mit Prof. Dr. Volker Köllner im Reha-Zentrum Seehof/Teltow eine interdisziplinäre Abteilung für psychokardiologische Rehabilitation mit 24 Betten im Rahmen eines Pilotprojekts der Deutschen Rentenversicherung Bund.

Korrespondenzadresse

Dr. med. Eike Langheim

Abteilung Kardiologie
Reha-Zentrum Seehof der Deutschen
Rentenversicherung Bund
Lichterfelder Allee 55
14513 Teltow
Dr.med.Eike.Langheim@drv-bund.de

Literatur

[1] Albus C, Fritzsche K, Waller C et al. Bedeutung von psychosozialen Faktoren in der Kardiologie – Update 2018. Positionspapier der Deutschen Gesellschaft für Kardiologie. Der Kardiol 2018; 12: 312–331

[2] Anderson L, Richards SH, Jenkinson CE et al. Psychological interventions for coronary heart disease (Review). Cochr Data Syst Rev 2017; CD002902. doi:10.1002/14651858.CD002902.pub4

[3] Herrmann-Lingen C, Meyer T, Spitzer C. Komplexe Traumatisierung und körperliche Gesundheit. Assoziation von Kindesmisshandlungen und koronarer Herzkrankheit. Physiotherapeut 2016; 61: 191–196

[4] Brähler E, Häuser W, Schmutzer G et al. Misshandlungen in Kindheit und Jugend: Ergebnisse einer Umfrage in einer repräsentativen Stichprobe der deutschen Bevölkerung. Dtsch Arztebl Int 2011; 108: 287–294. doi:10.3238/arztebl.2011.0287

[5] Levine BA, Levine LM, Levine TB. Posttraumatic Stress Disorder and Cardiometabolic Disease. Cardiology 2014; 127: 1–19

[6] Yehuda R. Biology of posttraumatic stress disorder. J Clin Psy 2001; 62: 41–46

[7] Giller E, Kosten T, Mason J et al. Sustained urinary norepinephrine and epinephrine elevation in post-traumatic stress disorder. Psychoneuroendocrin 1987; 12: 13–20

[8] Jin H, Lanouette N, Mudaliar S et al. Association of posttraumatic stress disorder with increased prevalence of metabolic syndrome. J Clin Psychopharmacol 2009; 29: 210–215

[9] Becker M, Dedert E, Fuemmeler B et al. Childhood traumatic stress and obesity in women: the intervening effects of PTSD and MDD. J Trauma Stress 2010; 23: 785–763

[10] McGee M, Scott K, Wells J et al. Obesity and mental disorders in the adult general population. J Psychosom Res 2008; 64: 97–105

[11] Babson K, Badour C, Feldner M et al. Posttraumatic stress and sleep: differential relations across types of symptoms and sleep problems. J Anxiety Disord 2011; 25: 706–713

[12] Peterson L, Player M. Anxiety disorders, hypertension, and cardiovascular risk: a review. Int J Psy Med 2011; 41: 365–377

[13] Juonala M, Elovainio M, Pulkki-Raback L et al. Childhood psychsocial factors and coronary artery calcification in adulthood: The cardiovascular risk in young Finns study. JAMA Pediatr 2016; 170: 466–472

[14] Chang Y, Derby CA, Thurston RC et al. Abuse and Subclinical Cardiovascular Disease among Midlife Women: The Study of Women's Health across the Nation. Stroke 2014; 45: 2246–2251

[15] Edmondson D, Rieckmann N, Shaffer J et al. Posttraumatic stress due to an acute coronary syndrome increases risk of 42-month major adverse cardiac events and all-cause mortality. J Psychiatr Res 2011; 45: 1621–1626

[16] Bellis MA, Hardcastle KA, Hughes K et al. The effect of multiple adverse childhood experiences on health: a systematic review and meta-analysis. Lancet 2017; 8: e356–e366

[17] Boynton-Jarret G, Koenen KC, Suglia SF et al. Childhood and adolescent adversity and cardiometabolic outcomes: A scientific statement fom the American heart Association. Circulation 2018; 137: e15–e28

[18] Köllner V. Posttraumatische Belastungsstörungen bei körperlichen Erkrankungen und medizinischen Eingriffen. In: Maercker A, Hrsg. Posttraumatische Belastungsstörungen, 5. Aufl. Heidelberg: Springer; 2019

[19] Köllner V, Glatz J, Langner P, Rademacher W et al. Psychokardiologische Rehabilitation. Ein Fächer-integrierendes Behandlungsmodell: Ärztliche Psychotherapie 2017; 12: 219–226

[20] Rademacher W, Glatz J, Langner P et al. Psychokardiologische Rehabilitation – interdisziplinäre Behandlung als Pilotprojekt: Der Kardiologe 2019, 13: 40–48

Bibliografie

DOI https://doi.org/10.1055/a-0771-5105
PiD - Psychotherapie im Dialog 2019; 20: 56–60

ISSN 1438-7026

Traumakonfrontative Behandlung mit EMDR – neue Entwicklungen und Studienergebnisse

Martin Sack, Markus Stingl

Eye Movement Desensitization and Reprocessing (EMDR) ist eine manualisierte Therapiemethode zur konfrontativen Bearbeitung von traumaassoziierten Symptomen. Sie wird vornehmlich zur Behandlung der posttraumatischen Belastungsstörung (PTBS) eingesetzt, inzwischen aber auch bei weiteren Störungen mit Traumabezug. Der Beitrag ordnet EMDR als Methode der Bearbeitung von Traumafolgesymptomen ein und zeigt neue Studienergebnisse dazu auf.

Eye Movement Desensitization and Reprocessing (EMDR)

Ursprünglich wurde die EMDR-Methode vor 20 Jahren von der amerikanischen Psychologin Francine Shapiro entwickelt [1]. Der therapeutische Ansatzpunkt und das Ziel von EMDR sind die Integration von kognitiven, emotionalen und körperlichen Belastungsreaktionen, die sich als Folge einer psychischen Traumatisierung entwickelt haben. Hierfür muss die belastende Erinnerung wiederbelebt, wahrgenommen und verarbeitet werden. Anders formuliert: Die durch die traumatische Stressreaktion induzierte Dissoziation wird wieder aufgehoben und die in der traumatischen Situation unterbrochene Verbindung zwischen Wahrnehmungen, Gedanken, Emotionen und Körperreaktionen wiederhergestellt. Bedarfsweise erfolgt dabei auch die Bearbeitung von dysfunktionalen Kognitionen, z. B. anhaltende Schuldgefühle oder andere negative Selbstbewertungen, die auf dysfunktionalen Einschätzungen der traumatischen Situation oder der eigenen Person beruhen.

Ziele des EMDR sind:

- Verarbeitung der belastenden Erinnerungen im Sinne einer Reduktion des emotionalen Belastungsgehalts
- Verknüpfung der Erinnerung mit funktionaler Information (z. B. „Es ist vorbei", „Ich habe richtig gehandelt", „Ich habe keine Schuld")
- Abbau von Vermeidungsverhalten

Die traumatische Erinnerung wird nach entsprechender Vorbereitung und bei ausreichender psychischer Ich-Stabilität in einem Halt und Sicherheit vermittelnden therapeutischen Rahmen und auf der Basis einer tragfähigen therapeutischen Beziehung gezielt exploriert und bearbeitet. Mögliche Anknüpfungspunkte für die Bearbeitung sind Auslösereize im Alltag, Fehlbewertungen (sog. dysfunktionale Kognitionen) bezüglich der eigenen Person bzw. der traumatischen Situation sowie belastende Erinnerungen mit zugehörigen Erinnerungsbildern, Gedanken, Handlungsimpulsen und anderen Sinneswahrnehmungen, die im Detail exploriert werden.

Im EMDR werden – abweichend von der klassischen verhaltenstherapeutischen Expositionsbehandlung – die intermittierenden Traumaexpositionsphasen nur relativ kurz (30–90 Sekunden) durchgeführt und von der EMDR-typischen bilateralen Stimulierung in Form von Augenbewegungen (der sich bewegenden Hand des Therapeuten mit den Augen folgen), durch alternierende Berührungsreize (z. B. Tapping auf die linke und rechte Hand) oder durch wechselseitige auditive Stimuli (Tonsignale per Kopfhörer) zusätzlich begleitet (genaue Beschreibung bei [2]).

Indikation, Kontraindikation und Nebenwirkungen

Da im Rahmen der konfrontativen Bearbeitung der traumatischen Erinnerung starke und belastende Affekte aktiviert werden können, ist es besonders wichtig, dass die Patienten zumindest über basale Fähigkeiten zur Emotionsregulation und Distanzierung verfügen.

Merke

Wesentliche Voraussetzung für die EMDR-Behandlung ist eine ausreichende körperliche und psychische Stabilität des Patienten.

Weitere Voraussetzungen für die konfrontative Bearbeitung von Traumafolgesymptomen mit EMDR ist die Bereitschaft und Fähigkeit, Selbstfürsorge im Anschluss an die Therapiesitzungen zu übernehmen. Zur Behandlungsvorbereitung gehören neben einer umfassenden Diagnostik die Vermittlung eines Störungsmodells und die ausführliche Erklärung der EMDR-Methode sowie die Stärkung der Motivation zur konfrontativen Arbeit durch Psychoedukation. Obligatorisch ist dabei auch die Erhebung einer Belastungs-/Traumaanamnese zur Behandlungsplanung.

Die Indikation zur Bearbeitung traumatischer Erinnerungen ist gegeben, wenn die alltägliche Lebensführung durch Symptome beeinträchtigt ist, die auf die Folgen nicht ausreichend verarbeiteter traumatischer oder sehr belastender Erfahrungen zurückzuführen sind. Deutliche Hinweise hierfür liefern insbesondere:

- intrusives Wiedererleben einer stark belastenden/traumatischen Situation
- traumaassoziierte Auslöser
- triggerbare Angstsymptome
- dissoziative Stressreaktionen

Im Sinne einer Hierarchisierung der Therapieziele muss geklärt sein, dass keine andere Symptomatik vordringlich zu behandeln ist und dass keine destabilisierenden äußeren Faktoren vorliegen, für die vordringlich eine Lösung gefunden werden muss (s. Infobox „Checkliste"). Vor Behandlungsbeginn bedarf es einer sorgfältigen Aufklärung des Patienten – und eines klaren patientenseitigen Auftrags für die traumakonfrontative Behandlung.

INFO

Checkliste: Indikation zur traumakonfrontativen Behandlung mit EMDR

- Eine Traumafolgesymptomatik liegt aktuell vor.
- Es sind keine anderen Probleme oder Symptome vordringlich zu behandeln.
- Es gibt keine äußeren destabilisierenden Faktoren (z. B. andauernde Gewalt, Stalking etc.).
- Der Rahmen der Behandlung ist haltgebend und verbindlich.
- Bei Bedarf besteht die Möglichkeit, Krisen aufzufangen.
- Die Patientin/der Patient ist ausreichend informiert und es gibt einen klaren Auftrag für die Behandlung.
- Die Patientin/der Patient verfügt über ausreichend selbstregulative Ressourcen, um zwischen den Behandlungssitzungen selbstständig mit Gefühlen, Reaktionen und ggf. neuen Erinnerungen umzugehen.
- Die Patientin/der Patient ist in der Lage, sich mit belastenden Erinnerungen auseinanderzusetzen, besonders, wenn die Symptomatik aufgrund einer (vorsätzlichen) Schädigung durch andere Menschen entstanden ist.

Merke

Als möglicher Effekt einer Behandlung mit EMDR kann es vorübergehend zu einer verstärkten Belastung durch traumatische Erinnerungen kommen.

So werden im Zuge der konfrontativen Bearbeitung von den Patienten belastende Details traumatischer Erfahrungen mitunter erstmalig deutlich wahrgenommen. Potenziell können auch weitere traumatische Erinnerungen aktualisiert werden, für die vorher Amnesie bestand. Im Extremfall kann die Arbeit an belastenden Erinnerungen mit EMDR auch zu einer vorübergehenden Destabilisierung im Alltag führen und eine Krankschreibung notwendig machen. Wichtig ist es deshalb, die Patienten vor Behandlungsbeginn über dieses (Neben-)Wirkungsprofil aufzuklären und aufzuzeigen, welche Hilfsmöglichkeiten bei Bedarf bestehen.

Ein für die Anwendung von EMDR geeigneter Behandlungsrahmen sollte neben der Möglichkeit, Krisensituation aufzufangen, auch eine ausreichende zeitliche Perspektive beinhalten, um die im Zuge der Bearbeitung der Traumafolgesymptomatik aktualisierte Problematik hinreichend durchzuarbeiten. Eine gewisse zeitliche Flexibilität, um bei Bedarf auch zusätzliche ambulante Termine anbieten zu können oder um die Behandlung an individuelle Bedürfnisse anzupassen, kann wichtig sein, um die Traumabearbeitung erfolgreich abschließen zu können.

Grundsätzlich sei darauf hingewiesen, dass die EMDR-Technik in die Hand erfahrener psychotherapeutischer Behandler und in ein stabiles Setting mit einem Gesamtbehandlungskonzept gehört. Da es sich um ein komplexes Behandlungsverfahren handelt, bei dem es zu einer schnellen und starken Mobilisierung traumatischer Erinnerungen kommen kann, sollte sie nur von Therapeuten mit spezieller Ausbildung in Psychotraumatologie sowie in EMDR eingesetzt werden [2].

Typische Schwierigkeiten und Fehler

Im Rahmen der Behandlung können durch sog. „Affektbrücken" – z. B. durch starkes Wiedererleben von Ohnmacht und Hilflosigkeit – weitere traumatische Erinnerungen aktualisiert werden. Aus diesem Grund ist es unbedingt notwendig, vor Behandlungsbeginn eine vollständige Traumaanamnese (in Stichworten, nicht in Details) zu erheben. Bei Kenntnis der Traumaanamnese lassen sich potenzielle Aktualisierungen zusätzlicher Erinnerungen antizipieren und begrenzen. Die Bearbeitung kann dann wieder auf das vereinbarte Thema fokussiert werden. Hierdurch lässt sich ein ungewolltes Hineinrutschen in andere traumatische Erinnerungen während der konfrontativen Bearbeitung in aller Regel vermeiden oder begrenzen.

Eine sorgfältige Anamneseerhebung und Diagnostik im Vorfeld der Behandlung ist auch deshalb von wesentlicher Bedeutung, damit das Vorliegen dissoziativer Störungen erkannt wird. Bei im Alltag auftretenden dissoziativen Symptomen mit (situativ) fehlendem Selbstbezug, Depersonalisation und Derealisation oder Symptomen von Fragmentierung (Amnesien im Alltag, eingeschränktes Identitätserleben oder Verlust der Steuerungsfähigkeit durch Aktualisierung belastender interpersoneller Beziehungserfahrungen), muss die traumakonfrontative Arbeit an die individuelle Belastbarkeit angepasst werden [3].

Dissoziative Symptome gehen typischerweise mit fehlendem Selbstbezug einher und werden aufgrund der internalisierenden Symptomatik leicht übersehen. Durch die Arbeit an traumatischem Erinnerungsmaterial kann es bei Patienten mit dissoziativen Störungen unbemerkt zu einer Überforderung und anschließender Destabilisierung kommen. Daher ist ein behutsames und schonendes Vorgehen, unter Berücksichtigung der patientenseitig möglicherweise fehlenden Wahrnehmung von Überforderung, notwendig.

Merke

Vor Beginn einer traumakonfrontativen Behandlung sollte routinemäßig zumindest ein Screening auf dissoziative Symptome durchgeführt werden.

EMDR bei Patienten mit komplexen Traumafolgestörungen

EMDR ist auch bei Patienten mit komplexen Traumafolgestörungen als Folge von multiplen Traumatisierungen in der Kindheit ein bewährtes Verfahren zur Bearbeitung belastender Erinnerungen. Allerdings ist hierbei besonders zu beachten, dass die Behandlung fortlaufend an die individuelle Fähigkeit zur Affektregulation und die psychische Stabilität des Patienten angepasst werden muss.

Bei Patienten mit komplexen Traumafolgestörungen kommt daher ein modifiziertes, der verminderten psychischen Belastbarkeit Rechnung tragendes spezielles Behandlungsprotokoll zum Einsatz [2]. Anders als im sog. Standardprotokoll werden zunächst mit den traumatischen Belastungen in Zusammenhang stehende Auslösereize und Stresssituationen im Alltag bearbeitet, bevor etwa die Erinnerung an eine Missbrauchserfahrung in der Kindheit fokussiert wird. Auch Vernachlässigungserfahrungen lassen sich gut mit EMDR bearbeiten. Hierbei ist jedoch zu beachten, dass die alleinige Aktualisierung der Vernachlässigungserinnerung die Belastung meistens nicht löst, so dass während des EMDR Hilfe und Versorgung auf imaginäre Weise assoziiert werden sollten, um Erfahrungen von Bewältigung zu gewinnen [3][4].

In der Regel haben Patienten mit komplexen Traumafolgestörungen über die konfrontative Behandlung hinaus weitere Therapiebedürfnisse, z. B. bezüglich der Themen Selbstwirksamkeit, Selbstbezug und Selbstakzeptanz, Affektwahrnehmung und Affektdifferenzierung, Beziehungsregulation und Bindungsfähigkeit. Diese Therapiethemen werden durch die primär konfrontativen Behandlungsmethoden allein nur teilweise abgedeckt und machen eine umfassendere Behandlungsplanung erforderlich [5]. Erfreulich ist, dass sich die EMDR-Behandlung mit anderen Therapiemethoden sehr gut kombinieren lässt.

Kritische Einordnung

Die Wirksamkeit der EMDR-Behandlung bei Patienten mit PTBS ist inzwischen in mehr als 20 kontrollierten Studien untersucht und auch hinsichtlich der Ergebnisse im Langzeitverlauf überzeugend nachgewiesen. Wie Metaanalysen zur Wirksamkeit der EMDR-Behandlung zeigen, gehört EMDR zu den wirksamsten Behandlungsverfahren bei posttraumatischer Belastungsstörung [6]. EMDR gilt daher zusammen mit den kognitiv-behavioralen Verfahren der Traumakonfrontation als Behandlungsmethode der ersten Wahl zur Behandlung der PTBS [7].

Im Rahmen von Traumatisierungen, besonders wenn diese mit peritraumatischer Dissoziation einhergehen, ist die Kontextualisierung und Symbolisierung und somit die weitere Verarbeitung der Erfahrung erschwert [8]. Die Gedächtnisforschung beschreibt mit dem sog. Rekonsolidierungsparadigma, dass Erinnerungen durch assoziative Ergänzung modifizierbar sind und durch funktionale Information ergänzt werden können [9]. Die assoziative Vorgehensweise beim EMDR scheint solche Prozesse der Erinnerungsmodifizierung besonders zu begünstigen [10]. Ob hierfür die beim EMDR eingesetzte bilaterale Stimulation essenziell ist oder welchen Anteil dabei die Distraktion bzw. ein dualer Aufmerksamkeitsmodus als Wirkfaktor hat, bedarf weiterer Klärung. Bislang hält die wissenschaftliche Diskussion um die spezifischen Effekte der bilateralen Stimulierung sowie die Frage nach deren Notwendigkeit für den Behandlungserfolg, mit teilweise deutlich unterschiedlichen Positionen an.

Eigene Untersuchungen zu Wirkfaktoren der EMDR-Behandlung

Im Rahmen einer von der Deutschen Forschungsgemeinschaft geförderten Studie wurden an den Kliniken für Psychosomatische Medizin der TU München und der Universität Gießen insgesamt 139 Patienten mit PTBS behandelt und randomisiert 3 Behandlungsbedingungen zugeteilt:

- EMDR mit Augenbewegungen (Standard)
- EMDR mit Blick auf die unbewegte Hand (fixiert)
- EMDR ohne externe Aufmerksamkeitsfokussierung (ohne Fokus)

Je nach individuellem Bedarf erhielten die Patienten bis zu 8 EMDR-Sitzungen in der jeweiligen Behandlungskondition. Die Adhärenz an das Therapiemanual wurde durch Videorating erfasst. Das Vorliegen einer PTBS und die Symptombelastung vor und nach Behandlung wurden durch Interviewdiagnostik mit der Clinician-Administered PTSD Scale (CAPS) durch einen nicht an der Behandlung beteiligten Rater bestimmt. Zusätzlich wurden physiologische

Stressreaktionen (Herzfrequenz, Herzratenvariabilität, Pre-Ejection Period) mittels Impedanzkardiografie während Konfrontation mit der traumatischen Erinnerung vor und nach Behandlung erhoben.

Insgesamt 116 Patienten schlossen die Behandlung regulär ab (Drop-out-Rate 16,6 %). Die Behandlungsdauer betrug im Mittel 4,6 Sitzungen. Die Intent-to-Treatment-Analyse zeigte eine insgesamt hohe Effektstärke bezüglich der Reduktion der Traumafolgesymptomatik (Cohen's d = 1,96; Range 1,67–2,24) und eine hohe Rate an Patienten, bei denen eine Remission der Diagnose PTBS erreicht wurde (79,8 %).

Verglichen mit der Kontrollbedingung (EMDR ohne externe Aufmerksamkeitsfokussierung) fanden sich sowohl bei EMDR-Standard als auch bei EMDR mit Blick auf die fixierte Hand eine signifikant stärkere Symptomreduktion (ΔCAPS: EMDR-Standard = 35,8, EMDR-fixiert = 40,5, EMDR-ohne Fokus = 31,0) sowie signifikant höhere Effektstärken. Zwischen den beiden Bedingungen mit externer Aufmerksamkeitsfokussierung (EMDR-Standard, EMDR-fixiert) fand sich kein signifikanter Unterschied in der Reduktion der Symptomatik oder hinsichtlich der Effektstärke.

Während die Behandlung insgesamt also große Effekte zeigte und alle 3 Behandlungsbedingungen zu vergleichbaren Remissionsraten führten, waren die beiden Behandlungsbedingungen mit dualem Aufmerksamkeitsfokus (EMDR-Standard, EMDR-fixiert) hinsichtlich der Beschwerdereduktion signifikant überlegen. EMDR mit Augenbewegungen zeigte allerdings entgegen unserer Eingangshypothese keine signifikant bessere Wirksamkeit als EMDR mit Blick auf die unbewegte Hand. Damit wird die Annahme in Frage gestellt, dass alleinig die bilaterale Stimulation durch Augenbewegungen ein spezifischer Wirkfaktor der EMDR-Behandlung sei. Gleichzeitig weist die signifikant stärkere Symptomreduktion in den beiden Behandlungskonditionen mit externer Aufmerksamkeitsfokussierung auf einen zusätzlichen Beitrag des dualen Aufmerksamkeitsfokus (interne Fokussierung auf die belastende Erinnerung und gleichzeitig externe Fokussierung durch Blick auf die Hand) auf die Wirksamkeit der EMDR-Behandlung hin.

Zusammenfassend sprechen die Ergebnisse unserer Studie dafür, dass die externe, duale Aufmerksamkeitsfokussierung während der Konfrontation ein wahrscheinlicher Wirkfaktor der EMDR-Behandlung ist, was nicht jedoch alleinig auf die Bewegung der Augen beschränkt zu sein scheint. Hier ist weitere Forschung notwendig, um die zugrunde liegenden Mechanismen traumakonfrontativer Behandlungsmethoden besser zu verstehen und ggf. in der Anwendung zu optimieren.

EMDR im Rahmen der Psychotherapierichtlinien

Aufgrund der vorliegenden empirischen Nachweise zur Wirksamkeit wurde EMDR im Jahr 2006 durch den wissenschaftlichen Beirat Psychotherapie der Bundespsychotherapeutenkammer (BPK) und der Deutschen Bundesärztekammer (BÄK) als Psychotherapiemethode für die Behandlung der PTBS anerkannt und 2014 in die Richtlinienpsychotherapie integriert. Gegenwärtig gibt es in Deutschland die Möglichkeit, sich entweder durch Ausbildung nach den Standards der Psychotherapievereinbarung an anerkannten Weiterbildungsstätten zu qualifizieren (40 Stunden Theorie in Traumatherapie und EMDR plus 40 Stunden supervidierte Behandlungspraxis) oder eine umfangreichere Ausbildung mit 2 aufeinander aufbauenden Seminaren sowie Selbsterfahrung und Supervision gemäß den Standards der EMDR-Fachgesellschaft zu absolvieren. Letztere kann zu einer Qualifikation als EMDR-europazertifizierter Therapeut führen (nähere Infos unter www.emdria.de).

FAZIT

EMDR ist ein bewährtes und empirisch validiertes Therapieverfahren für die Behandlung von Patienten mit posttraumatischer Belastungsstörung und komplexen Traumafolgestörungen. In den letzten Jahren wurde die Indikation von EMDR auch auf andere Störungsbilder, z. B. Angst-, depressive und phobische Störungen und Suchterkrankungen ausgeweitet.
Es zeichnet sich ab, dass eine Wirksamkeit auch für diese Indikationen nachgewiesen werden kann [11]. Damit wird EMDR zu einer Behandlungsmethode, die potenziell bei allen psychischen Störungsbildern eingesetzt werden kann, bei denen stressauslösende Erinnerungen eine ursächliche Rolle spielen.

Interessenkonflikt

Die Autoren geben an, dass keine Interessenkonflikte bestehen.

Autorinnen/Autoren

Martin Sack

Apl. Prof. Dr. med.; Facharzt für Psychosomatische Medizin, Leiter des Funktionsbereichs Traumafolgestörungen sowie der Tagesklinik Traumafolgestörungen und der Tagesklinik für Eltern an der Klinik für Psychosomatische Medizin und Psychotherapie des Klinikums rechts der Isar, TU München. Forschungsschwerpunkte: komplexe Traumafolgestörungen, dissoziative Störungen, Wirkfaktoren traumatherapeutischer Behandlungen, methoden- und schulenübergreifende Konzepte von Psychotherapie, Familienpsychosomatik.

Markus Stingl

Dr. biol. hom., Dipl.-Psych.; Psychologischer Psychotherapeut und Leiter des Traumatherapiezentrums Gießen an der Universitätsklinik für Psychiatrie und Psychotherapie und in eigener psychotherapeutischer Praxis (VT und TP) niedergelassen. Mitbegründer des Trauma-Netzwerks Mittelhessen und im Trägerverein des Psychosozialen Zentrums für Geflüchtete Menschen in Mittelhessen e. V. Tätigkeitsschwerpunkte: Traumafolgestörungen in Forschung, Lehre, Supervision und Begutachtung.

Korrespondenzadresse

Prof. Dr. med. Martin Sack
Klinik für Psychosomatische Medizin und Psychotherapie
Klinikum rechts der Isar
Langerstr. 3
81675 München
m.sack@tum.de

Literatur

[1] Shapiro F. EMDR – Grundlagen & Praxis. Berlin: Junfermann; 1998

[2] Hofmann A. EMDR Praxishandbuch zur Behandlung traumatisierter Menschen. Stuttgart: Thieme; 2014

[3] Sack M. Schonende Traumatherapie – ressourcenorientierte Behandlung von Traumafolgestörungen. Stuttgart: Schattauer; 2010

[4] Reddemann L. Psychodynamisch-imaginative Traumatherapie (PITT). In: Maercker A, Hrsg. Posttraumatische Belastungsstörungen. Heidelberg: Springer; 2013: 281–296

[5] Sack M, Sachsse U, Schellong J. Komplexe Traumafolgestörungen – Diagnostik und Behandlung von Folgen schwerer Gewalt und Vernachlässigung. Stuttgart: Schattauer; 2013

[6] Bradley R, Greene J, Russ E et al. A multidimensional meta-analysis of psychotherapy for PTSD. Am J Psy 2005; 162: 214–227

[7] Foa EB, Keane TM, Friedman MJ, Cohen JA. Effective treatments for PTSD: practice guidelines from the International Society for Traumatic Stress Studies. New York: Guilford Press; 2008

[8] van der Kolk BA, Burbridge JA, Suzuki J. The psychobiology of traumatic memories: Clinical implications of neuroimaging studies. Ann NY Acad Sci 1997; 821: 99–113

[9] Nadel L, Hupbach A, Gomez R et al. Memory formation, consolidation and transformation. Neurosci Biobehav Rev 2012; 36: 1640–1645

[10] Panksepp J. The archaeology of mind: neuroevolutionary origins of human emotions. New York: W. W Norton; 2012

[11] Hase M, Plagge J, Hase A et al. Eye Movement Desensitization and Reprocessing Versus Treatment as Usual in the Treatment of Depression: A Randomized-Controlled Trial. Front Psychol 2018; 9: 1384. doi:10.3389/fpsyg.2018.01384

Bibliografie

DOI https://doi.org/10.1055/a-0771-5116
PiD - Psychotherapie im Dialog 2019; 20: 61–65

ISSN 1438-7026

Kindheitstraumatisierte im Alter – Lebenslektionen und Gesprächsthemen in der Psychotherapie

Myriam V. Thoma, Jan Höltge, Andreas Maercker

Traumatische Kindheitserfahrungen sind ein häufiges und globales Phänomen. Selbst Jahrzehnte nach der Erfahrung von Kindheitstraumata können psychische Störungen im Alter darauf zurückgeführt werden. Jedoch entwickeln nicht alle Betroffenen eine erhöhte Vulnerabilität im weiteren Lebensverlauf. Welche Lebenslektionen berichten Menschen, die teilweise schwere Kindheitstraumata erlebt haben und dennoch, entgegen der Erwartung, gesund altern?

Kindheitstraumata – Vorkommen und Auswirkungen

Im Unterschied zum Erwachsenenalter wird der Begriff „Trauma" bezogen auf das Kindesalter breiter gefasst. Traumata, die in der Kindheit erlebt werden, sind Erfahrungen eines emotional schmerzlichen oder stressreichen Ereignisses, die häufig bleibende psychische und physische Konsequenzen nach sich ziehen und die die internationale Fachliteratur meist als „aversive Kindheitserfahrungen" (engl. adverse childhood experiences) bezeichnet.

Konkret handelt es sich bei Kindheitstraumata um:

- sexuelle, physische und emotionale Missbrauchserfahrungen
- Erfahrungen der Vernachlässigung (emotionaler oder physischer Natur)
- Verlusterfahrungen
- Miterleben von Gewalt
- elterliche Verhaltensstörungen
- persönliche Erfahrung einer lebensbedrohlichen Krankheit
- schwierige ökonomische Verhältnisse

In einer Studie der Weltgesundheitsorganisation (WHO) wurden über 50 000 Erwachsene aus 21 Ländern bezüglich der Häufigkeit von 12 aversiven Kindheitserfahrungen befragt [1]. Knapp 40 % der Befragten gab an, mindestens 1 aversive Kindheitserfahrung erlebt zu haben. Davon haben wiederum knapp 40 % 2 oder mehrere solcher Erfahrungen berichtet.

Kindheitstraumata können die Entwicklung eines Kindes nachhaltig und langfristig negativ beeinflussen. Hierbei sind Traumata, die durch primäre Bezugs- oder Autoritätspersonen ausgeübt werden, aufgrund des tiefgreifenden Vertrauensmissbrauchs besonders belastend. Bis zu 30 % aller psychischen Störungen im Erwachsenenalter lassen sich auf die Erfahrung von Kindheitstraumata zurückführen (s. Infobox) [1].

Der langfristige Einfluss von Kindheitstraumata bis ins hohe Alter wurde bisher in der wissenschaftlichen Literatur vernachlässigt. Eine Ausnahme bildet hier eine Reihe an Untersuchungen mit ehemaligen Verdingkindern (s. Infobox) [3]. In diesen Studien konnte gezeigt werden, dass selbst Jahrzehnte nach der Erfahrung von Kindheitstraumata Depressionen, posttraumatische Belastungsstörungen (s. Infobox) oder auch kognitive Beeinträchtigungen auf Kindheitstraumata zurückgeführt werden können.

Resilienz im Alter

Nicht alle Betroffenen von Kindheitstraumata entwickeln psychische Störungen im weiteren Lebensverlauf. Dieses Phänomen wird unter dem Begriff der Resilienz zusammengefasst. Resilienz bezeichnet eine psychische Widerstandskraft gegenüber belastenden, aversiven Erfahrungen [5]. Resilienz ist eine Fähigkeit, sich nach aversiven Erfahrungen zu erholen oder das psychische Wohlbefinden

INFO

Neurobiologische Basis der Übersetzung von Kindheitstraumata bei psychischen Störungen im Erwachsenenalter

Als zugrundeliegende Mechanismen werden anhaltende Veränderungen in neuropsychologischen Systemen angenommen, die für die Emotionsregulation und die Regulation von Stresserfahrungen zentral sind. Diese Veränderungen führen zu einer Hyperaktivität unterschiedlicher Stresssysteme und somit zu einer gesteigerten Stressempfindlichkeit, was wiederum zu einem erhöhten Risiko für die Entwicklung von psychischen Störungen beiträgt [2].

INFO

Alterstypische Besonderheiten der PTBS im Alter [4]

- Kollektive oder generationstypische Traumata wie Naturkatastrophen oder Krieg werden häufig als „normal“ für diese Zeit bewertet und als Folge dessen von Betroffenen als auch von Therapeuten/innen unbedacht bagatellisiert.
- PTBS-Symptome können mit alterstypischen Begleiterscheinungen verwechselt werden (z. B. die Vermeidung bestimmter Orte oder Handlungen).
- Häufige Symptome sind Vermeidungsverhalten, Intrusionen und übertriebene Schreckreaktionen.
- Multimorbidität: Herz-Kreislauf-Erkrankungen, Angststörungen, Depressionen, Suizidalität, Lern- und Gedächtnisprobleme (auch demenzielle Erkrankungen)
- Psychische Symptome werden häufig körperlich erlebt und ausgedrückt.

INFO

Ehemalige Verdingkinder

Seit Mitte des 19. Jahrhunderts bis 1981 kam es in der Schweiz im Rahmen von zahlreichen administrativen Versorgungen von Kindern und Jugendlichen zu unzählbaren Kindheitstraumata. Im Kontext des sog. „Verdingkindwesens“ wurden Kinder und Jugendliche ihren Eltern von den Behörden weggenommen und (in den meisten Fällen) auf Bauernhöfen platziert, wo sie dann harter Arbeit ausgesetzt waren. Einerseits geschah dies unter dem Deckmantel der Fürsorge, d. h. Kinder und Jugendliche sollten von ihren Ursprungsfamilien „geschützt“ werden, da diese aufgrund von Alleinerziehung (z. B. durch Scheidung), psychischen Erkrankungen eines Elternteils oder ausgeprägter Armut von der damalig vorherrschenden sozialen Norm abwichen. Andererseits geschah dies im Hintergrund der „Sozialdisziplinierung“, worin man die harte Arbeit als Möglichkeit ansah, die Kinder und Jugendliche auf den rechten „bürgerlichen“ Weg zu bringen [9].

auf einem relativ stabilen, gesunden Niveau zu bewahren [6]. Obwohl auch resiliente Menschen als Folge von widrigen Erfahrungen psychische Beeinträchtigungen erleben, sind diese in Anbetracht des Ausmaßes der Widrigkeiten relativ geringfügig ausgeprägt oder halten nur kurz an [5].

In einer eigenen Studie mit ehemaligen Verdingkindern (Durchschnittsalter: 77 Jahre), konnten 50 % der teilnehmenden Betroffenen als resilient bezeichnet werden. Ein psychologischer Schutzfaktor, die sog. „Selbstwirksamkeit“, konnte als förderlicher, interner Faktor für Resilienz identifiziert werden [7]. Selbstwirksamkeit bezeichnet die eigene Gewissheit, Notlagen und schwierige Situationen zu meistern, mit Herausforderungen erfolgreich zurecht zu kommen und die Kraft zu besitzen, Hindernisse des Lebens zu bewältigen.

Eine weitere Studie mit ehemaligen institutionell missbrauchten Betroffenen in Irland konnte zeigen, dass knapp 20 % der untersuchten Betroffenen resiliente Verläufe bis ins späte Erwachsenenalter aufwiesen [8]. Neben förderlichen Bewältigungsstrategien konnte beispielsweise der sozioökonomische Status als externer Prädiktor für einen resilienten Verlauf identifiziert werden.

Förderliche Effekte auf das Alter?

Es gibt zunehmend Hinweise darauf, dass belastende Erfahrungen im Allgemeinen, unter bestimmten Umständen, auch anhaltende gesundheitsförderliche Konsequenzen mit sich bringen können. Diesen Beobachtungen liegt der Gedanke zugrunde, dass sich die Resilienz durch das erfolgreiche Bewältigen herausfordernder Ereignisse fortlaufend verbessern kann [10]. In diesem Kontext werden salutogenetische Effekte von bewältigbaren Stressoren unter dem Begriff „Steeling“ zusammengefasst. Steeling (dt. „Stählung“) bezieht sich auf positive Effekte von kurzfristigen und bewältigbaren, moderaten Stressoren, die langfristig keine ko-existierenden negativen Folgen nach sich ziehen. Steeling führt zu einer stetigen Verbesserung der Resilienz [11].

Kindheitstraumata zählen per Definition zu extremen Erfahrungen, bei denen eine kurzfristige Bewältigung der akuten Situation normalerweise kaum möglich ist. Berichten die Betroffenen aufgrund solcher Erfahrungen im Nachhinein positive Konsequenzen, wird von „posttraumatischem Wachstum“ gesprochen [12]. Zu den positiven Folgen nach Traumata zählen:

- realistischere Sicht auf die Welt
- höherer Stellenwert von sozialen Beziehungen
- Gefühl von persönlicher Stärke
- Lebenssinn
- neue Möglichkeiten im Leben
- höhere Spiritualität
- Wertschätzung des Lebens

Lebenslektionen

Welche Lebenslektionen berichten Menschen, die es trotz ihres Schicksals geschafft haben, gesund zu altern? Wir haben dazu 12 gesund alternde, ehemalige Verdingkinder (Durchschnittsalter: 71 Jahre) zu ihren Annahmen befragt, wie ihre schwierige Vergangenheit mit ihrem aktuellen, gesunden und sozial integrierten Leben in Verbindung stehen könnte. Folgende Lebenslektionen konnten bei den Befragten erfasst werden [13]:

- Leichtherzigkeit
- soziale Ader
- lebenslange Weiterentwicklung

Leichtherzigkeit

Anstatt Verbitterung, Ernsthaftigkeit oder anhaltendes Misstrauen gegenüber ihren Mitmenschen zu entwickeln, berichteten die gesund alternden ehemaligen Verdingkinder, dass sie (bewusst) eine betont positive Lebensperspektive eingenommen haben (Zitat: „Ich bin dankbar für die Kraft, dass ich das Leben immer wieder positiv gesehen habe. Ich habe gelernt, bewusst zu leben und jeden Tag Freude zu empfinden.“).

Die Betroffenen berichteten, dass sie eine realistische Sichtweise auf das Leben entwickelt haben. Also dass gute und schlechte Momente zum Leben dazugehören und man aus beidem lernen könne. Trotz solcher schlechter Erfahrungen sei das Leben wertvoll und man solle es genießen.

Zeitgleich wurde ein effektiver Umgang mit Stress berichtet. Sie hätten gelernt, dass egal was das Leben für sie bereithält, sie alles überstehen bzw. proaktiv bewältigen könnten.

Soziale Ader

Hierunter sind Lebenslektionen gruppiert, die sich auf den erlernten Wert von sozialen Beziehungen beziehen und den Wunsch der Betroffenen ausdrücken, harmonisch mit ihren Mitmenschen zu leben und sich gegenseitig zu unterstützen. Anstatt ihr Leid unreflektiert weiterzugeben, geht es hier um die bewusste Einstellung, anderen (und so im gleichen Maße auch sich selber) ein besseres Leben zu ermöglichen (Zitat: „In dieser Zeit habe ich eine soziale Ader entwickelt. Die Verdingkindzeit hat auf den weiteren Lebensverlauf einen Einfluss auf diese Humanität gehabt. Davon abgeleitet habe ich das gerne weitergeben wollen, was ich selber vermisst habe.“).

Weiterentwicklung

Diese Lebenslektion bezieht sich auf die Entwicklung eines starken Bedürfnisses, etwas aus sich und seinem Leben zu machen, bzw. sich selbst (ständig) weiter zu entwickeln. Weiterentwicklung bezieht sich damit auf ein starkes Lernbedürfnis, einer entwickelten Offenheit gegenüber neuen Erfahrungen, die auch gepaart ist mit einem gesteigerten Gefühl der Selbstwirksamkeit (Zitat: „Durch das, was ich in meiner Jugend erlebt habe, hat es in mir den Drang entwickelt, dass ich in diesem Leben etwas erreichen wollte.“).

Merke

Das Finden eines Sinns in einem Schicksalsschlag kann sich förderlich auf die Psychohygiene auswirken.

Gesprächsthemen in der Psychotherapie

Wie die Forschung zeigt, ist davon auszugehen, dass positive Verläufe nach Traumata durchaus häufig vorkommen [6]. Generelle Prädiktoren für positive Verläufe nach Traumata (wie Selbstwirksamkeit, positive Emotionen, Lachen, „hardiness“ oder auch spezifische Prädiktoren wie Leichtherzigkeit, soziale Ader und Weiterentwicklung) können konkret als Gesprächsthemen in die Psychotherapie aufgenommen werden.

„Hardiness“ bezeichnet einen Persönlichkeitszug, der neben dem Finden eines Sinns im Leben auch aus dem Glauben besteht, dass man Einfluss auf das Leben nehmen kann und die Einstellung, dass man sowohl von negativen als auch von positiven Aspekten des Lebens Lernerfahrungen für sein eigenes Leben ziehen kann [14].

Wichtig ist die Grundhaltung der/s Therapeuten/in, die anerkennend und ressourcenorientiert sein sollte. Man soll in der Therapie gemeinsam mit den Patienten auf die Suche gehen, wo sie im Leben bereits Schwierigkeiten überstanden haben und gemeinsam Lektionen herausarbeiten, die ein positives Selbstbild der Betroffenen ermöglichen und selbstwertsteigernd wirken können. Die Betroffenen sollen ermutigt werden, Lebensrückblicksformen zu nutzen, z. B. die eigenen Erinnerungen aufzuschreiben, an einer Biografiegruppe oder einem Erzählcafé teilzunehmen (wie sie von vielen Alterseinrichtungen angeboten werden).

Auch wenn in der Therapie pathologische Prozesse oder ein stressbezogenes Störungsbild aktuell vorherrschend sein sollten, sollte man als Therapeut/in sich stets vor Augen halten, dass in den seltensten Fällen die gesamte Persönlichkeit oder die gesamte Vergangenheit eines Patienten überdauernd von Misserfolg, Schädigung oder Krankheit geprägt war. In vielen Fällen berichten Betroffene von bedeutsam prägenden Lebenslektionen, die, wenn sie positiv in der Therapie formuliert werden, nachhaltig selbstwertstärkend wirken können. In diesem Zusammenhang spielt auch häufig die Einstellung einer Person gegenüber einem erlebten Schicksal eine entscheidende Rolle.

FAZIT

Traumatisierte Menschen möchten eine Wertschätzung dafür erfahren, dass sie Schlimmes durchgemacht haben. Dazu gehören traumatische Erfahrungen im engeren klinischen Sinne, Lebensgefahren, absolute Entwürdigungen sowie aversive Erfahrungen. Auch wenn die Betroffenen im Alter zu Psychotherapiepatienten werden und Leidenssymptome berichten, können sie oft auf erstaunliche Bewältigungsleistungen verweisen, die hervorgehoben und gewürdigt werden sollten. Die Therapeuten sollten eine salutogenetische Perspektive einnehmen.

Interessenkonflikt

Die Autoren geben an, dass keine Interessenkonflikte vorliegen.

Autorinnen/Autoren

Myriam V. Thoma

Dr. phil., eidgenössisch anerkannte Psychotherapeutin, Oberassistentin und Arbeitsgruppenleiterin am Lehrstuhl Psychopathologie und Klinische Intervention am Psychologischen Institut der Universität Zürich. Der aktuelle Forschungsschwerpunkt ist die klinische Gerontopsychologie, hier insbesondere der salutogenetische Ansatz in der Erforschung von frühen Stress- und Traumaerfahrungen auf den Alterungsprozess. Weitere Fach- und Interessensgebiete sind die Resilienzforschung sowie die Psychoendokrinologie und -immunologie.

Jan Höltge

Dr. phil., wissenschaftlicher Mitarbeiter am Lehrstuhl Psychopathologie und Klinische Intervention am Psychologischen Institut der Universität Zürich. Sein Forschungsschwerpunkt liegt auf den resilienzförderlichen Mechanismen widriger Erfahrungen unterschiedlichen Schweregrades auf individueller und sozialer Ebene. Weitere Forschungsinteressen beziehen sich auf Resilienz in Extremgruppen und die Umweltpsychologie.

Andreas Maercker

Prof. Dr. phil. Dr. med.; Inhaber des Lehrstuhls Psychopathologie und Klinische Intervention der Universität Zürich und Leiter der Abteilung Allgemeine Psychotherapie und Schwerpunkte Trauma, Altersprobleme und Online-Behandlung am Psychotherapeutischen Zentrum des Psychologischen Instituts der Universität Zürich. Seine Forschungsschwerpunkte sind u. a. Trauma und PTBS, Klinische Gerontopsychologie sowie Therapieforschung.

Korrespondenzadresse

Dr. phil. Myriam V. Thoma
Universität Zürich
Psychopathologie und Klinische Intervention
Binzmühlestr. 14/17
CH-8050 Zürich
m.thoma@psychologie.uzh.ch

Literatur

[1] Green JG, McLaughlin KA, Berglund PA et al. Childhood adversities and adult psychiatric disorders in the national comorbidity survey replication I: associations with first onset of DSM-IV disorders. Arch Gen Psy 2010; 67: 113–123

[2] Heim C, Nemeroff CB. The role of childhood trauma in the neurobiology of mood and anxiety disorders: preclinical and clinical studies. Biol Psy 2001; 49: 1023–1039

[3] Burri A, Maercker A, Krammer S et al. Childhood trauma and PTSD symptoms increase the risk of cognitive impairment in a sample of former indentured child laborers in old age. PLoS One 2013; 8: e57826

[4] Thorp SR, Sones HM, Cook JM. Posttraumatic stress disorder among older adults. Cogn Beh Ther Older Ad Innov Across Care Sett 2011: 189–217

[5] Rutter M. Resilience as a dynamic concept. Developm Psychopath 2012; 24: 335–344

[6] Bonanno GA. Loss, trauma, and human resilience: Have we underestimated the human capacity to thrive after extremely aversive events? Am Psy 2004; 59: 20

[7] Maercker A, Hilpert P, Burri A. Childhood trauma and resilience in old age: applying a context model of resilience to a sample of former indentured child laborers. Aging Ment Health 2016; 20: 616–626

[8] Flanagan E. Profiles of resilient survivors of institutional abuse in Ireland; 2009

[9] Leuenberger M, Seglias L. Versorgt und vergessen. Ehemalige Verdingkinder erzählen. Zürich: Rotpunkt; 2008

[10] Höltge J et al. A Salutogenic Perspective on Adverse Experiences. Eur J Health Psy 2018: 53–69

[11] Liu RT. A developmentally informed perspective on the relation between stress and psychopathology: when the problem with stress is that there is not enough. J Abn Psy 2015; 124: 80

[12] Zoellner T, Maercker A. Posttraumatic growth in clinical psychology – a critical review and introduction of a two component model. Clin Psy Rev 2006; 26: 626–653

[13] Höltge J, Mc Gee S, Maercker A et al. Childhood Adversities and Thriving Skills: Sample Case of Older Swiss Former Indentured Child Laborers. Am J Geriatr Psy 2018; 26: 886–895

[14] Kobasa SC, Maddi SR, Kahn S. Hardiness and health: a prospective study. J Pers Soc Psy 1982; 42: 168

Bibliografie

DOI https://doi.org/10.1055/a-0771-5227
PiD - Psychotherapie im Dialog 2019; 20: 66–69

ISSN 1438-7026

Der Umgang mit der Ahnung – Vermutung von Traumatisierungen in der Vergangenheit

Eva Maria Meiser-Storck

„Ich hab da vielleicht ein Trauma gehabt, aber ich weiß es nicht genau." Aufgrund des manchmal gnädigen Umgangs unseres Gehirns mit vergangenen Traumata im Sinne des Vergessens oder aber auch aufgrund einer verzweifelten Suche nach der Begründung des Gefühls, anders zu sein, kann diese Frage während der Therapie auftauchen. Welcher Auftrag steckt dahinter und wie geht man als TherapeutIn damit um?

Vollständige oder teilweise Amnesien bei Traumafolgestörungen

Amnesien gehören zu den Hauptsymptomen der Posttraumatischen Belastungsstörung. Gedächtnisstörungen werden zwar im Zusammenhang mit Traumafolgestörungen berichtet, sorgen aber immer wieder für kontroverse Diskussionen – vor allem im Bereich der sexualisierten Gewalt. Es ist belegt, dass Erinnerungen in ihrer Genauigkeit beeinflusst werden können. Das passiert hauptsächlich durch ein „suggestives, wiederholtes und irreführendes Fragen" [1].

Studien belegen, dass die Häufigkeit vollständiger Amnesien nach sexuellem Missbrauch deutlich geringer ist als die teilweisen oder gänzlichen Erinnerungen [2]. Amnesien können in bestimmten Lebensphasen auftreten. Erinnerungen können in bestimmten Lebensphasen z. B. durch idiosynkratische, hochspezifische Reize im Rahmen psychischer Krisen oder Lebensereignisse wieder aufleben. Psychotherapie alleine scheint beim Aufleben von Wiedererinnerungen eine weniger wichtige Rolle zu spielen [3].

Therapeutische Haltung

„Es ist nicht die Aufgabe der Therapeutin, über die ‚historische Wahrheit' oder den Schweregrad einer Traumatisierung zu urteilen" [1]. Bei Patientinnen, die aufgrund eines V. a. Missbrauch aber bis auf eine diffuse Symptomatik keine erinnerbaren Erlebnisse schildern können, empfiehlt sich eine nicht wertende, offene Haltung der Therapeutin, die sich auch in ihren Fragen widerspiegelt.

Merke

Dem Wunsch nach Validierung oder Verifizierung der Ahnung der Patientin sollte die Therapeutin zunächst nicht nachkommen.

Die Exploration der vorhandenen Ahnungen oder teilweisen Erinnerungen sollten durch die Therapeutin unterstützt werden. Die Patientin soll auf dem Weg zu einer eigenen Bewertung und Einstellung bezüglich der Vorgeschichte begleitet werden [1]. Die Art der Begleitung kann unterschiedlich aussehen und muss unter Berücksichtigung selbstverständlicher, genereller Standards (s. Infobox) individuell im Patienten-Therapeuten-Team gestaltet werden.

INFOBOX

Vermeidung bei V. a. Traumatisierung

Beim V. a. Traumatisierungen sollten vermieden werden [1]:

- definierende und wertende Umschreibungen (z. B. „Ihrer Schilderung nach wurden Sie ausgebeutet")
- Suggestivfragen (z. B. „Ist Ihre Mutter auch so missbräuchlich mit Ihnen umgegangen?")
- verfrühte Schlussfolgerungen oder Einschätzungen („Diese Unruhezustände, die Sie berichten, deuten auf eine Traumatisierung hin.")
- Wunsch der Patientin nach Verifizierung oder Falsifizierung der Annahmen durch Einschätzung des Therapeuten nachzukommen

Fallbeispiele

Fallbeispiel 1

Vorgeschichte

Die 28-jährige Patientin stellte sich auf Empfehlung einer akutpsychosomatischen Klinik bei mir vor. Bei ihr bestehe eigentlich schon seit dem 16. Lebensjahr eine depressive Symptomatik. Diese äußere sich in Phasen mangelnden Antriebs, einer Selbstwertproblematik, einer negativen Zukunftsperspektive und mangelndem Lebensmut. Sie sei aber auch sehr unsicher, wolle am liebsten nicht in

Erscheinung treten. Habe das Gefühl, für andere Menschen nicht zumutbar zu sein.

Außerdem beschreibt die Patientin wechselnde Beziehungen, als sei sie „auf der Suche" nach etwas. Sie begebe sich auch immer wieder in Partnerschaften, die ihr nicht gut täten. Derzeit lebe sie wieder bei ihrer Mutter. In die Wohngemeinschaft, in der sie vorher gewohnt habe, traue sie sich nicht mehr, da sie nicht wisse, was sie mit den Bewohnern sprechen solle. Die Patientin habe eine Zwillingsschwester, die schon im Mutterleib verstorben sei. Die Mutter sei immer schon ängstlich und depressiv gewesen. Sie habe mehrfache Suizidversuche unternommen. Die Eltern hätten sich 2 Jahre nach ihrer Geburt getrennt. Der Vater sei alkoholkrank.

Die Beziehung zum Vater beschreibt die Patientin als angstbesetzt. Dies sei auch heute noch so, deswegen habe sie keinen Kontakt mehr zum Vater. Allerdings erinnere sie sich nur an eine Situation, in der der Vater der Mutter gedroht habe, sie umzubringen. Die Mutter habe aber erwähnt, dass der Vater wohl an Badefotos der Patientin sehr interessiert gewesen sei. Man habe sich aber dabei nichts gedacht. Das wundere die Patientin, obwohl sie sich nicht an einen Übergriff seitens des Vaters erinnern könne.

Die Mutter sei vermutlich von der Patientin überfordert gewesen. Die Patientin habe sich oftmals nicht gehört gefühlt und eher „leise" auf sich aufmerksam gemacht. Die Emotionen der Patientin seien nicht adäquat validiert worden. Man habe eher versucht, aversiv erlebte Emotionen zu negieren. Oftmals habe die Patientin das Gefühl bekommen, dass es der Mutter wegen ihr schlecht gehe. So habe sie den Oberplan entwickelt: „Ich bin ein unzumutbarer Mensch, ich bin ein schlechter Mensch."

Die Ahnung

Die Patientin litt während der Therapie immer wieder an dem Gefühl, anders zu sein. Vielleicht vermisse sie nur ihren verstorbenen Zwilling, fragte sie sich. Aber vielleicht war mit diesem Vater doch mehr als sie erinnere. Sie schwankte in der Therapie, ob sie diesen Vermutungen auf den Grund gehen sollte.

Die Patientin benannte neben ihrem Bedürfnis nach Wahrheit ihre Angst, die für sie therapeutisch wertvolle Zeit mit etwas zu verbringen, was ihr „gar nichts bringen würde", da sie vielleicht nur die Antwort auf die Frage suche, warum sie so anders sei. Wir entschieden uns, an dem Gefühl, anders zu sein, zu arbeiten und die Vermutungen zunächst ad acta zu legen. Im Verlauf der Therapie gelang es der Patientin, den Satz zu entwickeln: „Ob der Vater sexuell übergriffig war oder nicht, ist für mein Anderssein nicht relevant. Ich bin anders, weil ich, wie jeder Mensch, etwas Besonderes bin." In diesem Fall hatte die Patientin sich entschieden, den Traumata in ihrer Vergangenheit keinen Raum mehr zu geben, da sie nicht das Gefühl hatte, dass diese sie aktuell noch beeinflussen könnten, wenn sie das nicht möchte. Sie erlebte weder Hilflosigkeit noch einen Aufarbeitungswunsch in Anbetracht dessen, was ihr evtl. passiert sein könnte. Durch diese Entscheidung bekam der Vater, den sie generell nicht sonderlich schätzte, „nicht noch einmal Macht über ihre Lebenszeit". Die Patientin genoss den Gedanken, dem Vater die Wichtigkeit zu nehmen und sich auf ihr aktuelles, „normales" Leben zu konzentrieren.

Fallbeispiel 2

Vorgeschichte

Eine 25-jährige Patientin kam mit einer Anpassungsstörung nach einer Mobbingsituation durch die Vorgesetzte. Man habe ihr einen „Versetzungsbefehl" nahegebracht, ohne ihr die Möglichkeit der Mitbestimmung einzuräumen. Sie habe sich im Gespräch hilflos gefühlt, sei „ganz klein und unterwürfig" geworden. Sie wisse einfach nicht, warum. Ihre Biografie beschreibt sie als unauffällig. Der familiäre Umgang sei liebevoll gewesen. Sie habe einen sehr netten Freund und fühle sich auch im sozialen Umfeld geborgen.

Die Ahnung

Im Verlauf der Therapie bemerkte sie immer wieder, dass sie sich in sozialen Konfliktsituationen nicht gut behaupten konnte. Sie könne sich dann in ihrer „lieben" Art „gar nicht leiden". Habe sogar fast ein Ekelgefühl sich selbst gegenüber, wenn sie in solchen Situationen „klein beigebe", könne sich aber auch nicht behaupten. Nach einer Weile beschrieb sie zögernd ihre Ahnung: „Als ich 9 Jahre alt war, waren wir mit der Familie und einem Hausfreund in Urlaub. Ich kann mich erinnern, dass wir Kinder ausgelassen gespielt haben und ich aus Quatsch versucht habe, meiner Schwester (12 Jahre) den Bikini zu öffnen. Plötzlich ruft mich dieser Hausfreund zu sich in die Nähe einer Hütte und fragt mich streng, was ich da gemacht hätte. Ich schäme mich. Ab diesem Zeitpunkt erinnere ich mich nicht mehr. Ich vermute, ich bin weggerannt... Zu einem späteren Zeitpunkt muss ich wohl sehr heftig geweint haben, was meine Eltern als inadäquate Reaktion bezüglich des Abschieds von unseren Freunden gewertet haben müssen. Der Versuch, mich zu trösten, schlug fehl. Nach einer Weile muss ich mich selbst beruhigt haben... irgendwie bekomme ich diese Ahnung nicht los, dass da mit diesem Mann mehr passiert sein muss."

Auftrag

Die Patientin (P) stellte sich die Frage, ob sie diese Erlebnisse rekonstruieren sollte (s. Infobox). Im Dialog reflektierten wir die Folgen dieses Rekonstruktionsversuchs:

Therapeutin (T): „Was würde passieren, wenn es sich bestätigen würde, dass ‚mehr' passiert ist?"
P: „Ich wüsste endlich, warum ich in Situationen mit Vorgesetzten so unterwürfig reagiere und mich aber vor meinem eigenen Verhalten ekele."

T: „Und was wäre dann?"
P: „Vielleicht würde ich mehr Verständnis für mich entwickeln."
T: „Und was wäre dann?"
P: „Vielleicht könnte ich in solchen Konfliktsituationen durch das erworbene Verständnis besser hinter mir stehen und mich besser behaupten. Vielleicht könnte ich aber auch Hier und Jetzt besser von Dort und Damals trennen?"
T: „Was würde das für Ihr Selbstbild heißen?"
P: „Verständnis für mein Verhalten. Aber vielleicht würde ich mich auch mehr ablehnen."
T: „Was wäre, wenn Sie sich mehr ablehnen würden?"
P: „Dann könnte ich daran arbeiten... eigentlich mache ich das aktuell ja auch, das mit dem Ablehnen, nur weiß ich nicht genau, warum."
T: „Welche Gefahren für die seelische Verfassung könnte das explorierende Vorgehen bergen?"
P: „Vielleicht würde ich in dem Trauma ‚hängenbleiben'".
T: „Wie würde das aussehen?"
P: „Vielleicht würde ich nicht mehr aufhören können, daran zu denken, wäre völlig verunsichert und beschämt."
T: „Was wäre dann?"
P: „Auch das ist ja jetzt in den auslösenden Situationen schon so. Vielleicht würde die Exploration mir helfen, mich besser zu verstehen und weniger abzulehnen. Schlimmer als jetzt kann es eigentlich nicht werden."
T: „Was wäre das Schlimmste, wenn sich der Hergang nicht rekonstruieren ließe und Sie nie Gewissheit erlangen würden?"
P: „Dann bliebe die Situation wie sie ist."

INFOBOX

Klärung einer ambivalenten Haltung gegenüber der eigenen Vermutung über vergangene Traumatisierungen

Mögliche Fragen [1]:

- „Was wäre anders, wenn Sie Sicherheit hätten darüber, ob es so war, wie sie befürchten oder nicht so war, wie Sie befürchten?"
- „Was wäre das Schlimmste, wenn Sie wüssten, dass es so passiert ist, wie Sie befürchten?"
- „Was wäre das Schlimmste, was Sie sich vorstellen könnten, was damals passiert sein könnte?"
- „Was würde es für Sie bedeuten, wenn Sie wüssten, dass Sie nie hundertprozentige Sicherheit gewinnen könnten, was damals wirklich passiert ist?"

Vorgehen

Die Antworten der Patientin machten uns Mut. Wie würden wir vorgehen? Wir entschieden uns für das EMDR (Eye Movement Desensitization and Reprocessing), eine Methode zur Desensibilisierung und Verarbeitung durch Augenbewegungen, bezüglich der Situation, in der die Patientin von dem Mann gerügt wird und sich schämt. Die Idee hinter dieser Entscheidung war, dass die Patientin dieses Bild regelmäßig erinnerte, dass in Situationen, in denen sie sich mit Vorgesetzten oder anderen Autoritätspersonen konfrontiert sah, intrusive Gefühle der Scham und der Angst auftraten. Und das stabil über einen langen Zeitraum bzw. seit sie sich erinnern konnte. Das hieß für mich, dass das Gedächtnis nicht am Konsolidieren war und dass das „traumatische Material" inklusive intrusivem Wiedererleben und Leidensdruck auch ohne Hinzukommen weiterer möglicher Wiedererinnerungen für die Begründung eines konfrontativen Vorgehens ausreichen würde. Zudem befand die Patientin sich in einem sozial stabilen Umfeld, war ansonsten körperlich und psychisch stabil [4].

Prozess

Die Patientin imaginierte die Situation, in der sie von dem Mann in der Nähe der Hütte gerügt und beschämt wurde. Sie ließ das ihr bekannte Bild entstehen. Die dazugehörige Kognition „Ich habe etwas falsch gemacht" bewirkte eine SUD (subjective units of distress scale) von 10 und eine zentrale Emotion der Scham und Schuld. Die SUD dient zur Einschätzung des subjektiven Belastungsgrades des Patienten auf einer Skala von 1–10. Die Patientin beschrieb eine Unruhe im ganzen Körper und ein Druckgefühl auf der Brust.

Als hilfreiche Kognition entwickelte die Patientin den Satz: „Ich habe nur ausgelassen gespielt." Die hilfreiche Kognition konnte von der Erwachsenen kognitiv schon gut angenommen werden, das dazugehörige Gefühl der Stimmigkeit stellte sich aber nicht ein. Die Patientin beschrieb zu Beginn bezüglich ihrer hilfreichen Kognition eine VOC (validity of cognition scale) von 3. Die VOC dient zur Einschätzung der kognitiven Dissonanz bzw. gefühlsmäßigen „Stimmigkeit" der hilfreichen Kognition von „nicht stimmig (0)" bis „völlig stimmig (7)".

Schon während des ersten Prozessierens, einem mehr oder minder spontan auf die Stimulation hin ablaufendem Verarbeitungs- und Integrationsprozess des weitgehend subkortikal gespeicherten Traumamaterials [4], erlangte die Patientin stückchenweise ihre Erinnerung wieder, entstand eine Kette von Erinnerungen, die das Gesamtbild vervollständigten. Sie sah das Bild, wie beide im Häuschen waren, wie sie wie paralysiert dasaß und der Mann näher rückte. Sie sah die Dinge, die er von ihr verlangte und sah sich diese Dinge tun. Die Imagination endete in dem Bild, dass beide wieder das Häuschen verließen. Schon während des Prozessierens erlebte die Patientin starke Emotionen, aber auch ein Gefühl, dass das, was passierte, „nicht richtig war", dass es „falsch" war.

Zunächst war die Patientin äußerst aufgewühlt, überrascht von den Emotionen der Hilflosigkeit, der Angst und Trauer aber auch dieses Gefühl, dass „hier etwas falsch läuft". Aus diesem Gefühl entwickelte die Patientin die positive Kognition: „Ich habe nur ausgelassen gespielt, das war in Ordnung. Das was der Mann gemacht hat, war falsch." Im

Rahmen des imaginativen Verarbeitens des Erlebten entwickelte sich in der Patientin das Bedürfnis, dem Kind zu helfen bzw. es zu schützen.

Also brachte die Patientin ihr erwachsenes Ich in die Situation ein. Es gelang dem wütenden, empörten, erwachsenen Ich den Täter vor den Augen des Kindes zu konfrontieren und das Kind an einen sicheren Ort zu bringen. Im Dialog mit dem Kind transportierte sie die hilfreichen Kognitionen und spürte eine Überzeugung im Kind wachsen, was sich auch in der Änderung der VOC von 3 auf 6 abbildete. Die Erleichterung über Verständnis, Trost und Schutz durch einen Erwachsenen, was sie sich damals gewünscht hätte, führte zur lange unterdrückten Artikulation von Emotionen der Patientin. Sie musste heftig weinen und konnte das im geschützten validierenden Rahmen zulassen. Danach berichtete sie von einer SUD von 3 und einem freien Gefühl auf der Brust.

In der nächsten Sitzung berichtete sie von einer großen Erleichterung, aber auch von einem furchtbaren Weinkrampf zuhause aus „heiterem Himmel" 1–2 Tage vor der nächsten Sitzung. Nach einer Situationsanalyse wurde deutlich, dass es in dieser Situation um Nähe mit dem Partner gegangen war, was Erinnerungen an das Trauma getriggert hatte. Diese Erkenntnis gab der Patientin durch die beruhigende Bewertung des Geschehenen Handlungsalternativen. Sie konnte die Intimität durch den bewussten Umgang mit Hier und Jetzt und Dort und Damals wieder gut zulassen. Es folgte ein weiterer Prozess der Konfrontation aber auch Entwicklung von Bewältigungsbildern, währenddessen sich die SUD auf einen Wert von 2 reduzierte und die VOC auf einem Wert von 6 blieb.

In der darauffolgenden Sitzung berichtete sie von einer viel stabileren Haltung sich selbst gegenüber. Sie habe ein Gefühl der „Vollständigkeit und Klarheit". In der Überprüfungsphase berichtete die Patientin von persistierenden SUD- und VOC-Werten und anhaltendem guten Körpergefühl. Auch in der Katamnese nach 3 Monaten berichtete die Patientin, sie habe bemerkt, dass sie sich im Umgang mit Autoritäten selbstbewusster und wehrhafter verhalten könne und sie weiterhin die Gefühle der Klarheit und Vollständigkeit als erleichternd empfinde.

FAZIT

Der Umgang mit der Ahnung einer Traumatisierung sollte besonders behutsam gestaltet und durch achtsames Fragen sehr gut vorbereitet werden. Eine Wiedererinnerung sollte und kann nicht forciert werden. Allerdings kann eine achtsame und sehr gut vorbereitete Traumakonfrontation von Erinnerungsfragmenten, z. B. ein sich immer wieder aufdrängendes Bild, auch heilsam zu einer Rekonstruktion von Traumaerinnerungen beitragen.

Interessenkonflikt

Die Autorin gibt an, dass kein Interessenkonflikt besteht.

Autorinnen/Autoren

Eva Maria Meiser-Storck

Dipl.-Psych.; Psychologische Psychotherapeutin und Supervisorin; bis 2015 Leitende Psychologin in den Mediclin Bliestalkliniken, Blieskastel, seit 2015 in eigener Praxis. Schwerpunkte: komplexe Traumatisierung, chronischer Schmerz.

Korrespondenzadresse

Dipl.-Psych. Eva Maria Meiser-Storck
Psychologische Psychotherapeutin
Großherzog-Friedrich-Str. 35
66111 Saarbrücken
psychotherapie@meiser-storck.de

Literatur

[1] Boos A. Kognitive Verhaltenstherapie nach chronischer Traumatisierung. Ein Therapiemanual. Göttingen: Hogrefe; 2005: 65–68

[2] Williams LM. Recall of childhood trauma; a prospective study of women's memories of child sexual abuse. J Consult Clin Psych 1994; 62: 1167–1176

[3] Hermann JL, Harvey MR. Adult memories of childhood trauma: a naturalistic clinical study. J Traum Stress 1997; 10: 557–577

[4] Hofmann A. EMDR. Praxisbuch zur Behandlung traumatisierter Menschen. Stuttgart: Thieme; 2014: 44–97

Bibliografie

DOI https://doi.org/10.1055/a-0771-5061
PiD - Psychotherapie im Dialog 2019; 20: 70–73

ISSN 1438-7026

Thieme

Adjuvante Therapie bei posttraumatischer Belastungsstörung

Christian G. Schanz, Monika Equit, Tanja Michael

Bei der Behandlung posttraumatischer Belastungsstörungen (PTBS) stellen traumafokussierte Psychotherapieverfahren die Methode der ersten Wahl dar. Obwohl diese Verfahren nachweislich zu einer starken Symptomreduktion führen, bildet sich die PTBS-Symptomatik nicht bei allen Betroffenen vollständig zurück. Erste Befunde zum Einsatz von adjuvanten Therapieverfahren in der PTBS-Behandlung verweisen auf vielversprechendes Potenzial zur Steigerung der Wirksamkeit etablierter Verfahren.

Begriffsbestimmung

Das verbindende Element adjuvanter Therapieverfahren ist ihr Einsatzziel: Die Ergänzung bzw. Unterstützung einer Haupttherapie. Einige Therapieverfahren (z. B. Paartherapie) können daher kontextabhängig entweder ein adjuvantes Therapieverfahren (z. B. Konfrontationstherapie + Paartherapie bei Traumafolgestörungen) oder auch eine Haupt- bzw. Monotherapie (z. B. Paartherapie bei sexuellen Funktionsstörungen) darstellen.

Die Wirksamkeit eines adjuvanten Therapieverfahrens bemisst sich daran, ob sein kombinierter Einsatz (adjuvante Therapie + Haupttherapie) effektiver ist als der alleinige Einsatz der Haupttherapie. In den letzten Jahren sind adjuvante Therapieverfahren verstärkt in den Fokus von Praktikern und Forschern gerückt [1][2]. In der Praxis häufig angewandte adjuvante Therapieverfahren sind u. a. Ausdauersport, achtsamkeitsbasierte Methoden und Kreativtherapie. Medikamentöse Interventionen werden nur dann den adjuvanten Verfahren im engeren Sinne zugerechnet, wenn ihr Einsatz die therapeutischen Prozesse der Hauptintervention potenziert, z. B. die Angstextinktion bei Traumakonfrontation.

Merke

Adjuvante Therapieverfahren dienen der Unterstützung einer Haupttherapie, entweder in einer direkten Steigerung der Effektivität der Haupttherapie (z. B. verbesserte Angstlöschung) oder in einer Aktivierung zusätzlicher Wirkmechanismen.

Bewährung adjuvanter Therapien bei Posttraumatischer Belastungsstörung

Als Haupttherapie der Wahl zur Behandlung der PTBS werden sowohl in nationalen [3] als auch internationalen [4] Leitlinien traumafokussierte Psychotherapieverfahren empfohlen. In den aktuell gültigen deutschen S3-Leitlinien zur Behandlung der PTBS wird zudem auf die positive klinische Erfahrung mit adjuvanten Therapieverfahren wie Ergo-, Kreativ-, Körper- und Bewegungs- sowie Physiotherapie verwiesen [3]. Diese Leitlinienempfehlung für den Einsatz adjuvanter Verfahren beruht nicht auf der empirischen Evidenz zu diesen Verfahren, sondern stellt einen klinischen Konsenspunkt dar, da sich diese Verfahren im stationären Setting im Rahmen von multimodalen Behandlungsplänen bewährt haben. Eine Überprüfung durch Studien steht noch aus.

Forschungsarbeiten zur empirischen Evidenz adjuvanter Therapieverfahren liegen bislang zu Ausdauersport, pharmazeutischen Therapiepotenzierern, computergestützten Verfahren, Achtsamkeit, Akupunktur, Biofeedback, Familientherapie, Hypnotherapie, Imagery Rescripting und Kreativtherapien vor. Während für keine dieser Verfahrensgruppen die empirische Evidenz eine abschließende Bewertung zulässt, sind die vorläufigen Befunde insbesondere bezüglich des adjuvanten Einsatzes von Ausdauersport [5] und Atembiofeedback [6], trotz methodisch geringer Belastbarkeit, vielversprechend.

Wirkmechanismen und Umsetzung spezifischer adjuvanter Verfahren

Ausdauersport

Sport ist eine kostengünstige, jederzeit anwendbare und mit gesundheitsförderlichen Nebeneffekten assoziierte Interventionsmethode. Sein adjuvanter Effekt im Kontext der expositionsbasierten Behandlung der PTBS basiert vermutlich auf einer angstextinktionsfördernden Wirkung (s. Infobox). Als Wirkmechanismus wird dabei die sportinduzierte Steigerung gedächtnismodulierender und die neuronale Plastizität fördernder Signalstoffe (z. B. Cortisol [7][8] oder Brain-Derived Neurotrophic Factor; BDNF) diskutiert [5]. Des Weiteren hat sich Ausdauersport als effektive Therapie zur Reduktion depressiver Symptomatiken (einer häufigen Komorbidität der PTBS) bewährt [9].

INFOBOX

Extinktion und Traumakonfrontation

Das Anstoßen erfolgreicher Extinktionsprozesse zum „Verlernen" starker Angst- und Stressreaktionen und dysfunktionalen Vermeidungsverhaltens ist ein wesentliches Ziel jeder traumafokussierten Psychotherapie. Hierzu wird zumeist das Mittel der Traumakonfrontation eingesetzt. Extinktionslernen kann durch ein Eingreifen in neurophysiologische Prozesse verstärkt werden. Diese Manipulation neurophysiologischer Prozesse kann entweder indirekt (z. B. durch Ausdauersport) oder direkt (z. B. durch Applikation bestimmter Pharmazeutika) erfolgen.

Pharmazeutische Therapiepotenzierer

Diese zielen hauptsächlich darauf ab, Extinktionsprozesse während der Traumakonfrontation über ein direktes Eingreifen in Hormon- und Neurotransmittersysteme zu fördern. Erste Forschungsarbeiten zum Einsatz von pharmazeutischen Therapiepotenzierern bei PTBS liegen zu D-Cycloserine [10], Yohimbin [11] und Methylthioniniumchlorid [12] sowie einer exogenen Zufuhr von Cortisol [13] und Oxytocin [14] vor. Während D-Cycloserine keinen adjuvanten Effekt bei der Behandlung von PTBS zu haben scheint [15], erscheinen insbesondere die Befunde zu Cortisol [13] und Oxytocin [14] trotz weiteren Forschungsbedarfs vielversprechend.

Merke

Trotz teilweise hoffnungsvoller Befunde können pharmazeutische Therapiepotenzierer auf Grundlage des derzeitigen Forschungsstands nicht für den klinischen Einsatz bei PTBS empfohlen werden.

Kreativ- und Bewegungstherapie

Das Traumagedächtnis besteht aus unzureichend elaborierten, assoziativ-verlinkten Erinnerungsfragmenten, die den Alltag der Patienten besonders stark belasten [16][17][18]. Diese Erinnerungsfragmente sind dem sprachlichen Abruf (so gut wie) nicht zugänglich, weshalb eine (auf Sprache angewiesene) psychotherapeutische Bearbeitung erschwert ist.

Im Kontrast dazu können Kreativ- und Bewegungstherapien die assoziativen, bildhaften Erinnerungselemente des Traumagedächtnisses nonverbal aufgreifen und ihnen durch Bewegung, Musik, Farbe und Form (künstlerischen) Ausdruck verleihen. Hierdurch können zuvor vermiedene bzw. verdrängte Emotions- und Erinnerungskomplexe erlebbar und dadurch der psychotherapeutischen Nachbesprechung zugänglich gemacht werden. Tanz- und Bewegungstherapie fördern zudem die (Wieder-)Entwicklung eines positiven Körpergefühls und ihre gruppentherapeutische Anwendung ermöglicht die geschützte (Wieder-)Erprobung des Umgangs mit Nähe und Distanz. Auch wenn die empirische Bestätigung einer adjuvanten Wirksamkeit von Kreativ- und Bewegungstherapien für PTBS noch aussteht, spricht ihre Bewährtheit im stationären Setting für einen Einsatz dieser Interventionen in der therapeutischen Praxis.

Traditionell asiatische Behandlungsansätze

Konzepte traditioneller fernöstlicher Medizinschulen (z. B. Akupunktur) und Religionsgemeinschaften (z. B. Meditation) haben in den vergangenen Jahren zunehmend Einzug in den Methodenkatalog westlicher Behandlungen gefunden. Am bedeutsamsten sind dabei die achtsamkeitsbasierten Ansätze (inkl. Yoga und Meditation). Achtsamkeit bezeichnet einen Bewusstseinszustand, der durch die Ein- und Ausübung meditativer Techniken erreicht werden kann und dessen Kerncharakteristikum in der wertfreien Akzeptanz alles Seienden begründet liegt. Übertragen auf den therapeutischen Kontext dienen Achtsamkeitstechniken primär zur Einübung einer kontrollierten Aufmerksamkeitslenkung, zur Induktion von Entspannungszuständen und zur Gewinnung der Einsicht, dass das subjektive Wohlergehen weniger von äußeren Gegebenheiten als vielmehr von der inneren Haltung abhängig ist.

Während zum monotherapeutischen Nutzen von achtsamkeitsbasierten Ansätzen zur Behandlung einer PTBS relativ gute Evidenznachweise vorliegen [19], liegen noch keine hochwertigen Studien zur Achtsamkeit als adjuvantem Verfahren vor. Sowohl die bisherigen Befunde als auch klinische Erfahrungsberichte deuten jedoch daraufhin, dass Achtsamkeit ein vielversprechendes adjuvantes Verfahren ist, das weiter untersucht werden sollte [20].

Biofeedback

Beim Biofeedback werden die Patienten zur gezielten Beeinflussung physiologischer Parameter (z. B. Herzrate, Muskelspannung, Atmung) angeleitet. Es bedient sich dabei der apparativ gestützten Erfassung und Spiegelung der jeweiligen physiologischen Paramater durch visuelle oder auditive Animationen bzw. Signale. Eine Untersuchung konnte zeigen, dass die Anwendung von Atembiofeedback zusätzlich zu einer traumafokussierten Psychotherapie zu einer schnelleren Symptomreduktion als die alleinige Anwendung der Haupttherapie führt [6]. Als Wirkmechanismen werden dabei u. a. der entspannungsinduzierende Charakter von Atembiofeedback sowie eine Bindung von Arbeitsgedächtnisressourcen diskutiert.

FALLBEISPIEL

Frau M.

Frau M. ist 49 Jahre alt (geschieden, seit mehreren Jahren in einer neuen Beziehung lebend, 1 erwachsener Sohn). Frau M. hat im Alter von 14 Jahren ihre vom Vater erwürgte und mit Messerstichen malträtierte Mutter auf dem Fußboden ihrer Wohnung liegend vorgefunden. Der Vater sei alkoholabhängig und in betrunkenem Zustand immer sehr gewalttätig gegenüber der Mutter gewesen, die sich aufgrund einer angeborenen körperlichen Behinderung nicht richtig habe wehren können. Die Patientin habe sich von Kindheit an immer schützend vor die Mutter gestellt, diese verteidigt und häufig selbst Prügel bezogen. Frau M. sei nach dem Ereignis bei ihren Großeltern aufgewachsen. Der Vater von Frau M. sei nach der Tat zu einer 7-jährigen Freiheitsstrafe verurteilt worden.

Seit einigen Jahren leide Frau M. erneut unter wiederkehrenden Erinnerungen an das traumatische Ereignis. Insbesondere abends und nachts leide sie an Flashbacks und Albträumen mit Traumabezug. Sie fühle sich dann wie „zugeschnürt" und beginne zu hyperventilieren. Frau M. vermeide es, sich ihrem ehemaligen Elternhaus zu nähern. Zusätzlich fühle sie sich häufig antriebslos, jedoch gleichzeitig innerlich unruhig und sehr angespannt. Sie sei oftmals ohne Grund gereizt, grübele viel, weine ohne Anlass und habe Schuldgefühle (z. B. „Ich war nicht da als meine Mutter mich brauchte."). Vor 7 Monaten habe sie einen Suizidversuch mit Schlaftabletten unternommen. Zu Beginn der Therapie war Frau M. klar von akuter Suizidalität distanziert.

Im Fokus der aktuellen Therapie stand zunächst die Behandlung der PTBS. Bereits in der Vorbereitung der Traumakonfrontation kamen Achtsamkeitsübungen zum Einsatz, welche Frau M. zu festen Zeiten in ihren Tag integrierte. Sie verwendete dabei primär Atemübungen. Die Anleitung zur Atemübung wurde der Patientin als von der Therapeutin eingesprochene Audiodatei mit nach Hause gegeben. Nach wiederholter Traumakonfrontation waren die zentralen PTBS-Symptome deutlich rückläufig. Wiedererlebenssymptome traten nun nur noch selten auf. Gelegentlich aufkommende Angstzustände konnten von der Patientin selbstständig durch die Anwendung von Achtsamkeitsübungen eingedämmt werden. Auch bei der anschließenden Depressionsbehandlung kamen neben den üblichen kognitiv-verhaltenstherapeutischen Behandlungsbausteinen (z. B. Aufbau positiver Aktivitäten, kognitive Umstrukturierung) Achtsamkeitsübungen (z. B. zum Unterbinden von Grübelphasen) zum Einsatz.

Im Fall von Frau M. kann nach jetzigem Therapiestand ein klarer adjuvanter Effekt der achtsamkeitsbasierten Techniken auf sowohl PTBS- als auch depressive Symptome konstatiert werden.

FAZIT

Bei allen adjuvanten Verfahren bedarf es vor dem Aussprechen empirisch fundierter Empfehlungen weiterer methodisch qualitativer Forschungsarbeiten. Auf dem derzeitigen Stand scheinen vor allem Ausdauersport und Atembiofeedback effektiv. In der klinischen Praxis haben sich Kreativtherapien und achtsamkeitsbasierte Methoden bewährt. Unter den pharmazeutischen Therapiepotenzierern erscheinen insbesondere Cortisol und Oxytozin vielversprechend.

Interessenkonflikt

Die Autoren geben an, dass keine Interessenkonflikte vorliegen.

Autorinnen/Autoren

Christian G. Schanz

Doktorand am Lehrstuhl für Klinische Psychologie und Psychotherapie an der Universität des Saarlandes, Psychologischer Psychotherapeut (VT) in Ausbildung am Weiterbildungsinstitut für Psychotherapie Saarbrücken (WIPS) an der Universität des Saarlandes, Master of Science in Psychologie 2017. Schwerpunkte: adjuvante Therapieverfahren, aggressives Verhalten, depressive Störungen, Traumafolgestörungen.

Monika Equit

PD Dr. phil. Dipl.-Psych.; Psychologische Psychotherapeutin, Supervisorin, Leitung der Psychotherapeutischen Universitätsambulanz am Lehrstuhl für Klinische Psychologie und Psychotherapie an der Universität des Saarlandes, Co-Leitung des Weiterbildungsinstituts für Psychotherapie Saarbrücken (WIPS) an der Universität des Saarlandes; 2007 Promotion, 2014 Habilitation. Schwerpunkte: posttraumatische Belastungsstörung, Angststörungen, depressive Störungen.

Tanja Michael

Prof. Dr. phil.; Universitätsprofessorin für Klinische Psychologie und Psychotherapie an der Universität des Saarlandes und direktive Leiterin der psychotherapeutischen Universitätsambulanz, Institutsleiterin des Weiterbildungsinstituts für Psychotherapie Saarbrücken (WIPS) an der Universität des Saarlandes; 2001 Promotion, 2007 Habilitation. Schwerpunkte: Traumafolge- und Angststörungen, Stress, Resilienz, Wirkmechanismen von Psychotherapie.

Korrespondenzadresse

Prof. Dr. Tanja Michael
Universität des Saarlandes
Klinische Psychologie und Psychotherapie
Campus, Gebäude A1 3, 1. OG
66123 Saarbrücken
t.michael@mx.uni-saarland.de

Literatur

[1] Michael T, Sopp R, Maercker A. Posttraumatische Belastungsstörungen. Lehrbuch der Verhaltenstherapie, Band 2. Heidelberg: Springer; 2018: 105–124

[2] Kirsch A, Equit M, Michael T. Adjuvante Verfahren. In: Schellong J, Epple F, Weidner K, Hrsg. Praxisbuch Psychotraumatologie. Stuttgart: Thieme; 2018: 137–140

[3] Flatten G, Gast U, Hofmann A, Knaevelsrud C, Lampe A, Liebermann P. Posttraumatische Belastungsstörung: S3-Leitlinie und Quellentexte. Stuttgart: Schattauer; 2013: 147

[4] National Institute for Health and Care Excellence. Posttraumatic stress disorder: management; 2005. Im Internet: https://www.nice.org.uk/guidance/cg26/resources/post-traumatic-stress-disorder-management-pdf-975329451205; Stand: 07.03.2019

[5] Powers MB, Medina JL, Burns S et al. Exercise Augmentation of Exposure Therapy for PTSD: Rationale and Pilot Efficacy Data. Cogn Behav Ther 2015; 44: 314–327

[6] Rosaura Polak A, Witteveen AB, Denys D et al. Breathing biofeedback as an adjunct to exposure in cognitive behavioral therapy hastens the reduction of PTSD symptoms: a pilot study. Appl Psychophys Biof 2015; 40: 25–31. Im Internet: http://cochranelibrary-wiley.com/o/cochrane/clcentral/articles/892/CN-01256892/frame.html; Stand: 07.03.2019

[7] Bentz D, Michael T, Dominique J-F et al. Enhancing exposure therapy for anxiety disorders with glucocorticoids: from basic mechanisms of emotional learning to clinical applications. J Anx Dis 2010; 24: 223–230

[8] Hill E, Zack E, Battaglini C et al. Exercise and circulating cortisol levels: the intensity threshold effect. J Endocrinol Inv 2008; 31: 587–591

[9] Schuch FB, Vancampfort D, Richards J et al. Exercise as a treatment for depression: a meta-analysis adjusting for publication bias. J Psy Res 2016; 77: 42–51

[10] de Kleine RA, Hendriks G-J, Kusters WJ et al. A randomized placebo-controlled trial of D-cycloserine to enhance exposure therapy for posttraumatic stress disorder. Biol Psy 2012; 71: 962–968

[11] Tuerk PW, Wangelin BC, Powers MB et al. Augmenting treatment efficiency in exposure therapy for PTSD: a randomized double-blind placebo-controlled trial of yohimbine HCl. Cogn Beh Ther 2018: 1–21

[12] Zoellner LA, Telch M, Foa EB et al. Enhancing Extinction Learning in Posttraumatic Stress Disorder With Brief Daily Imaginal Exposure and Methylene Blue: a Randomized Controlled Trial. J Clin Psy 2017; 78: e782–e789. Im Internet: http://cochranelibrary-wiley.com/o/cochrane/clcentral/articles/338/CN-01405338/frame.html; Stand: 07.03.2019

[13] Yehuda R, Bierer LM, Pratchett LC et al. Cortisol augmentation of a psychological treatment for warfighters with posttraumatic stress disorder: randomized trial showing improved treatment retention and outcome. Psychoneuroendocrin 2015; 51: 589–597. Im Internet: http://cochranelibrary-wiley.com/o/cochrane/clcentral/articles/125/CN-01040125/frame.html; Stand: 07.03.2019

[14] Flanagan JC, Sippel LM, Wahlquist A et al. Augmenting Prolonged Exposure therapy for PTSD with intranasal oxytocin: A randomized, placebo-controlled pilot trial. J Psy Res 2018; 98: 64–69

[15] Bürkner PC, Bittner N, Holling H et al. D-cycloserine augmentation of behavior therapy for anxiety and obsessive-compulsive disorders: A meta-analysis. Plos One 2017; 12: 0173660

[16] Ehlers A, Clark DM. A cognitive model of posttraumatic stress disorder. Behav Res Ther 2000; 38: 319–345

[17] Ehlers A, Hackmann A, Michael T. Intrusive re-experiencing in post-traumatic stress disorder: Phenomenology, theory, and therapy. Memory 2004; 12: 403–415

[18] Pfaltz MC, Michael T, Meyer AH et al. Reexperiencing symptoms, dissociation, and avoidance behaviors in daily life of patients with PTSD and patients with panic disorder with agoraphobia. J Traum Stress 2013; 26: 443–450

[19] Hilton L, Maher AR, Colaiaco B et al. Meditation for posttraumatic stress: systematic review and meta-analysis. Psychol Trauma Theory Res Pract Pol 2017; 9: 453–460

[20] Kearney DJ, McDermott K, Malte C et al. Effects of participation in a mindfulness program for veterans with posttraumatic stress disorder: a randomized controlled pilot study. J Clin Psy 2013; 69: 14–27

Bibliografie

DOI https://doi.org/10.1055/a-0771-5138
PiD - Psychotherapie im Dialog 2019; 20: 74–77

ISSN 1438-7026

Thieme

Besondere Herausforderungen bei der psychotraumatologischen Kausalitätsbeurteilung

Ferdinand Haenel

Traumaspezifische, die Exploration behindernde psychische Symptome und besondere Einflüsse auf die Beziehung zwischen Gutachter und Probanden sowie komorbide psychische Störungen stellen in der psychotraumatologischen Begutachtung eine besondere Herausforderung dar. Sie sind Gründe, die zu sehr unterschiedlichen Ergebnissen führen können. Der Artikel geht den Ursachen anhand einer Kasuistik nach.

Einleitung

Anhand seiner klinischen Beobachtungen an Arbeits- und Eisenbahnunfallopfern hat der Berliner Nervenarzt Hermann Oppenheim vor 130 Jahren die Diagnose „Traumatische Neurose" eingeführt [1]. Mit ihr begannen die Auseinandersetzungen unter den deutschen Nervenärzten, indem die eine Fraktion der Meinung war, es handele sich hierbei rein um „zweckneurotische" Symptome zur Erlangung von Vorteilen, während die andere sie als echte krankheitswertige ereignisreaktive Störung betrachtete [2].

Die seit 1883 schrittweise Einführung der Sozialgesetze unter Otto v. Bismarck mit Arbeitsunfall- und Invaliditätsversicherung sowie die politisch angespannte Lage Europas mit zunehmender Militarisierung vor dem Ersten Weltkrieg bildeten den historisch gesellschaftspolitischen Hintergrund dieser unter Nervenärzten teilweise äußerst heftig und polemisch geführten Debatte des Pro und Contra, die sich in der Medizingeschichte bis zum heutigen Tage fortgesetzt hat.

Psychiatrische Gutachter, die z. T. selbst in die Verbrechen innerhalb der deutschen Psychiatrie im Dritten Reich involviert gewesen waren, hatten in den 1950er Jahren im Rahmen des Bundesentschädigungsgesetzes erlebnisreaktive psychische Störungen von Überlebenden der nationalsozialistischen Konzentrationslager als entwicklungsbedingt ursächlich auf Umstände vor dem Zeitraum der Lagerinternierung zurückgeführt [3]. Im Gegenzug gab es damals eine Reihe von Psychiatern mit genau gegensätzlicher Auffassung, wie W. G. Niederland, U. Venzlaff, W. v. Baeyer, H. Häfner, K. Kisker, K. Hoppe und K. Eissler. Ihre wissenschaftlichen Arbeiten haben ganz entscheidend zum heutigen Verständnis psychisch reaktiver Extremtraumafolgen beigetragen. Auch damals war es erneut zu heftigen polemischen und polarisierenden Auseinandersetzungen unter den Fachkollegen gekommen [4].

Ebenso waren in der Begutachtungspraxis des Strafrechtlichen Rehabilitierungsgesetzes (StrRehaG) in den 1990er Jahren bei früheren politischen Häftlingen der DDR hohe Divergenzen in der gutachterlichen Beurteilung festzustellen gewesen [5].

Daher stellt sich die Frage nach den besonderen Ursachen, auf die die hohe Divergenz der Ergebnisse psychotraumatologischer Gutachten zurückgeführt werden kann. Folgende 3 Faktoren sind hierfür ausschlaggebend:

- symptomimmanente Explorationshindernisse
- traumaspezifische Beziehungsaspekte
- Schwierigkeiten bei der Abgrenzung schädigungsabhängiger von schädigungsunabhängigen Störungen

Dies sollen im Folgenden näher ausgeführt und anhand einer Kasuistik illustriert werden.

FALLBEISPIEL

Als Herr M. eines Abends von der Vorstandssitzung seines Anglervereins nach Hause kam, wurde er in seiner Garage überfallen, zusammengeschlagen, in seinem PKW entführt und nach 1 Stunde schwer verletzt auf freiem Felde ausgesetzt. Die Folgen: Jochbeinfraktur, Schädelprellung, Platz- und Schürfwunden am Kopf.

Zweifellos ist dieses Ereignis geeignet, das Kriterium A der Definition der Posttraumatischen Belastungsstörung (PTBS) zu erfüllen: Es beinhaltet ein belastendes Ereignis von außergewöhnlicher Bedrohung oder katastrophenartigen Ausmaßes, das fast bei jedem eine tiefe Verzweiflung hervorrufen würde (ICD-10), bzw. das Erleben tatsächlichen oder drohenden Todes, ernsthafter Verletzung oder sexueller Gewalt (DSM-5).

FALLBEISPIEL

Herrn M.s körperliche Schädigungsfolgen waren nach einigen Monaten unter ärztlicher Behandlung ausgeheilt. Eine psychiatrische oder psychologische Sprechstunde hatte Herr M. nicht aufgesucht. Nach 2-jähriger Arbeitslosigkeit hatte Herr M. wieder in seinem Beruf als Lastwagenfahrer zu arbeiten begonnen. Erst 10 Jahre später war während eines Kuraufenthalts in einer Rehaklinik erstmals die Diagnose einer PTBS gestellt worden. Der dort mit Hilfe des Sozialdienstes vorgenommene OEG-Antrag (Opferentschädigungsgesetz) war vom Versorgungsamt abgelehnt worden.

So erhob im nachfolgenden Klageverfahren das Sozialgericht die Frage, ob beim Kläger eine psychische Störung in Form einer PTBS vorliege und inwieweit diese ggf. auf den 10 Jahre zurückliegenden Überfall ursächlich zurückzuführen sei oder ob zwischenzeitlich andere Ursachen dem Krankheitsbild zugrunde lägen.

Dem Gutachter schilderte Herr M. Folgendes: Psychische Folgen des Überfalls habe er erst nach Beendigung der medizinischen Behandlung und aller behördlichen und versicherungsrechtlichen Formalitäten wahrgenommen. Schlafstörungen hätten erst 1 Jahr später nach der Gerichtsverhandlung, an der er gegen seinen Willen habe teilnehmen müssen und an die er sich nicht mehr erinnern könne, zugenommen. Bis zu 3 × wöchentlich sei er schweißgebadet aufgewacht aus Träumen, in denen er die „Visage" eines der Täter vor Augen habe oder ihn ein Faustschlag ins Gesicht treffe. Zunehmend schreckhafter sei er geworden. Nachts sei er bei leisesten Geräuschen, z. B. wenn er draußen im Halbschlaf das Knacken eines Astes vernommen habe, im Bett senkrecht in die Höhe geschreckt. Er habe mit niemandem hierüber gesprochen. Im Gegenteil: „Ein starker Mann jammert nicht rum." Er habe sich geschämt. War schließlich der Mann im Haus, der Hauptverdiener, der für Frau und Tochter zu sorgen hatte.

Zu Hause sei er angespannter und gereizter geworden und bei kleinsten Anlässen sei er laut geworden oder habe sich zurückgezogen. Kein Angeln, kein Spaziergang mehr, keine innere Ruhe und Muße mehr für die Schönheiten der Natur. Keine Gemeinsamkeiten mit Ehefrau und Tochter mehr, nicht mehr auswärts essen gehen, keine Feste und Feiern. Alles sei weggefallen nach dem Überfall. Den häufigen Fragen aus der Umgebung, wie er sich habe so verändern können, sei er ausgewichen mit Schweigen und Rückzug. Irgendwann habe die Fragerei aufgehört.

Schließlich habe er nur noch einen Wunsch gehabt: „Nur weg von zu Hause. Möglichst schnell in Arbeit kommen." Um Ablenkung zu haben und vielleicht anderswo hinzukommen, wo ihn keiner vor dem Überfall gekannt habe und ihm keiner lästige Fragen stelle. „Es war mir, als wäre ein Schalter umgelegt worden, wo ich anders geworden bin."

So habe er wieder versucht, in seinem Beruf als Lkw-Fahrer Fuß zu fassen. Erst einmal stunden- und tageweise als Aushilfe mit Zusatzverdienst zum Arbeitslosengeld, doch unter erheblichen Schwierigkeiten infolge des schlechten Schlafes mit den Albträumen. „Wie zwanghaft" sei „die ganze Sache" nachts im Schlaf wieder aufgetreten. Ein „Graus" seien für ihn unterwegs die mit vielen ausländisch sprechenden Lkw-Fahrern überfüllten Rastplätze gewesen, „mit allem Lärm drum herum". Er habe sich auf den Rastplätzen gefühlt, als stünde „jeden Augenblick jemand mit einer Keule" hinter ihm. Bei leisesten Geräuschen draußen vor dem Lastwagen sei er hell aufgeschreckt. Da schließlich sei ihm in der Not die Idee gekommen, „den Spieß umzudrehen": nachts fahren, tagsüber schlafen. Mit dieser Tag-Nacht-Umkehr habe er sich einige Jahre als Lkw-Fahrer recht gut „durchschlagen" können, bis ihm aus Sicherheitsgründen ein Kollege zugeteilt worden sei. Da sei er nicht mehr sein eigener Herr gewesen und habe auch nicht mehr in Tag-Nacht-Umkehr arbeiten können. Die Folge: gehäufte Krankschreibungen wegen „psychovegetativer Beschwerden" und „Rücken- und Wirbelsäulenleiden". Schließlich habe ihn die Hausärztin in nervenärztliche und psychotherapeutische Behandlung überwiesen. Erstmalig. Zwei Jahre später: Kündigung. Zu Hause erneute starke Erregungszustände mit „Nervenzusammenbruch": psychogener Anfall, Klinik. Diagnosen: Depression, Arbeitsüberlastung, Burnout.

Herr M. ist ein schlicht gekleideter 40-jähriger Mann mit depressiver Stimmung, gebeugter Körperhaltung, hängenden Schultern, affektarm, unsicher, unbeholfen. Er wirkt leicht kränkbar und im formalen Denken etwas verlangsamt und umständlich. Ein Mann, von Beruf Handwerker, der direkt nach der Hauptschule in Lehre und Arbeitsleben eingestiegen war und mit eigenen schlichten Worten im Grunde recht treffend die Symptomatik einer PTBS berichtet, nicht allgemein nach Lehrbuch, sondern ganz konkret und situationsbezogen im Alltag mit einer entsprechenden klinisch nachvollziehbaren Psychodynamik.

Oft werden psychische posttraumatische Symptome erst berichtet, wenn nach Behandlung somatischer Folgen auch die Aktivitäten zur Erledigung von Formalitäten mit Bürokratie und Versicherungen beendet sind und der besondere Ausnahmezustand dem normalen Alltagsleben wieder Platz gemacht hat. Nun wird jedoch von den

Betroffenen festgestellt, dass es nicht mehr derselbe Alltag ist wie früher. Dass Herr M. keine Erinnerungen mehr an die Gerichtsverhandlung hatte und nicht an ihr hatte teilnehmen wollen, spricht für das Vorliegen einer ausgeprägten Vermeidungshaltung. Treten nun wie bei Herrn M. Scham- und Insuffizienzgefühle hinzu, als Mann und Hauptverdiener der Familie für Frau und Tochter nicht ausreichend sorgen zu können, so wird er wohl schwerlich therapeutische Hilfe aufsuchen, sondern alle Möglichkeiten austesten, wieder in das frühere Arbeits- und Berufsleben einsteigen zu können.

Symptomimmanente Explorationshindernisse

Die Kasuistik soll zeigen, dass die posttraumatische Belastungsstörung auch Symptome umfasst, die die Diagnostik und Begutachtung erschweren können. Denn: Für Personen mit einer PTBS ist eine intensive psychische Belastung bis zu körperlichen vegetativen Begleitreaktionen typisch, wenn die Betroffenen mit inneren oder äußeren Hinweisreizen konfrontiert werden, die assoziativ mit dem traumatischen Ereignis verknüpft sind. Dann werden Gedanken, Gefühle oder auch Gespräche, die mit dem Trauma in Verbindung stehen, vermieden, ebenso wie Aktivitäten, Orte oder Personen, die Erinnerungen an das Trauma wachrufen. Diese Vermeidung kann bis zur Unfähigkeit führen, einen wichtigen Aspekt des Traumas zu erinnern. Eine Übersicht zu den die Diagnostik behindernden Aspekten der PTBS (entsprechend der Definition im DSM-5) gibt die Infobox.

INFO

Explorationsbehindernde Symptome der PTBS nach DSM-5

- C-1: bewusstes Vermeiden von Gedanken, Gefühlen oder Gesprächen, die mit dem Trauma in Verbindung stehen
- C-2: bewusstes Vermeiden von Aktivitäten, Orten oder Menschen, die Erinnerungen an das Trauma wachrufen
- D-1: Unfähigkeit, einen wichtigen Aspekt des Traumas zu erinnern
- D-4: Schuld, Schamgefühl
- D-5: deutlich vermindertes Interesse oder verminderte Teilnahme an wichtigen Aktivitäten
- E-3: Gefühl der Losgelöstheit oder Entfremdung von anderen
- E-4: Konzentrationsstörungen

Hier wird nachvollziehbar, dass diese Symptome einer psychiatrischen oder psychologischen Exploration nicht entgegenkommen. Im Gegenteil:

Merke

Die Begutachtung von Personen mit psychischen Traumafolgen unterscheidet sich von der Begutachtung von Menschen mit anderen psychischen Störungen ganz entscheidend darin, dass es ein Bestandteil der Symptomatik selbst ist, welcher die gutachterliche Exploration behindern und damit zu Fehlbeurteilungen führen kann [5]

Das ist keineswegs eine neue Entdeckung, sondern ein Phänomen, das früher schon in Untersuchungen über psychische Traumafolgen bei Überlebenden der Konzentrationslager im Nationalsozialismus festgestellt worden ist („Widerstand gegen die Exploration") [6]. Die Störungsbilder letzterer wären nach der noch heute gültigen ICD-10 am ehesten als „andauernde Persönlichkeitsänderung nach Extrembelastung" (F62.0) und nach der zukünftigen ICD-11 als „komplexe posttraumatische Belastungsstörung" einzuordnen.

Traumaspezifische Beziehungsaspekte

In der psychotraumatologischen Kausalitätsbegutachtung spielt die Beziehung zwischen Gutachter und Proband eine besondere Rolle. Denn für durch Mitmenschen vorsätzlich psychisch traumatisierte Personen mit hierdurch bedingter Neigung zu Misstrauen, Feindseligkeit, Resignations- und Rückzugstendenzen, Scham- und Schuldgefühlen sowie der Erfahrung mangelnder Mitteilbarkeit des Erlebten können aversiv empfundene Rahmenbedingungen oder eine in beiläufiger Bemerkung, Gestik oder Mimik des Gutachters vermutete oder antizipierte Skepsis die Kooperation des Probanden erheblich beeinträchtigen oder gar zum Abbruch der Begutachtung führen.

FALLBEISPIEL

Beim vom Sozialgericht beauftragten Erstgutachter hatte Herr M. vor der eigentlichen Begutachtung vorab umfangreiche Testbögen mit Alternativfragen zum Ankreuzen auszufüllen – im Flur auf einem Stuhl vor dem Sekretariat. Mit etwas Unmut, aber doch gutem Willen habe sich Herr M. an die Beantwortung der Fragen gemacht, sei dann zunehmend ärgerlicher und gereizter geworden über den Inhalt ohne erkennbaren Zusammenhang zu seinen Problemen, das Pensum („ca. 500 Fragen") und vor allem auch über die häufigen Störungen durch über den Flur eilende Passanten, so dass er trotz vielfacher Beschwichtigungsversuche seiner neben ihm sitzenden Ehefrau in Wut die Fragebögen zu Boden schmiss und den Ort verließ.

Auch können sich zwischen Gutachter und Proband (analog zur eingangs beschriebenen berufs- und gesellschaftspolitischen Polarisierung zum Konzept der Traumafolgestörungen) sehr schnell extreme Gegenübertragungspositionen des Für und Wider einstellen: entweder mit zu geringer Distanz mit der Gefahr der Überidentifizierung und persönlicher, empathischer Verstrickung oder mit zu großer Distanz mit Unglaube und fehlender Empathie [7] [8]. Bleiben sie unreflektiert, so haben sie großen Einfluss auf das Ergebnis der Begutachtung [9].

FALLBEISPIEL

So hatte der erste Gutachter den Vorfall, wie von Herrn M. auch geschildert, dem Sozialgericht bestätigt, aber in offenbar distanzierter Voreingenommenheit – weil ohne eingehende Untersuchung – psychische Schädigungsfolgen, insbesondere eine PTBS, beim Antragsteller von vornherein ausgeschlossen.

Demgegenüber machte in der darauf angeordneten nachfolgenden Begutachtung die vom Zweitgutachter vorgenommene Exploration das Vorliegen einer PTBS nach der Klassifikation im ICD-10 und DSM-5 durchaus wahrscheinlich. Herr M. schilderte intrusive Symptome mit Schlafstörungen, intrusiven Albträumen mit szenischem Wiedererleben von Situationen des Überfalls, die erst später mit dem Strafprozess, dessen Teilnahme er nicht vermeiden konnte, aufgetreten seien, was den psychodynamischen Zusammenhang einer Reaktualisierung der Symptomatik erkennen lässt. Er berichtete weiter über Symptome der Vermeidung nach dem Kriterium C mit sozialem Rückzug und Isolationstendenz. Wie im Privaten so versuchte Herr M. sich sein Arbeitsumfeld möglichst ohne Kontakte zu anderen Kollegen und auch nachts mit Tag-Nacht-Umkehr einzurichten. All das ist Ausdruck einer ausgeprägten Vermeidungsstrategie.

Ebenso wenig sprach er mehr über den Überfall. Fragen nach seiner Verhaltensänderung aus der Umgebung ging er stumm aus dem Wege. Er vermied jede Auseinandersetzung mit seiner Ehefrau. Er beschrieb weiter Angespanntheit, Nervosität, Reizbarkeit und Schreckhaftigkeit in Alltagssituationen. Sie bilden Symptome aus der Symptomgruppe E, wie sie für das Vollbild der Diagnose einer posttraumatischen Belastungsstörung nach dem DSM-5 (und ebenfalls der ICD-10) erforderlich sind. Auch ist Kriterium D der DSM-5 Definition mit Misstrauen und negativen Erwartungen seiner Umgebung gegenüber, andauernden negativen emotionalen Zuständen und anhaltender Unfähigkeit zu positiven Gefühlen zweifellos erfüllt. Es bestand ein deutlicher Leidensdruck (Kriterium G).

Zur Beschwerdevalidierung und Kausalität

Die Differenziertheit von Herrn M. s Angaben zu seinen Beschwerden und ihre ganz konkreten Auswirkungen auf den privaten und beruflichen Alltag mit den entsprechenden Strategien zu ihrer Überwindung während der vergangenen 10 Jahre sowie der psychische Befund deuten darauf hin, dass es sich hierbei eher um echte, durchlebte und nicht etwa um aus reinem Rentenbegehren vorgetäuschte Beschwerden handelt. Und auch die von ihm beschriebenen Trigger (Männerstimmen und vor allem die mit ausländischer Sprache auf den Lkw-Rastplätzen), die zur vorübergehenden Verstärkung seiner Symptomatik und der von ihm beschriebenen Tag-Nacht-Umkehr als Bewältigungsstrategie führten, hatten eine inhaltliche Korrespondenz zu dem traumatischen Überfallereignis, so dass mit überwiegender Wahrscheinlichkeit selbiges und kein anderes als Ursache anzusehen ist.

FALLBEISPIEL

Ein anderes extremtraumatisches Ereignis als das beschriebene gab es in Herrn M. s Vorgeschichte nicht. Allerdings gab die Anamnese mit dem Suizid des Vaters, der frühen Trennung von der Mutter, das Aufwachsen bei der berufstätigen Großmutter als ein auf sich allein gestelltes Schlüsselkind sowie eine die Lebenserwartung begrenzende, erbliche Stoffwechselerkrankung genug Hinweise auf die Verursachung der die PTBS begleitenden depressiven Störung. Letztere konnte nicht als Schädigungsfolge im Sinne der Entstehung, sondern nur anteilig als wesentliche Verschlimmerung einer schon zuvor bestandenen Störung (Vorschaden) eingeordnet werden.

Abgrenzung von schädigungsunabhängigen psychischen Störungen

Die Abgrenzung schädigungsbedingter von schädigungsunabhängigen Störungen stellt in psychotraumatologischen Kausalitätsbegutachtungen vor allem deswegen eine besondere Herausforderung dar, weil die PTBS nur eine von vielen möglichen psychischen Traumafolgen ist.

Merke

Angst-, depressive, somatoforme, dissoziative sowie Borderline-Störungen und auch Suchterkrankungen können als unspezifische Traumafolgestörungen auftreten [10]. Aus diesem Grund ist eine gründliche biografische und psychiatrische Anamnese unumgänglich [11].

Denn aus der Anamnese können sich Anhaltspunkte dafür ergeben, inwieweit prätraumatische lebensgeschichtliche Konflikte oder andere, konkurrierende traumatische Erfahrungen ursächlich für die aktuelle Symptomatik sind. Auch muss berücksichtigt werden, inwieweit ein extremtraumatisches Ereignis zu einer wesentlichen Verschlimmerung einer vorbestehenden oder latenten, lediglich als Disposition vorhandenen und bislang kompensierten psychischen Störung beigetragen hat. In diesem Falle müsste diese Störung zwar nicht im Sinne der Entstehung, so doch im Sinne einer wesentlichen Verschlimmerung, wie der Vorschaden im Falle des Herrn M., zumindest anteilig ebenfalls als Schädigungsfolge bewertet werden.

FAZIT

Aufgrund der vielfältigen Herausforderungen der psychotraumatologischen Begutachtung spielen Intervision sowie Supervision in diesem Bereich eine besonders wichtige Rolle. Zusätzlich bieten die Ärzte- und Psychotherapeutenkammern sowie die Deutschsprachige Gesellschaft für Psychotraumatologie (DeGPT) bundesweit sehr erfolgreich zertifizierte Fortbildungen zur Begutachtung psychisch reaktiver Traumafolgen für die Bereiche des Aufenthaltsrechts sowie des Sozialen Entschädigungsrechts und der Gesetzlichen Unfallversicherung an.

Interessenkonflikt

Der Autor gibt an, dass kein Interessenkonflikt vorliegt.

Autorinnen/Autoren

Ferdinand Haenel

Dr. med.; Facharzt für Psychiatrie und Psychotherapie, Zentrum Überleben. Umfassende klinische Erfahrung in der psychiatrischen und psychotherapeutischen Diagnostik und Behandlung von Personen anderer Kulturkreise mit psychisch reaktiven Folter- und Bürgerkriegsfolgen sowie komorbiden psychiatrischen Störungen. Daneben umfangreiche gutachterliche Tätigkeit in asyl- und aufenthaltsrechtlichen Klageverfahren, in Sozialgerichtsverfahren im Rahmen des strafrechtlichen Rehabilitierungsgesetzes, des Opferentschädigungsgesetzes sowie der gesetzlichen Unfallversicherung.

Korrespondenzadresse

Dr. med. Ferdinand Haenel
Zentrum Überleben, vormals Behandlungszentrum für Folteropfer
Turmstr. 21
10559 Berlin
f.haenel@ueberleben.org

Literatur

[1] Oppenheim H. Die traumatischen Neurosen. Berlin; 1889

[2] Fischer-Homberger E. Die traumatische Neurose. Gießen: Psychosozial; 2004

[3] Pross C. Wiedergutmachung. Kleinkrieg gegen die Opfer. Frankfurt a. M.: Athenäum; 1988

[4] Eissler K. Die Ermordung von wie vielen seiner Kinder muß ein Mensch symptomfrei ertragen können, um eine normale psychische Konstitution zu haben? Psyche 1963; 17: 241–291

[5] Haenel F. Special problems in the assessment of the psychological sequelae of torture and incarceration. In: Oehmichen M, Hrsg. Maltreatment and torture. Lübeck: Schmidt Roemhild; 1998: 273–287

[6] von Baeyer W, Häfner H, Kisker K. Psychiatrie der Verfolgten. Berlin: Springer; 1964

[7] Hoppe K. The emotional reactions of psychiatrists when confronting survivors of persecution. The Psychoanal Forum 1967; 3: 187–196

[8] Wilson J, Lindy J. Empathic strain and countertransference. In: Wilson J, Lindy J, eds. Countertransference in the treatment of PTSD. New York: Guilford Press; 1994: 5–30

[9] Haenel F. Die Beziehung zwischen Gutachter und zu Untersuchenden und ihre Bedeutung bei der Begutachtung chronisch psychischer Traumafolgen. Med Sachverst 2000; 96: 84–87

[10] Flatten G, Gast U, Hofmann A, Liebermann P, Reddemann L, Wöller W, Siol T, Petzold ER. Posttraumatische Belastungsstörung. Leitlinie und Quellentext. Stuttgart: Schattauer; 2004

[11] Haenel F. Zur Abgrenzung psychisch reaktiver Haft- und Folterfolgen von schädigungsunabhängigen neurotischen Störungen. Med Sachverst 2002; 98: 194–198

Bibliografie

DOI https://doi.org/10.1055/a-0771-4879
PiD - Psychotherapie im Dialog 2019; 20: 78–82

ISSN 1438-7026

Thieme

Therapeutische Beziehung in der Behandlung komplex traumatisierter Patienten

Wolfgang Wöller

Die negativen Beziehungserfahrungen von PatientInnen mit komplexen Traumafolgestörungen haben erhebliche Auswirkungen auf die Wahrnehmung der therapeutischen Beziehung. Wie im Alltagsleben können auch hier zahlreiche auslösende Situationen traumatisches Erleben reaktivieren. Das generalisierte Bedrohungsgefühl der PatientInnen ist daher zu berücksichtigen und die therapeutische Beziehung nach dem Prinzip des maximalen Kontrasts zur traumatischen Erfahrung zu gestalten.

Sicherheit, Halt und Kontrolle

Sicherheitsgefühl in der therapeutischen Beziehung Herausragende Bedeutung kommt wegen des anhaltenden Bedrohungsgefühls komplex traumatisierter PatientInnen der Entwicklung eines Sicherheitsgefühls in der therapeutischen Beziehung zu. Äußere Aspekte der Sicherheit im Sinne realer Bedrohungen sollten vorrangig beachtet werden. Doch auch wenn äußere und soziale Sicherheit gegeben sind, kann die Sicherheit in der therapeutischen Beziehung eine beträchtliche Herausforderung darstellen, da menschliche Beziehungen grundsätzlich als potenziell bedrohlich wahrgenommen werden. Zur Entwicklung eines Sicherheitsgefühls in der therapeutischen Beziehung kann es beitragen, wenn TherapeutInnen sich aktiv danach erkundigen, ob die PatientInnen sich im Behandlungszimmer hinreichend wohl und sicher fühlen. Manchmal sind leichte Modifikationen der Behandlungssituation ausreichend, um das Sicherheitsgefühl zu erhöhen [1][2].

FALLBEISPIEL

Eine Patientin fühlte sich deutlich wohler, nachdem der Sitzabstand zum Therapeuten vergrößert wurde. Viele PatientInnen bevorzugen, mit Blickrichtung zur Tür zu sitzen.

Halt Die konsequente Begrenzung selbst- oder fremdschädigender Verhaltensweisen ist notwendig, um Halt in der therapeutischen Beziehung zu vermitteln. Vor allem muss es ein vordringliches Ziel sein, die PatientInnen, die TherapeutInnen und die Therapie vor nicht integrierten destruktiven Persönlichkeitsanteilen der PatientInnen zu schützen.

Kontrolle Ein wichtiger Aspekt bei der Herstellung eines tragfähigen Arbeitsbündnisses besteht darin, den PatientInnen zu vermitteln, dass sie die Kontrolle über den therapeutischen Prozess behalten und nötigenfalls zur Kenntnis geben sollen, wenn sie mit einer therapeutischen Maßnahme nicht einverstanden sind.

Merke

PatientInnen dürfen nicht das Gefühl haben, sich einem unüberschaubaren Geschehen ausliefern zu müssen, und müssen sicher sein, dass keine therapeutische Maßnahme ohne ihr ausdrückliches Einverständnis erfolgt. Es empfiehlt sich daher, bei jedem Teilschritt der Therapie das Einverständnis der PatientInnen einzuholen oder ihnen Wahlmöglichkeiten einzuräumen.

Transparenz und Informationen Eine transparente Beziehungsgestaltung stärkt das Gefühl von Kontrolle und Orientierung. Sie umfasst die Bereitschaft, die PatientInnen umfassend über das Störungsbild und die Therapie zu informieren. Störungsbezogene Erläuterungen tragen entscheidend zur Entpathologisierung und zur Entlastung von Schuld- und Schamgefühlen wegen vermeintlichen eigenen Versagens bei. Zahlreiche im Rahmen komplexer Traumafolgestörungen auftretende Phänomene lassen sich auf diese Weise als Anpassungsreaktionen an extrem belastende Lebensbedingungen verstehen.

Präsenz Emotionale Präsenz ist notwendig, um traumatischen Gefühlen des Alleingelassenseins entgegenzuwirken. Schweigen der TherapeutInnen kann leicht als Desinteresse, Kälte oder unausgesprochene Kritik verstanden werden. Es empfiehlt sich daher auch, Fragen von PatientInnen grundsätzlich zu beantworten und abzuwägen, wie detailliert die Antwort ausfallen sollte.

Worte als Trigger TherapeutInnen sollten immer damit rechnen, dass ihre Wortwahl eine Triggerwirkung haben und zu Irritationen in der therapeutischen Beziehung führen kann. Die Wahl einer alternativen Formulierung trägt meist zur Entspannung in der Therapiebeziehung bei.

Parteiliche Abstinenz Traumatisierte PatientInnen haben grundsätzlich Anspruch auf Solidarität als Opfer. Eine „neutrale" therapeutische Haltung kann den Eindruck erwecken, als hätten die TherapeutInnen mehr Verständnis für den Täter als für die PatientInnen. Die TherapeutInnen sollten den Schilderungen der PatientInnen Glauben schenken und ihre Solidarität mit ihnen bekunden, ohne die angemessene professionelle Distanz aufzugeben.

Übertragung

Übertragungen nach dem Täter-Retter-Opfer-Schema Übertragungen sind bei komplex traumatisierten PatientInnen eher die Regel als die Ausnahme. Sie folgen überwiegend dem Täter-Opfer-Retter-Schema. Die wichtigsten Übertragungsmuster sind [1][3]:

Täter-Übertragungen Sie enthalten die implizite Erwartung, von den TherapeutInnen erneut geschädigt, ausgebeutet, alleingelassen oder auch sexuell verführt zu werden. Latente Täter-Übertragungen können durch manifest idealisierende Retter-Übertragungen überlagert sein [4]. Dies kann bedeuten, dass komplex traumatisierte PatientInnen keine Möglichkeit sehen, sich mitzuteilen, wenn sie mit Sichtweisen oder Interventionen der TherapeutInnen nicht einverstanden sind. Leicht entwickelt sich ein Gefühl, der Therapie und dem Willen der TherapeutInnen passiv und ohnmächtig ausgeliefert zu sein.

Merke

Unter dem Einfluss einer Täter-Übertragung kann prinzipiell jede Intervention als verurteilend, verführend, zurückweisend oder entwertend erlebt werden.

Übertragung der nicht schützenden Bezugsperson Dieses Übertragungsmuster umfasst auch die Übertragung der emotional zurückweisenden, vernachlässigenden, nicht schutzgewährenden Bezugsperson oder diejenige des zwar nicht unmittelbar am Misshandlungsgeschehen beteiligten, aber davon wissenden und wegschauend billigenden Elternteils. Bezogen auf die therapeutische Situation gehen die PatientInnen davon aus, dass die TherapeutInnen nicht an ihnen interessiert sind und sie im Falle einer Gefährdung, etwa bei selbstverletzenden oder suizidalen Impulsen, nicht schützen werden.

Übertragung des hilflosen, versorgungsbedürftigen Elternteils Ist dieses Übertragungsmuster aktiv, gehen die PatientInnen davon aus, dass sie vor allem für das Wohlergehen der TherapeutInnen verantwortlich sind.

Retter-Übertragungen Auf die TherapeutInnen kann die Übertragung einer idealisierten Retterperson gerichtet sein. Die PatientInnen sind fest davon überzeugt, dass therapeutische Hilfe ausschließlich von den aktuell behandelnden TherapeutInnen zu erwarten ist. Idealisierende Retter-Übertragungen kommen vor allem bei schweren Persönlichkeitsstörungen mit beziehungstraumatischem Hintergrund vor; sie können schnell in Täter-Übertragungen umschlagen.

Opfer-Übertragung Sind bei PatientInnen einstmals überlebensnotwendige täteridentifizierte Persönlichkeitsanteile aktiviert, können sie die TherapeutInnen in die Rolle eines hilflosen Opfers bringen, mit Vorwürfen quälen oder in anderer Weise ohnmächtig machen.

Flashback-Übertragung Es kann vorkommen, dass bestimmte Aspekte der TherapeutInnen (Stimme, Kleidung, Körperbewegung, Parfüm) fragmentierte Traumaerinnerungen in Form von Flashbacks auslösen, bei denen die PatientInnen die TherapeutInnen als Täter wahrnehmen.

Wechselnde Übertragungen Bei PatientInnen mit schwerer struktureller Dissoziation der Persönlichkeit, insbesondere bei solchen mit einer dissoziativen Identitätsstörung (sog. „multiple Persönlichkeit"), kann es mit dem Wechsel des aktualisierten Persönlichkeitsanteils auch zu einer raschen Änderung der dominanten Übertragung kommen [5].

Gegenübertragung

Bedeutung TherapeutInnen sind in der Behandlung komplex traumatisierter PatientInnen zahlreichen emotionalen Belastungen ausgesetzt. Daher sind eine sorgfältige Wahrnehmung und ein professionelles Management eigener Gegenübertragungsreaktionen von großer Bedeutung. Ziel ist es, Distanz zur eigenen Gegenübertragungsreaktion herzustellen. Die Gegenübertragung wird nicht nur durch Übertragungen der PatientInnen und die Aktivierung eigener Konfliktmuster beeinflusst, sondern auch durch die Tatsache, die Art und Weise und den Umfang der Traumatisierung selbst.

FALLBEISPIEL

Allein die Information, dass eine Patientin in ihrer Kindheit Opfer von ritueller Gewalt und organisierter Kriminalität war, löste bei einer Therapeutin intensives Mitgefühl, jedoch auch Angst und aversive Emotionen aus.

Manifestationen Typische Gegenübertragungsmanifestationen bei traumatisierten und persönlichkeitsgestörten PatientInnen sind [1][6]:

- Mitgefühl, intensive Wut auf Täter
- Rettungsimpulse
- Gefühl von Ohnmacht und Hilflosigkeit
- Gefühle des Ungenügens oder der Inkompetenz

- sexuelle Wünsche und Handlungsimpulse
- Gefühl der Abneigung und des Abgestoßenseins
- keinen Glauben schenken und Schuld zuweisen
- Gefühl, manipuliert, kontrolliert, ausgebeutet, abgewertet zu werden
- Impuls, die PatientInnen meiden zu wollen
- Schuldgefühle
- Schamgefühle

Überidentifizierung und Distanzierung Für eine gelingende therapeutische Beziehung ist es notwendig, die Gefahr der Überidentifizierung mit den PatientInnen ebenso im Auge zu behalten wie die Gefahr einer übermäßigen Distanzierung.

Projektive Identifizierung In der Gegenübertragung der TherapeutInnen treten nicht selten belastende Emotionen auf, die als Folge einer projektiven Identifizierung unerträglicher Emotionen der PatientInnen aufgefasst werden können [7]: TherapeutInnen erleben die von den PatientInnen in sie „deponierten" Emotionen (z. B. der Lähmung, der Ohnmacht, des Ungenügens oder der Wut) typischerweise zunächst als ihre eigenen Emotionen.

Merke

Gelingt es einer TherapeutIn, die im Kontakt mit PatientInnen aufgetretenen quälenden Gefühle, die sie als eigene wahrgenommen hat, als durch den Mechanismus der projektiven Identifizierung in sie „deponierte" Gefühle der PatientInnen zu verstehen, tritt oft eine zügige Entlastung ein, und eine gleichermaßen abgegrenzte wie empathische Beziehung zu den PatientInnen wird wieder möglich.

FALLBEISPIEL

Ein Therapeut fühlt sich in der Beziehung zu seinem traumatisierten Patienten ohnmächtig und hilflos. Er beginnt, an seiner Eignung als Psychotherapeut zu zweifeln, hält sich für einen schlechten Therapeuten. Angeregt durch eine Supervision, wird ihm deutlich, dass er solche Gefühle in Kontakt mit seinen anderen Patienten nicht kennt. Im Gegenteil, er kann mit seinem aktiven und zupackenden therapeutischen Stil auf viele Behandlungserfolge zurückblicken. Er fühlt sich deutlich besser, als ihm deutlich wird, dass diese Gefühle vom Patienten in ihn „deponiert" worden sind. Dies ermöglicht ihm eine Distanzierung von den Ohnmachtsgefühlen und verschafft ihm neue Möglichkeiten einer ressourcenorientierten Beziehungsgestaltung.

Hoch dissoziative PatientInnen Kommt es bei hoch dissoziativen PatientInnen mit dem Wechsel des aktualisierten Persönlichkeitsanteils zu einer Änderung der dominanten Übertragung, können auf Seiten der TherapeutInnen leicht widersprüchliche und verwirrende Gegenübertragungsreaktionen auftreten [5].

Selbstschutz der TherapeutInnen

Sekundäre Traumatisierung TherapeutInnen sollten die Gefahr der sekundären Traumatisierung kennen, die sich i. d. R. durch Symptome einer posttraumatischen Belastungsstörung manifestiert. Zum ihrem Selbstschutz sollten sie PatientInnen nicht zu detaillierten Schilderungen traumatischer Erfahrungen anregen und u. U. deren spontane Detailschilderungen aktiv begrenzen, zumal dies unter therapeutischem Blickwinkel selten notwendig, gelegentlich sogar schädlich ist [8].

Vorsicht bei ausgeprägter dissoziativer Pathologie Besondere Vorsicht ist geboten, wenn eine TherapeutIn während eines Patientenkontakts oder im Anschluss daran dissoziative Symptome entwickelt. Vermutlich kann sich die TherapeutIn umso weniger durch aktive Distanzierung vor einer Überflutung durch negative Emotionen schützen, je mehr diese ihrem aktuellen Bewusstsein entzogen sind [9].

Professionelles Burnout Die Gefahr eines professionellen Burnouts erhöht sich, wenn die Anzahl schwer traumatisierter PatientInnen die persönliche Verarbeitungsgrenze überschreitet, eigene Konflikte oder traumatische Erfahrungen aktiviert werden oder eine Distanzierung vom Erleben der PatientInnen zunehmend schwerer fällt. Zur Kumulation negativer Emotionen auf Seiten der TherapeutInnen kann es kommen, wenn im Rahmen projektiver Identifikationen „deponierte" Affektzustände der PatientInnen nicht rechtzeitig erkannt und aufgelöst werden [10].

Therapeutische Überlegungen

Umgang mit Triggersituationen Trotz aller Bemühungen um eine traumasensible therapeutische Beziehungsgestaltung wird es sich nicht immer verhindern lassen, dass Aspekte der therapeutischen Situation durch assoziative Nähe zu traumatischen Erfahrungen Triggerwirkung entfalten. Im Extremfall können undifferenzierte Affektzustände ausgelöst werden, in deren Zentrum Gefühle hilflos ohnmächtigen Ausgeliefertseins oder verzweifelten Alleingelassenseins stehen. Triggersituationen sollten frühzeitig erfasst werden, um der Entwicklung negativer Übertragungen entgegenzuwirken [11].

Allianzbrüche erkennen und reparieren Der Identifikation von Brüchen der therapeutischen Allianz kommt eine besondere Bedeutung zu, da komplex traumatisierte PatientInnen diese von sich aus meist nicht ansprechen. Häufiger als in der Behandlung nicht traumatisierter PatientInnen sollten die TherapeutInnen nachfragen, wie eine Intervention verstanden wurde, in wie weit die PatientInnen sich dem vorgeschlagenen Vorgehen anschließen können oder ob ihnen ein anderes Vorgehen lieber wäre [1].

Umgang mit negativen Übertragungen und regressiven Bedürfnissen Es empfiehlt sich, negative Übertragungsmuster in der Therapie nicht anwachsen zu lassen, sondern sie durch eine Klärung der aktuellen therapeutischen Realität zu begrenzen. Therapeutische Regressionen werden nach heute überwiegender Auffassung nicht gefördert; ebenso wird keine Wiederbelebung der traumatischen Erfahrungen in der Übertragung angestrebt. PatientInnen mit ausgeprägten regressiven Wünschen und dem Bedürfnis nach Wiedergutmachung für das erlittene Unrecht sollten auf die Gefahren einer malignen Abhängigkeitsentwicklung hingewiesen werden. Gleichzeitig können sie über therapeutische Möglichkeiten der Nachbeelterung auf der inneren Bühne, z. B. durch die Arbeit mit dem inneren Kind [2] informiert werden. Diese Methode gestattet eine wirksame Befriedigung regressiver Bedürfnisse auf symbolischer Ebene, ohne dass es zu einer Regression auf der Ebene der Patient-Therapeuten-Beziehung kommen muss.

FAZIT

Komplex traumatisierte PatientInnen benötigen, besonders zu Beginn der Therapie, ein aktives Beziehungsangebot, das die Beziehungsqualitäten Sicherheit, Halt und das Kontrollbedürfnis berücksichtigt. Transparenz und Informationsvermittlung sind essenziell. Übertragungsmanifestationen und regressive Tendenzen sollten nicht gefördert werden; stattdessen empfiehlt sich die Herstellung einer therapeutischen Arbeitsbeziehung „auf Augenhöhe". Regressive Bedürfnisse kindlicher verletzter Persönlichkeitsanteile können eine symbolische Nachbeelterung „auf der inneren Bühne" erfahren.

Interessenkonflikt

Der Autor gibt an, dass kein Interessenkonflikt besteht.

Autorinnen/Autoren

Wolfgang Wöller

PD Dr. med.; Facharzt für Psychosomatische Medizin und Psychotherapie sowie für Neurologie und Psychiatrie, Psychoanalytiker und Lehranalytiker, EMDR-Supervisor. Bis Ende 2017 Ärztlicher Direktor der Rhein-Klinik, Klinik für Psychosomatische Medizin und Psychotherapie in Bad Honnef. Seitdem vorwiegend in Forschung und Weiterbildung tätig. Publikationen zu Persönlichkeits- und Traumafolgestörungen.

Korrespondenzadresse

PD Dr. med. Wolfgang Wöller
Muffendorfer Hauptstr. 7 F
53177 Bonn
wolfgang.woeller@gmx.de

Literatur

[1] Wöller W. Trauma und Persönlichkeitsstörungen. 2. Aufl. Stuttgart: Schattauer; 2013

[2] Reddemann L, Wöller W. Komplexe posttraumatische Belastungsstörung. Göttingen: Hogrefe; 2016

[3] Davies JM, Frawley MG. Treating the Adult Survivor of Childhood Sexual Abuse: A Psychoanalytic Perspective. New York: Basic; 1994

[4] Ferenczi S. Sprachverwirrung zwischen den Erwachsenen und dem Kind: Die Sprache der Zärtlichkeit und der Leidenschaft. In: Ferenczi S, Hrsg. Schriften zur Psychoanalyse. Bd. 2. Frankfurt a. M.: S. Fischer; 1982: 303–313

[5] Kluft RP. Countertransference in the treatment of multiple personality disorder. In: Wilson JP, Lindy JD, eds. Countertransference in the Treatment of PTSD. New York: Guilford Press; 1994: 122–150

[6] Dalenberg CJ. Countertransference and the Treatment of Trauma. Washington DC: American Psychological Association; 2000

[7] Bion WR. Lernen durch Erfahrung. Frankfurt a. M.: Suhrkamp; 1990

[8] Pearlman L, Saakvitne K. Trauma and the Therapist: Countertransference and Vicarious Traumatization in Psychotherapy with Incest Survivors. New York: Norton; 1995

[9] Daniels JK. Sekundäre Traumatisierung. Psychotherapeut 2006; 53: 100–107

[10] Figley C. Compassion Fatigue: Coping with Secondary Traumatic Stress Disorder in Those Who Treat the Traumatized. Philadelphia: Brunner/Mazel; 1995

[11] Wöller W. Störungen der Emotionsregulierung bei komplexen Traumafolgestörungen. Psychotherapeutische Interventionen. Nervenarzt 2006; 77: 327–332

Bibliografie

DOI https://doi.org/10.1055/a-0771-4857
PiD - Psychotherapie im Dialog 2019; 20: 83–86

ISSN 1438-7026

Thieme

Traumatisches Stresserleben im Kontext körperlicher Erkrankung und Behandlung

Andrea Goll-Kopka

Die Nichtbeachtung traumabezogenen Erlebens im Rahmen einer Erkrankung verschlechtert den Heilungsprozess und die Prognose bis hin zur Mortalität. Ein multimodales, körperbezogenes therapeutisches Vorgehen greift die Erschütterungen im Bezug zum Körper und die strukturellen Veränderungen im Selbsterleben auf. Eine familienbezogene Perspektive ist notwendig, da Angehörige teilweise höhere Belastungswerte aufweisen. So wird posttraumatisches Wachstum möglich.

Traumabezogenes Stresserleben

Körperliche Erkrankungen, Unfälle, Diagnosephasen und medizinische Behandlungsprozeduren können potenzielle traumatische Ereignisse mit kurz- oder langfristigen schwerwiegenden komplexen psychischen Folgen für die betroffenen Menschen und ihre Familienangehörigen darstellen. Die Studienlage geht davon aus, dass ca. 15–20 % der Menschen mit somatischen Grunderkrankungen unter traumabezogenem Stresserleben und Belastungen leiden; bei Erkrankungen mit dem Bedrohungspotenzial der Lebensbegrenzung kann diese Valenz bis zu 25 % steigen [1][2][3]. Angehörige weisen insbesondere nach invasiven Prozeduren teilweise sogar höhere Belastungswerte auf. Die Häufigkeit von traumatischem Stresserleben bei Kindern und anderen Familienangehörigen von Menschen, die von Beeinträchtigungen und Unfällen betroffen sind, wird auf 12–30 % geschätzt [4][5][6].

Menschen mit medizinischen Traumatisierungen fühlen sich völlig überfordert durch die Heftigkeit oder den plötzlichen Ausbruch der Erkrankung bzw. durch die Phase der Diagnosemitteilung, die anstehenden zukunftsweisenden Entscheidungen oder die Schwere der als invasiv erlebten medizinischen Maßnahmen. Die individuelle und familiäre Verarbeitung wirkt festgefroren und die Bewältigungsstrategien sind reduziert. Gleichermaßen betrifft es chronische Zustände und alltägliche körperliche Einschränkungen sowie medizinische Traumatisierungen in der Kindheit von heute erwachsenen Menschen, die noch immer unter den Folgen der Schmerzerfahrungen, Verluste und Grenzüberschreitungen leiden. Dies kann sich bis hin zu einem sprachlosen Terror durch psychische und physische Symptome zeigen. Der bewusste Zugang zu diesen früheren invasiven medizinischen Grenz- und Gewalterfahrungen ist verschüttet [7].

Patienten und Angehörige berichten eindrücklich von prägenden belastenden Erlebnissen, quälenden inneren Bildern und schmerzhaften Körpererinnerungen in der als massiv machtvoll erlebten medizinisch-klinischen Umgebung im Umgang mit dem Körper. Neben der Verarbeitung dieser Erfahrungen geht es oftmals auch um eine Überforderung durch die psychischen Folgen des Auftretens und Erleidens der Erkrankungen – Gefühle der Ohnmacht, Angst und Trauer werden berichtet.

Die psychischen Belastungen und Ängste verschlimmern sich deutlich, wenn sie keine Beachtung finden, und auch die physischen Beschwerden verstärken sich. Das medizinische Handeln selbst kann traumatogene Folgen haben, und zwar nicht nur durch den möglichen fehlerhaften Einsatz, sondern auch durch regelhaften, therapeutischen Einsatz von medizinischen Interventionen und dessen Folgen [3][6][8]. Dazu gehören auch physische, psychische und strukturelle Grenzverletzungen durch Ressourcenmangel auf der personellen und finanziellen Ebene.

FALLBEISPIEL

Ich bitte einen erwachsenen Patienten, dessen Erleben immer noch durch invasiv erfahrene Grenzüberschreitungen bei medizinischen Behandlungsprozeduren in seiner Kindheit geprägt ist, sich seinen eigenen Raum körperlich und mit Materialien bewusst zu machen, mit Materialien abzustecken und für sich zu verdeutlichen. In weiteren darauf aufbauenden Sequenzen soll der Patient seinen Raum verteidigen, während ich u. a. spielerisch versuche, in diesen Raum einzudringen.

Die Rückmeldung des Patienten zu dieser gemeinsamen Arbeit lautete: „Durch das Spüren und Erleben auf der Bewegungsebene neben dem Sprechen, habe ich für mich erfahren, dass ich meinen eigenen Raum haben und schützen darf. Ich habe ein Recht auf meinen persönlichen Schutzraum. Ich hatte bisher kein Gefühl für meinen Schutzraum."

Spezifische Merkmale der Traumatisierung im und durch den Körper

Die psychischen Verwundungen und schmerzhaften Körpererinnerungen entstehen, weil der Körper gleich auf mehreren Ebenen und Bezügen angesprochen wird:

- Eine körperliche Krankheit oder Funktionseinschränkung ist eine körperliche Selbsterfahrung. Bei traumatischen Folgen geht es oftmals um strukturelle Veränderungen im Selbsterleben des Menschen. Die Verbindung zum Körper wird jäh und heftig unterbrochen und der verkörperte Schrecken kann bis zu einem „Shutdown" der Wahrnehmung und einem dissoziativen Erleben führen [7].
- Es erfolgt eine Beschädigung oder gar ein Verlust dessen, womit der Mensch sich zentral und unmittelbar zum Ausdruck bringt: Das alltägliche eigene Erscheinungsbild erfährt dadurch eine Bedeutung für die Intimität in der Partnerschaft oder mit dem Gegenüber. Die Themen in Paartherapien mit einem chronisch kranken Partner beziehen sich häufig auf diese Einschnitte in der körperlichen Intimität.
- Das Gefahrenpotenzial geht vom eigenen Körper aus. Es geht nicht um eine Bedrohung und Gefahr, die von außen kommt (z. B. bei Monotraumen, die Erinnerungsspuren hinterlassen und Vermeidungsverhalten auslösen), sondern die Bedrohung kommt vom Körper selbst.
- Der Fokus der Bedrohung hat eine andere zeitliche Gerichtetheit [9]. Er bezieht sich auf zukünftige Aspekte und Ereignisse, die nicht kontrollierbar sind und sich lebensbedrohend oder lebenseinschränkend erweisen können. Dieser zukunftsorientierte unkontrollierbare Aspekt stellt m. E. den wesentlichen Unterschied zu den traditionellen traumatogenen Stressoren dar. Unkontrollierbare körperliche Ereignisse und Entwicklungen können Ängste von existenzieller Bedeutung auslösen, da es oftmals auch um eine Begrenzung der Lebensperspektive oder von Aktionsmöglichkeiten geht.

Psychotherapie

Notwendige Bestandteile in der psychosozialen Begleitung sind neben dem Erkennen des traumabezogenen Stresserlebens:

Ressourcenbasierte integrierende Perspektive

Der soziale Kontext und die psychisch-biografischen Einflussfaktoren sowie die medizinischen, familiären und subjektiven Perspektiven auf die körperliche Situation und das Wechselspiel dieser sich gegenseitig beeinflussenden Ebenen sind zusammenzuführen [10][11][12]. Je nach Anliegen ist ein flexibles prozessorientiertes Vorgehen auch in einem Wechsel des Settings und einem Aufgreifen der vorhandenen Kompetenzen notwendig. Ressourcenaktivierung hat einen hohen Stellenwert, da der zuweilen erlebte Kontrollverlust und die Hilflosigkeit auch den Zugang zu Ressourcen verschüttet [13].

Stabiler Rahmen und würdigende Grundhaltung

Um sich auch den existenziellen Fragen und Themen, die immer berührt sind, zuwenden zu können, braucht es einen hohen Grad an Sicherheit, Kontinuität und Stabilität. Das Verstehen der inneren erlittenen Erlebniswelt beinhaltet auch die Thematisierung, das Aushalten, die Akzeptanz und den Umgang mit ambivalenten, schwierigen und belastenden Gefühlen wie Trauer, Wut, Ohnmacht, Kontrollverlust oder Resignation der Familienangehörigen und der betroffenen Kinder, Jugendlichen und Erwachsenen. Das respektvolle Beistehen, eine würdigende Grundhaltung und das bewusst begleitende Aushalten der situativen und eigenen Ohnmacht können in die Wahrnehmung von ersten Schritten von Potenzial münden [14][15].

Multimodales körperbezogenes Vorgehen

Um der Externalisierung von übermächtig erlebten Gefühlen, quälenden inneren Bildern und der Integration von schmerzhaften Veränderungen zusätzliche Möglichkeiten des Ausdrucks zu geben, ist es sinnvoll, vielfältige multimodale Angebote zu machen. Der Einbezug von körperbasierten Angeboten und Bewegungseinheiten, das Malen von Bildern, das Schreiben von Klagepsalmen oder Gedichten, die Arbeit mit Materialien und Imaginationen, das Erleben von Musik, unterstützen den Bewältigungs- und Verarbeitungsprozess. Dadurch werden Wege aus der Sprachlosigkeit gefunden und Brücken zum eigenen Selbsterleben gebildet. Künstlerisches Tun, Schreiben, schöpferisches Gestalten oder Bewegungs- und Tanzsequenzen stellen mögliche Resonanzräume dar. Das Erleben des Ausdrucks, der Kraft, der Dynamik oder des ästhetischen Moments bei diesen gestaltenden Sequenzen ermöglicht bedeutsame Resonanzerfahrungen. Körper- und bewegungsorientierte Einheiten dienen der Affektregulation und Förderung von positiven ressourcenorientierten Prozessen. Insgesamt wird eine Stärkung der gesunden, lebendigen Anteile und ein positiver Bezug zum beschädigten Körper wieder möglich [13][16].

FALLBEISPIEL

Zu Beginn der Stunde meint die Klientin, die an einem Rezidiv einer Krebserkrankung leidet, vehement: „Das mit der Arbeit an dem Thema, was wir uns vorgenommen haben, können wir vergessen, ich habe ganz arg Angst vor der bevorstehenden Operation."

Ich schlage ihr eine authentische Bewegungsgestaltung vor mit dem Angebot, das Thema der bevorstehenden Operation und ihre Angst in einer Bewegungssequenz zum Ausdruck zu bringen, in dem sie auf ihre inneren Impulse lauscht und diese

zu einem äußeren Ausdruck bringt. Sie bewegt sich phasenweise mit geschlossenen Augen. Diese längere authentische Bewegungssequenz begleite ich als Zeugin in einem Zustand innerer Präsenz und gehe in Resonanz zu dem, was ich wahrnehme. Nach dieser Sequenz bitte ich sie, in einem Bild mit Farben ihrer Wahl ihr Erleben zu einem kreativen äußeren Ausdruck zu bringen. Abschließend reflektieren wir unsere Wahrnehmungen und inneren Bilder.
Schließlich bilanziert die Patientin: „Wenn ich meine Angst gestalten und bewegen kann wie heute, dann habe ich die Angst und kann sie kontrollieren und nicht die Angst hat mich."
Das Erleben dieser Selbstregulation und Selbstwirksamkeit entfaltet eine größere innere Gelassenheit und Stärke.

Intersubjektive Bezogenheit und Dual Attunement

Bei der intersubjektiven Bezogenheit geht es um Begegnung und Resonanz von kontextuell eingebundenen, sich affektiv und somatisch erlebenden Menschen. Zwischen den Menschen, die sich in einem interaktiven Dialog befinden, gibt es einen Zwischenraum – eine Zwischenkörperlichkeit, in der sich eine verkörperte wechselseitige, gegenseitige Beeinflussung realisiert. Es bestehen relationale Bezogenheiten und gegenseitige Wechselwirkungen [7][16]. Das erfordert ein Selbstgewahrsein für die eigene körperliche Präsenz und die Wahrnehmung eigener körperlicher Empfindungen und körperlicher Reaktionen des Gegenübers. Der Körper wird somit zu einem möglichen Instrument der Veränderung, indem die Wahrnehmung der eigenen körperlichen Resonanzen und Impulse neue Ansatzpunkte für weitere Angebote ergeben.

Es geht darum, dem Prozess des körperlichen Empfindens, Selbsterlebens und den Bedürfnissen des Klienten fokussiert im jeweiligen Moment zu folgen und sich mit den eigenen körperlichen Reaktionen und Atem auf das Gegenüber einzustellen. Im „Dual Attunement" des Brainspottings findet eine Erweiterung dieser leiblichen Resonanz und verkörperten Gegenübertragung statt. Hier wird davon ausgegangen, dass das Einstimmen auf die relationale verkörperte Bezogenheit auf das Gegenüber eine wesentliche Voraussetzung darstellt für eine Veränderung des energetischen eingeschriebenen Festhaltens des traumatischen Erlebens. Da das traumatische Gedächtnis Teil des impliziten Gedächtnisses ist, lässt es sich nicht aneignen – es entzieht sich dem Bewusstsein. Beim Dual Attunement findet eine fokussierte Achtsamkeit statt und stellt somit eine Voraussetzung beim Brainspotting zur Aktivierung der impliziten Gedächtnisinhalte dar. Der intersubjektiven Bezogenheit auf der Körperebene kommt eine Schlüsselposition bei der Bearbeitung von traumatischem Stresserleben zu [7][17].

Familienbezogene Orientierung

Angehörige zeigen teilweise höhere Belastungswerte auf als die Betroffenen selbsts. Deshalb ist es notwendig, sie auch in den Fokus zu nehmen. Zu den Risikogruppen in der medizinischen Versorgung gehören insbesondere Familien mit nur 1 Elternteil ohne weiteres soziales Umfeld, Familien mit Migrationshintergrund und Familien in prekären finanziellen Lebenslagen. Diese Familien sind eher in der Gefahr, eine Krise durch die zeitintensive Befolgung von (kostenaufwendigen) therapeutischen und medizinischen Maßnahmen zu entwickeln. Mehrfamiliengruppen mit 6–10 Familien stellen hier ein eigenständiges kontextbezogenes, psychosoziales Unterstützungsangebot dar. Sie bieten einen wirkungsvollen Kontext für das gegenseitige Tragen von einschneidenden, belastenden Veränderungen. Zu erleben, wie andere ihre Herausforderungen meistern, vermittelt Mut und neue Hoffnung und die oft gefühlte Ohnmacht und Hilflosigkeit kann überwunden werden [10].

FALLBEISPIEL

Ein Patient beschreibt zu Beginn der Therapie u. a. ein geringes Selbstwerterleben und ein heftiges unkontrollierbares körperliches Zittern bei Leistungssituationen. In der Anamnese berichtet er von einem „angeborenen Herzfehler" und dafür notwendigen medizinischen Interventionen im frühen Kindesalter. In einer längeren Therapie wurden ihm einseitig medizinische für ihn defizitorientierte prägende Zuschreibungen in der Kindheit bewusst. Diese wurden u. a. durch das Schreiben von Klagepsalmen und den Einbezug von Bewegungssequenzen, die diese frühen Erfahrungen im Krankenhaus ausdrückten, bearbeitet.
Am Ende der Therapie formuliert der Klient, dessen körperliches Zittern sich komplett aufgelöst hat und der sich als selbstwirksamer und selbstbewusster erlebt: „Wir haben meinem gebrochenen Herzen zugehört, es zum Sprechen gebracht. Ich habe Wege durch das Schreiben und Bewegen gefunden, mich auszudrücken."

FAZIT

Einzelne und Familien, die ihre Herausforderungen integrierend bewältigen, zeigen die Fähigkeit, mit belastenden Lebensherausforderungen zurechtzukommen, daran zu wachsen und neue Kraftquellen zu entdecken. Eine behutsame und gelingende Integration der psychischen Verwundungen und eine Besserung der körperlichen Situation schaffen Voraussetzungen für posttraumatisches Wachstum bei Menschen. So erleben und berichten Einzelpersonen und Familien, die ich begleite, nach einer Bewältigung von stürmischen, existenziellen Phasen immer wieder auch von einer gewachsenen Wertschätzung ihres Lebens, einer Intensivierung persönlicher Beziehungen, einem Bewusstwerden ihrer eigenen Stärke, von der Entdeckung neuer Möglichkeiten oder auch einer Intensivierung ihres spirituellen Bewusstseins [18].

Interessenkonflikt

Die Autorin gibt an, dass keine Interessenkonflikte bestehen.

Autorinnen/Autoren

Andrea Goll-Kopka

Prof. Dr.; Psychologische Psychotherapeutin, Kinder- und Jugendlichenpsychotherapeutin; Professur psychosoziale Grundlagen und Beratung SRH Hochschule Heidelberg, Lehrtherapiepraxis, Lehrende systemische Therapie (DGSF), Tiefenpsychologische Psychotherapeutin (KV), Lehrtherapeutin für Tanztherapie (BTD), Supervisorin. Schwerpunkte: Mehrfamiliengruppen, medizinische Traumafolgestörungen, Resilienz und Spiritual Care, körper-, tanz- und kunsttherapeutische Interventionen.

Korrespondenzadresse

Prof. Dr. Andrea Goll-Kopka
SRH Hochschule Heidelberg
Ludwig-Gutmann-Str. 6
68123 Heidelberg
andrea.goll-kopka@t-online.de

Literatur

[1] Bering R, Reddemann L, Hrsg. Jahrbuch Psychotraumatologie 2007: Schnittstellen von Medizin und Psychotraumatologie. Kröning: Asanger; 2007

[2] Esser P, Mehnert A, Glaesmer H. Traumatische Erfahrungen und Posttraumatische Belastungsstörungen im Rahmen von Krebserkrankungen. Trauma und Gewalt 2017; 4: 294–307

[3] Glaesmer H. Editorial: Traumatisierung im Kontext körperlicher Erkrankung und medizinischer Behandlung. Trauma und Gewalt 2017; 4: 265

[4] Ahrens-Eipper S, Nelius K. Posttraumatische Belastungsstörung bei körperlichen Erkrankungen und medizinischen Eingriffen im Kindesalter. Trauma und Gewalt 2017; 4: 268–279

[5] Kazak AE, Schneider S, Kassam-Adams N. Pediatric Medical Traumatic Stress. In: Roberts MC, Steele RG, eds. Handbook of Pediatric Psychology. 4th ed. New York: Guilford Press; 2009: 205–215

[6] Sauer M, Emmerich S. Posttraumatische Störungen durch fehlende Behandlung. Trauma Z Psychotraum Anw 2017; 15: 22–35

[7] van der Kolk BA. Verkörperter Schrecken: Traumaspuren in Gehirn, Geist und Körper und wie man sie heilen kann. Lichtenau: GP Probst; 2017

[8] Mundlos C. Gewalt unter der Geburt: der alltägliche Skandal. Baden-Baden: Tectum; 2015

[9] Mundy E, Baum A. Medical disorders as a cause of psychological trauma and posttraumatic stress disorder. Curr Op Psy 2004; 17: 123–127

[10] Goll-Kopka A, Born A. Multifamiliengruppen als psychosoziales und kontextorientiertes Angebot bei somatischer Erkrankung und Behinderung. Prax Kinderpsychol Kinderpsy 2018; 67: 461–479

[11] Retzlaff R. Familien-Stärken: Behinderung, Resilienz und systemische Therapie. Stuttgart: Klett-Cotta; 2014

[12] Rieforth J, Graf G. Tiefenpsychologie trifft Systemtherapie: eine besondere Begegnung. Göttingen: Vandenhoeck & Ruprecht; 2014

[13] Sack M. Schonende Traumatherapie: Ressourcenorientierte Behandlung von Traumafolgestörungen. Stuttgart: Schattauer; 2010

[14] Reddemann L. Eine Reise von 1000 Meilen beginnt mit dem ersten Schritt: seelische Kräfte entwickeln und fördern. Freiburg: Herder; 2016

[15] Yalom ID. Existenzielle Psychotherapie. Köln: Edition Humanistische Psychologie; 2010

[16] Fuchs T. Embodiment – Verkörperung, Gefühl und Leibgedächtnis. Psychoanal im Wid 2017; 57: 9–28

[17] Wolfrum G. Grundprinzipien von Brainspotting. Trauma Z Psychotraum Anw 2017; 15: 6–17

[18] Collier L. Growth after Trauma. Why are some people more resilient than others – and can it be taught. Mon Psy Am Psy Ass 2016; 47: 48–52

Bibliografie

DOI https://doi.org/10.1055/a-0771-4868
PiD - Psychotherapie im Dialog 2019; 20: 87–90

ISSN 1438–7026

Punkte sammeln auf CME.thieme.de

Diese Fortbildungseinheit ist in der Regel 12 Monate online für die Teilnahme verfügbar. Bitte informieren Sie sich über die genaue Gültigkeitsdauer unter **https://eref.thieme.de** Sollten Sie Fragen zur Online-Teilnahme haben, finden Sie unter **https://cme.thieme.de/hilfe** eine ausführliche Anleitung. Wir wünschen viel Erfolg beim Beantworten der Fragen!

VNR 2767802019006270005

Traumafolgestörungen

CME-Fragen, Teil 1 (S. 14–55)

Frage 1

Welche Phasen umfasst die traumafokussierte kognitive Verhaltenstherapie?

A Psychoedukation, Angstmanagement, Exposition und kognitive Umstrukturierung
B Psychoedukation, Angstmanagement, Gesprächsführung und kognitive Umstrukturierung
C Psychoedukation, Gesprächsführung, Symptommanagement und kognitive Umstrukturierung
D Angstmanagement, Gesprächsführung, Aktivitätenaufbau und kognitive Umstrukturierung
E Psychoedukation, Angstmanagement, Aktivitätenaufbau und kognitive Umstrukturierung

Frage 2

Die Wunderfrage gilt als eine „systemische Fragetechnik“. Welche der folgenden Aussagen beschreibt am ehesten ihre Arbeitsweise?

A Die Wunderfrage dient der Verdichtung der problematischen Interaktionen, um mit diesen dann weiterarbeiten zu können.
B Die Wunderfrage versucht, die Diagnose des Therapeuten zu bestätigen und zu festigen, damit der weitere Therapieverlauf zielgerichtet geschehen kann.
C Über die Wunderfrage wird versucht, den Zustand der Symptomlosigkeit in der Zukunft im Verhalten, Fühlen und Denken zu konkretisieren und zirkulär die Auswirkungen zu befragen.
D Über die Wunderfrage wird versucht, über einen „Wunderzustand“ in der Vergangenheit der Familie erstrebenswerte Muster der familiären Interaktion zu erarbeiten, um diese dann in der Gegenwart zu nutzen.
E Die Wunderfrage will möglichst unterschiedliche Interaktionsmuster miteinander vergleichen und diese dann für den Heilungsprozess nutzbar machen.

Frage 3

Welche der folgenden Aussagen zum Trauma ist *richtig*? Ein Trauma …

A … entsteht ausschließlich durch äußere Umwelteinflüsse.
B … gründet sich aus einem einzelnen erschütternden Lebensereignis.
C … ist immer das Resultat eines interpersonellen Konflikts.
D … entsteht aus mindestens 2 sich gegenseitig beeinflussenden lebensgeschichtlichen Szenen.
E … beschreibt die Entstehung der Urszene.

Frage 4

Welche Aussage zum Kern des Unbewussten ist *richtig*?

A Er entsteht durch die Verarbeitung des auf den Säugling gerichteten unbewussten Begehrens des Erwachsenen.
B Er resultiert aus einer frühen traumatischen Beziehungserfahrung.
C Er ist genetisch angelegt und wird über die Generationen hinweg vererbt.
D Er entsteht durch die Beziehungserfahrungen zwischen 2 Erwachsenen.
E Er ist die subjektive, verdrängte Sexualität des Subjekts.

▶ Weitere Fragen auf der folgenden Seite …

Punkte sammeln auf CME.thieme.de

Fortsetzung ...

Frage 5

Welche Aussage zur komplexen PTBS und PTBS ist *richtig*?

A Die komplexe PTBS und die PTBS sind in der ICD-11 als 2 separate Störungsbilder enthalten.
B Die komplexe PTBS kann in der ICD-11 als eine Unterform der PTBS zusätzlich kodiert werden.
C Die PTBS kann in der ICD-11 als eine Unterform der komplexen PTBS zusätzlich kodiert werden.
D Die komplexe PTBS wurde in die ICD-11 neu in das Kapitel der „Probleme im Zusammenhang mit schädlichen oder traumatischen Ereignissen" aufgenommen.
E Die komplexe PTBS war bereits in der ICD-10 enthalten, die Diagnosekriterien wurden jedoch deutlich erweitert.

Frage 6

Welches sind die Hauptsymptomgruppen der Anpassungsstörung im ICD-11?

A depressive Symptome und Angst
B Angst und Fehlanpassung
C Präokkupation und Fehlanpassung
D Präokkupation und depressive Symptome
E Vermeidung und depressive Symptome

Frage 7

Welche Aussage ist *falsch*?
Sekundäre Traumatisierung ...

A ... kann sich als PTBS-ähnliche Symptome äußern.
B ... umfasst ausschließlich PTBS-ähnliche Symptome.
C ... kann sich als erhöhte Vulnerabilität für Stress äußern.
D ... kann sich in Form von Ängsten äußern.
E ... kann sich in Form von depressiven Beschwerden äußern.

Frage 8

Welche Aussage bezeichnet *keinen* Mechanismus der intergenerationalen Traumaweitergabe?

A Selbst die Beziehung zu den eigenen Kindern kann bei Überlebenden interpersoneller Traumata beeinträchtigt sein.
B Infolge negativer Weltanschauung neigen interpersonell traumatisierte Eltern typischerweise zu überbehütendem Elternverhalten.
C Hyperarousal ist typischerweise assoziiert mit erhöhtem Risiko für familiäre Gewalt.
D Emotionale Taubheit erschwert es traumatisierten Eltern, eine intime, zärtliche Beziehung zu den Kindern zu entwickeln.
E Hyperarousal ist typischerweise assoziiert mit emotionaler Taubheit, was zu einer erhöhten Frustrationstoleranz führt.

Frage 9

Welche Aussage zu traumatherapeutischen Verfahren für die Behandlung von Geflüchteten ist *richtig*?

A Gerade non-verbale Therapieverfahren sind besonders gut wirksam, da sie sprachunabhängig sind.
B Expositionsverfahren sind noch zu wenig erforscht, als dass sie in der klinischen Praxis angewandt werden könnten.
C Die narrative Expositionstherapie lässt sich auch von Laienhelfern wirksam durchführen.
D Durch das Gefühl, effiziente Hilfe leisten zu können, ist die psychische Belastung von Traumatherapeuten gering.
E Der größte Teil der traumatherapeutischen Versorgung von Geflüchteten wird von den gesetzlichen Krankenkassen gewährleistet.

Frage 10

Welche Aussage zur Behandlung der PTBS im Kindes- und Jugendalter ist *richtig*?

A EMDR ist bei Kindern und Jugendlichen nicht anwendbar.
B Supportive und nicht traumafokussierte Verfahren zeigen die besten Effekte.
C Kognitiv-verhaltenstherapeutische Behandlungen sind die am häufigsten untersuchte und erfolgreichste Therapieform bei PTBS im Kinder- und Jugendalter.
D Effektstärken für kognitiv-behaviorale Therapien bei PTBS im Kinder- und Jugendalter liegen für die Reduktion von PTBS-Symptomatik im kleinen Bereich.
E Es liegen besonders viele Behandlungsstudien für das Jugendalter vor.

Punkte sammeln auf CME.thieme.de

Diese Fortbildungseinheit ist in der Regel 12 Monate online für die Teilnahme verfügbar. Bitte informieren Sie sich über die genaue Gültigkeitsdauer unter **https://eref.thieme.de** Sollten Sie Fragen zur Online-Teilnahme haben, finden Sie unter **https://cme.thieme.de/hilfe** eine ausführliche Anleitung. Wir wünschen viel Erfolg beim Beantworten der Fragen!

VNR 2767802019006280004

Thieme CME · Fortbildungspunkte 4

Traumafolgestörungen

CME-Fragen, Teil 2 (S. 56–90)

Frage 1

Welche Kombination von klinischen und diagnostischen Auffälligkeiten besteht bei einem in Verbindung mit posttraumatischer Belastung entstehenden metabolischen Syndrom?

A Obstruktion der Atemwege, Schilddrüsenfunktionsstörungen, Hypoglykämie, Gelenkbeschwerden
B Adipositas, Fettstoffwechselstörungen, Diabetes mellitus Typ 2, Bluthochdruck
C Gewichtsverlust bis zur Kachexie, Nachtschweiß, Tachykardie, Anämie
D allergische Hautreaktion, Verdauungsbeschwerden, Wechsel von Obstipation und Diarrhö, Inappetenz
E Gewichtsverlust, Eisenmangel, Anämie, brüchige Fingernägel

Frage 2

Welche Aussage bezüglich der Diagnose eines Herzinfarkts ist *richtig*?

A Psychische Risikofaktoren sind im Zusammenhang mit der Entstehung eines Herzinfarkts unwahrscheinlich.
B Psychische Folgeerscheinungen sind aufgrund der enormen medizinischen Erfolge in der Kardiologie heute nur noch selten zu finden.
C Eine ungesunde Lebensweise mit erhöhtem Herzinfarktrisiko (Nikotin- und Alkoholkonsum, ungesunde Ernährung, Bewegungsmangel usw.) kann nicht im Zusammenhang mit posttraumatischer Belastung gesehen werden.
D Eine interdisziplinäre psychokardiologische Betreuung ist wegen fehlender Zusammenhänge somatischer und psychischer Folgen nur selten erforderlich.
E In Zusammenhang mit einem Herzinfarkt sollten auch vorbestehende psychosoziale Ursachen und psychosomatische Folgeerscheinungen bedacht werden.

Frage 3

Was sind alterstypische Besonderheiten der posttraumatischen Belastungsstörung (PTBS) im Alter?

A Das Erleben eines kollektiven Traumas wie Krieg führt normalerweise zu einer dramatisierten Darstellung des Traumas.
B Häufige Symptome sind Vermeidungsverhalten, Intrusionen und übertriebene Schreckreaktionen.
C Auch im hohen Alter können Betroffene klar zwischen psychischen und körperlichen Symptomen unterscheiden.
D PTBS im Alter kann nur in Reaktion auf relativ kurzfristig zurückliegende Traumata entstehen und nicht auf Kindheitstraumata zurückgeführt werden.
E PTBS sollte aufgrund der Multimorbidität im Alter nicht diagnostiziert werden.

Frage 4

Welche positiven posttraumatischen Wachstumsfolgen werden häufig als Resultat eines traumatischen Ereignisses von Betroffenen berichtet?

A erhöhte Stresssensitivität
B höherer Stellenwert von Egozentriertheit
C Gefühl von persönlicher Stärke
D Optimismus
E verstärkte Bedeutung von materiellen Werten

▶ Weitere Fragen auf der folgenden Seite ...

Punkte sammeln auf CME.thieme.de

Fortsetzung ...

Frage 5

Welche Aussage zum Verdacht auf (V. a.) Traumatisierungen ist *richtig?*

A Beim V. a. Traumatisierungen sollten Suggestivfragen vermieden werden.
B Definierende und wertende Umschreibungen dürfen beim V. a. Traumatisierungen geäußert werden.
C Verfrühte Schlussfolgerungen oder Einschätzungen sind beim V. a. Traumatisierungen zulässig.
D Dem Wunsch des Patienten bzw. der Patientin nach Verifizierung oder Falsifizierung der Annahmen sollte nachgekommen werden.
E Suggestivfragen sind beim V. a. Traumatisierungen das Mittel der Wahl.

Frage 6

Welche Aussage zu Erinnerungen ist *richtig?*

A Bei einer sich gerade konsolidierenden Erinnerung sollte keine Konfrontation stattfinden.
B Bei einer sich gerade konsolidierenden Erinnerung sollte man unbedingt eine Konfrontation zur Rekonstruktion der Erinnerungen beginnen.
C Traumakonfrontation bietet sich immer zur Vervollständigung teilweiser Erinnerungen an.
D Eine Erinnerung an vergangene Traumatisierungen muss immer auf ihren Wahrheitsgehalt kritisch überprüft werden.
E Erinnerungen werden durch Suggestivfragen nicht beeinflusst.

Frage 7

Worauf stützen sich die Empfehlungen zum Einsatz einer Vielzahl von adjuvanten Therapieverfahren?

A sowohl auf eine weitrechende empirische Fundierung, als auch auf klinische Erfahrungswerte
B auf eine weitrechende empirische Fundierung
C auf klinische Erfahrungswerte
D weder auf eine weitreichende empirische Fundierung noch auf klinische Erfahrungswerte
E nicht auf klinische Erfahrungswerte

Frage 8

Welche Aussage zu adjuvanten Therapieformen ist *richtig?*

A Alle pharmazeutischen Therapiepotenzierer schwächen die Gedächtniskonsolidierung.
B Achtsamkeitsübungen dienen zur Steigerung des Cortisolspiegels.
C Der Vorteil von Tanz- und Bewegungstherapien liegt in ihrem verbalen Charakter.
D Es gibt keine Wirksamkeitsnachweise von Achtsamkeitsübungen als Monotherapie.
E Bei den pharmazeutischen Therapiepotenzierern erscheinen insbesondere Cortisol und Oxytozin vielversprechend.

Frage 9

Worin sind keine besonderen Schwierigkeiten für den Gutachter in der psychotraumatologischen Begutachtung begründet?

A störungsbedingte Vermeidungsverhaltung
B Misstrauen und Resignation beim Probanden
C zusätzliche körperliche Schädigungsfolgen
D sich schnell einstellende extreme Gegenübertragungspositionen beim Gutachter
E Scham und Schuldgefühle des Probanden

Frage 10

Welche Aussage für die psychotraumatologische Begutachtung ist *falsch?*

A Zu große Nähe zum Probanden mit Überidentifizierung kann zu Fehlbeurteilungen in der Begutachtung führen.
B Zu große Distanz mit Unglauben und fehlender Empathie beim Gutachter kann zu Fehlbeurteilungen in der Begutachtung führen.
C Bei durch Mitmenschen vorsätzlich psychisch traumatisierten Personen können Misstrauen, Feindseligkeit, Resignations- und Rückzugstendenzen, aber auch Scham- und Schuldgefühle die Kooperation in der Begutachtung erschweren.
D Die Art und Weise der Beziehungsgestaltung zwischen Gutachter und Proband in der psychotraumatologischen Begutachtung unterscheidet sich nicht wesentlich von Begutachtungen bei anderen allgemeinpsychiatrischen Fragestellungen.
E Zahlreiche Einzelsymptome der posttraumatischen Belastungsstörung entsprechend der Definitionen im ICD-10 und DSM-5 können die gutachterliche Exploration behindern.

Sprachmittlung – Einsatz von DolmetscherInnen in der Traumatherapie von Geflüchteten

Luisa Helmboldt, Christoph Nikendei, David Kindermann

Das gesprochene Wort ist in der Psychotherapie das zentrale diagnostische und therapeutische Mittel. Zwar besteht ein hoher psychotherapeutischer Versorgungsbedarf bei Geflüchteten, jedoch stellen mangelnde Sprachkenntnisse sowie fehlende Informationen über das deutsche Gesundheitssystem erhebliche Barrieren für eine psychotherapeutische Behandlung dar. Um eine gelingende psychosoziale Versorgung von Geflüchteten zu gewährleisten, ist der Einsatz von DolmetscherInnen daher unentbehrlich.

Von der therapeutischen Dyade zur Triade

Durch die Einbeziehung eines Dolmetschers in das therapeutische Setting wird die klassische Dyade aus TherapeutIn und PatientIn zu einer Triade erweitert und lässt damit ein komplexeres Beziehungssystem entstehen. In diesem Beziehungsdreieck kann es zwischen PatientIn, DolmetscherIn und TherapeutIn zu vielfältigen Übertragungs- und Gegenübertragungsphänomenen kommen, die zu dynamischen Verschiebungen im Beziehungsdreieck führen und in wechselnden Koalitionsbildungen münden können [1].

So können DolmetscherInnen in einem Gesprächskontext als Co-TherapeutInnen, in einem anderen als AnwältInnen der PatientInnen auftreten. Eine wichtige Aufgabe von TherapeutInnen besteht daher in der bewussten Wahrnehmung dieser komplexen Beziehungs- und Kommunikationsmuster, die im Idealfall bereits im Vorgespräch mit den DolmetscherInnen antizipiert und dadurch sogar therapeutisch nutzbar gemacht werden können. Dennoch wird der Einsatz von DolmetscherInnen in der Psychotherapie von TherapeutInnen häufig als erschwerend wahrgenommen [2], was vor allem auf zeitliche, durch den Übersetzungsprozess hervorgerufene, Verzögerungen und den damit einhergehenden Verlust an Spontaneität im therapeutischen Gespräch zurückgeführt wird [3].

Durch zeitliche Verzögerungen während der Übersetzungsintervalle wird TherapeutInnen jedoch zugleich die Möglichkeit einer erneuten Reflexion eingeräumt. Bei traumatisierten PatientInnen kann eine dolmetschergestützte Psychotherapie ebenso den Vorteil mit sich bringen, dass die Intensität der Symptomatik und des Traumas von DolmetscherInnen in einer unterstützenden 3. Position „mitgetragen" wird [4].

INFO

Finanzierung von DolmetscherInnen in der Psychotherapie

Während des Asyl-Antragsverfahrens obliegt die Finanzierung von Gesundheitsleistungen für Geflüchtete dem Asylbewerberleistungsgesetz (§§ 3, 4 und 6 AsylbLG). Eine Übernahme von Dolmetscherkosten im Rahmen des Asylbewerberleistungsgesetzes ist jedoch lediglich eine „Ermessensleistung" von Seiten des Sozialamts, deren Beantragung nur selten stattgegeben wird. Als Bestandteil der Analogleistungen (entsprechend § 2 AsylbLG/SGB XII), die der Geflüchtete mit Aufenthaltsgestattung nach 15-monatigem Aufenthalt in Deutschland in Anspruch nehmen kann, ist die Übernahme von Dolmetscherkosten nicht vorgesehen, kann jedoch zumindest entsprechend § 27 a Absatz 4 SGB XII ebenfalls versuchsweise beim Sozialamt beantragt werden.
Wenn der Geflüchtete nach seiner Anerkennung als Flüchtling der Versicherungspflicht bei den gesetzlichen Krankenkassen unterliegt, übernehmen diese die Kosten für Dolmetscher grundsätzlich nicht, da eine Rechtsgrundlage hierfür nicht vorgesehen ist [5]. Die Bundesärztekammer legte im Jahr 2017 deshalb die Forderung nach einer verbindlichen Regelung der Finanzierung des Dolmetschereinsatzes im Pflichtleistungskatalog der gesetzlichen Krankenkassen vor [6]. Für den stationären Behandlungsbereich ist davon auszugehen, dass die Dolmetscherkosten zu den allgemeinen Krankenhausleistungen des Krankenhausentgeltgesetz (§ 2 KHEntgG) gehören, zumal die Krankenhäuser entsprechend § 39, § 108 und § 109 des SGB V verpflichtet sind, „alle Leistungen zu erbringen, die im Einzelfall nach Art und Schwere der Krankheit für die medizinische Versorgung des Versicherten notwendig sind". Allerdings unterscheidet sich die gelebte Praxis eklatant von diesen Überlegungen.

Professionalität im Dolmetscherberuf

Laut des Bundesverbands für Dolmetscher und Übersetzer (BDÜ) zeichnen sich professionell ausgebildete DolmetscherInnen durch unparteiliche, neutrale und präzise Übersetzungen sowie eine professionelle Distanz zu PatientInnen aus. Für den Einsatz innerhalb psychotherapeutischer Behandlungen sollten DolmetscherInnen neben einem hohen Maß an Empathie zudem über fachspezifische Kenntnisse sprachlicher Terminologien, psychopathologischer Symptombilder und Techniken der Psychotherapie verfügen.

Laien- oder Ad-Hoc-DolmetscherInnen neigen im Vergleich zu professionellen DolmetscherInnen hingegen eher dazu, sprachliche Inhalte ungenau zu übersetzen, Ergänzungen vorzunehmen oder wichtige Informationen auszulassen (s. Infobox „Differenzierung“) [7]. Eine Gefährdung der Neutralität liegt in besonderem Maße bei Übersetzungen durch Angehörige vor. Dabei werden „heikle“ sprachliche Inhalte wie beispielsweise Flashbacks, Halluzinationen oder Suizidgedanken häufig nicht übersetzt, um eigene sprachliche Unsicherheiten zu umgehen oder den Patienten zu „schützen“. Jegliche Auslassung von Informationen kann dabei weitreichende Folgen für den psychotherapeutischen Behandlungsprozess mit sich bringen.

INFO

Differenzierung der verschiedenen Berufsbezeichnungen

Die Berufsbezeichnung „Dolmetscher“ ist nicht geschützt. Eine Ausbildung zum „qualifizierten professionellen Dolmetscher“ kann jedoch im Rahmen eines Hochschulstudiums (M.A. oder M.Sc.) absolviert werden. Nicht ausgebildete ÜbersetzerInnen der gesprochenen Sprache werden u. a. als „LaiendolmetscherInnen“, „SprachmittlerInnen“ oder auch als „Sprach- und Kultur(ver)mittlerInnen“ bezeichnet. Sie besuchen z. T. Schulungen und Fortbildungen unterschiedlichen Umfangs und Inhalts. Spezielle Weiterbildungen ermöglichen zudem die Qualifikation als „Sprach- und IntegrationsmittlerIn“ oder „KulturdolmetscherIn“ [8].

FALLBEISPIEL

Im Rahmen der therapeutischen psychosozialen Sprechstunde in einer Erstaufnahmestelle für Geflüchtete stellt sich eine 31-jährige Patientin aus dem persischen Raum vor und berichtet von Intrusionen und Albträumen aufgrund von Folter und körperlicher Gewalt. In ihrem Heimatland habe die Patientin der politischen Opposition angehört. Während die Patientin von der erlebten Verfolgung und Gewalt berichtet, wird sie immer wieder von der anwesenden Dolmetscherin auf eine aggressive Weise im Sprechen unterbrochen. Auf Nachfragen des Therapeuten nach dem Grund hierfür entgegnet die Dolmetscherin, dass sie ebenfalls aus dem Heimatland der Patientin stamme und die Schilderungen der Patientin für nicht glaubhaft hielte. Im weiteren Verlaufe stellt sich heraus, dass die Dolmetscherin der Regierungspartei ihres Heimatlandes angehörte und die politische Opposition als terroristische Untergrundorganisation betrachte. Die Gesprächssituation wird vom Therapeuten offen thematisiert und die Übersetzung durch einen anderen Dolmetscher fortgesetzt.

Leitlinien für den erfolgreichen Einsatz von DolmetscherInnen

Der Einsatz von DolmetscherInnen in der Psychotherapie setzt eine Arbeitsweise mit klar definierten Rollenzuweisungen und Regelungen zwischen DolmetscherIn und TherapeutIn voraus. Diese beginnt bei der räumlichen Anordnung und den Sitzpositionen. Im Gespräch sollte der Therapeut dem Patienten stets gegenübersitzen, um durch den Blickkontakt und die direkte Ansprache eine tragfähige Beziehung aufzubauen. Am häufigsten empfohlen wird die Sitzposition in der Form eines Dreiecks (einer Triangel), bei der TherapeutIn, DolmetscherIn und PatientIn in gleichem Abstand zueinander sitzen. Als Experte beider Kulturen sollte dem Dolmetscher eingeräumt werden, kulturell geprägte sprachliche Formulierungen, Metaphern oder Eigenheiten in Ergänzung der sprachlichen Inhalte zu erläutern.

FALLBEISPIEL

Ein 21-jähriger Patient aus Algerien stellt sich in der Sprechstunde eines ambulant tätigen Psychotherapeuten unter Anwesenheit eines Dolmetschers vor. Der Therapeut eröffnet das Gespräch durch die allgemeine Frage nach den aktuellen Beschwerden, die den Patienten veranlasst haben, die Sprechstunde aufzusuchen. Daraufhin entwickelt sich ein längerer Dialog zwischen dem Arabisch-Dolmetscher und dem Patienten, der schließlich vom Therapeuten unterbrochen wird. Der Therapeut erkundigt sich, welchen Inhalt dieser Dialog gehabt habe, der in keinem Verhältnis zur Kürze der initialen Frage stand. Der Dolmetscher antwortet, dass er bereits nach den Hauptsymptomen der posttraumatischen Belastungsstörung gefragt hatte, um Zeit einzusparen. Der Dolmetscher wird eindringlich darauf hingewiesen, dass es ihm nicht obliegt, die Gesprächsführung zu übernehmen.

▶ **Tab. 1** Leitfäden für DolmetscherInnen und PsychotherapeutInnen.

Leitfaden für DolmetscherInnen	Leitfaden für PsychotherapeutInnen
• Einhaltung der Schweigepflicht • loyale und neutrale Haltung gegenüber anderen ethnischen, religiösen und politischen Gruppen • kein privater Kontakt zu PatientInnen • Weiterleiten jeglicher Kommunikation, die mit dem Patienten außerhalb des Therapieraums erfolgt • wortgetreue Wiedergabe der sprachlichen Inhalte des Patienten • keine Übernahme der Gesprächsführung • regelmäßige Teilnahme an Supervisionen und Schulungen	• Führen eines Vorgesprächs vor jedem Patientenkontakt (Klärung gegenseitiger Erwartungen und der Rolle des Dolmetschers) • Definieren des Arbeitsmodells der Übersetzung mit dem Dolmetscher; eine Übersetzung in der Ich-Form wird i. d. R. empfohlen • Festlegen der Sitzpositionen in der Triade • Einholen der Schweigepflicht-Erklärung des Dolmetschers, der Patient ist darüber zu informieren • Aufklärung des Dolmetschers über psychotherapeutische Techniken und den Umgang mit sensiblen Themen (z. B. suizidalen Gefährdungen oder Missbrauchserfahrungen von PatientInnen) • Nachbesprechung nach jedem Patientenkontakt (Rückmeldung zu kulturellen Bedeutungszusammenhängen, relevanten Beobachtungen, wahrgenommenen triadischen Beziehungsmustern)

▶ **Tab. 1** zeigt wichtige Aspekte und Vorgehensweisen, die sich für den Einsatz von DolmetscherInnen in der Psychotherapie als bedeutsam herausgestellt haben [9][10].

Psychische Belastung von Geflüchteten und DolmetscherInnen

Studien, die in Deutschland lebende Geflüchtete untersuchten, zeigen PTBS-Prävalenzen zwischen 6,7–76,7 % für institutionsbasierte, sowie zwischen 16,4–54,9 % für populationsbasierte Stichproben [11]. Depressive Störungen stellen mit einer Prävalenz von 12,5–57,4 % die zweithäufigste psychische Störung unter Geflüchteten dar. Für Angst- und Panikstörungen konnte eine Häufigkeit von 20,7 % festgestellt werden [12].

Im Rahmen verschiedener Untersuchungen von im psychotherapeutischen Kontext tätigen DolmetscherInnen konnte ebenfalls eine hohe Prävalenz traumatischer Erfahrungen nachwiesen werden. Diese Beobachtung lässt sich hauptsächlich auf den in vielen Fällen beschriebenen eigenen Migrations- oder Fluchthintergrund dieser Berufsgruppe zurückführen. Dabei konnten bei 58–90 % der DolmetscherInnen selbst erlittene traumatische Erlebnisse, bei 9–10 % eine posttraumatische Belastungsstörung (PTBS) und bei 33 % eine subsyndromale PTBS identifiziert werden [13][14].

Im Vergleich zur 1-Monats-Prävalenz von 2,3 % in einer repräsentativen Normstichprobe ist die Prävalenz für eine PTBS bei DolmetscherInnen deutlich erhöht. Es wurden zudem bei 8 % der befragten DolmetscherInnen depressive Symptome, bei 16,1 % klinisch relevante Angstsymptome sowie ein generell erhöhtes Stresslevel ermittelt, die signifikant höher als in der Allgemeinbevölkerung waren [14].

Psychische Belastung im Rahmen der Dolmetschertätigkeit – sekundäre Traumatisierung

Durch das Übersetzen traumatischer Schilderungen betroffener PatientInnen besteht für DolmetscherInnen nicht nur das Risiko der Reaktivierung potenziell vorhandener eigener Traumainhalte, sondern darüber hinaus auch die Gefahr einer Sekundärtraumatisierung oder indirekten Traumatisierung [15]. Dabei können sich bei ZuhörerInnen (PsychotherapeutInnen, DolmetscherInnen etc.) über ein empathisches Nachempfinden und die Generierung innerer Vorstellungsbilder ebenfalls Symptome wie Intrusionen, Vermeidung, Hyperarousal und ein diffuses Gefühl der Bedrohung ausbilden.

Der beschriebene Vorgang kann bei DolmetscherInnen noch verstärkt sein, denn sie erfahren nicht nur als reine ZuhörerInnen von den traumatischen Inhalten, sondern müssen die Schilderungen darüber hinaus aktiv prozessieren und in eine andere Sprache übersetzen. Dieser Effekt wird nochmals potenziert, wenn die DolmetscherInnen in der „Ich-Form" übersetzen, wodurch dem erlebenden Subjekt der DolmetscherInnen eine (tatsächliche) Beteiligung an den traumatischen Ereignissen suggeriert wird, die letztendlich in einer Identifizierung mit dem Erleben der PatientInnen münden kann. In einer eigenen Untersuchung konnten wir eine Prävalenz von 21 % für die Sekundärtraumatisierung bei DolmetscherInnen feststellen [14]; bei 6 % lag dabei eine schwere Ausprägungsform vor. Zudem bestand zwischen PTBS und Sekundärtraumatisierung ein signifikanter Zusammenhang, sodass davon ausgegangen werden kann, dass das Vorliegen einer PTBS ein bedeutsamer Risikofaktor für die Entwicklung einer Sekundärtraumatisierung sein kann.

FALLBEISPIEL

In der Sprechstunde einer ambulant tätigen Psychotherapeutin erscheint ein 24-jähriger Patient aus Afghanistan. Er berichtet von Intrusionen, Angstzuständen, Albträumen und Panikattacken. Er könne kaum noch schlafen, manchmal zittere er am ganzen Körper. In Afghanistan habe er als Journalist die Explosion einer Bombe miterlebt, die 9 seiner Kollegen getötet habe. Der Patient holt daraufhin sein Mobiltelefon aus der Hosentasche und drängt darauf, der Therapeutin einige Fotos des Anschlags zu zeigen. Die Therapeutin versucht das Anliegen und Motiv des Patienten zu verstehen. Jedoch wendet die anwesende Dolmetscherin unvermittelt ein, dass *sie* sich die Bilder anschauen möchte, wobei ihr trotz Intervention kein Einhalt geboten werden kann. Als der Patient ihr nun verschiedene Fotos zeigt, beginnt die Dolmetscherin zu weinen und wendet ihren Blick vom Mobiltelefon ab. Das Ambulanzgespräch muss daraufhin kurzzeitig pausiert werden, da die Dolmetscherin sichtlich belastet ist. Die abgelaufene Situation wird nach Ende des Patientenkontakts ausführlich nachbesprochen.

Prävention von Belastungssituationen und Unterstützung von psychisch belasteten DolmetscherInnen

Bislang wurden noch keine Untersuchungen zu *spezifischen* Präventionsmaßnahmen der Sekundärtraumatisierung bei DolmetscherInnen durchgeführt. Es ist jedoch davon auszugehen, dass Studienergebnisse zur Prävention der Sekundärtraumatisierung bei TraumatherapeutInnen, SanitäterInnen und medizinischem Pflegepersonal prinzipiell auf die Berufsgruppe der DolmetscherInnen übertragen werden können: Zunächst sollten die Dolmetschersitzungen mit traumatisierten Patienten wenn möglich begrenzt werden, da für die sekundäre Traumatisierung eine Dosis-Wirkungs-Relation anzunehmen ist [16]. Darüber hinaus sind regelmäßige Peer-Supervisionen zu empfehlen, die zu einer deutlichen psychischen Entlastung von DolmetscherInnen führen können [17]. Psychoedukative Maßnahmen sowie die Vermittlung von Wissen über Traumafolgestörungen ermöglichen es DolmetscherInnen zudem, sich angemessen auf den Einsatz in traumatherapeutischen Behandlungen vorzubereiten und eigene Beschwerden frühzeitig zu erkennen [18], was durch den regelhaften Einsatz von Selbsteinschätzungsinstrumenten noch zusätzlich unterstützt werden kann. Auf individueller Ebene können die Einbindung in ein unterstützendes, soziales Netzwerk sowie die individuelle Resilienz als wichtige protektive Faktoren benannt und gefördert werden [19]. Arbeitgeber sollten über regelmäßige Mitarbeitergespräche ein Augenmerk darauf richten, vulnerable Personen frühzeitig zu identifizieren, um individuelle Präventionsmaßnahmen anzubieten zu können.

FAZIT

Durch den Einsatz von DolmetscherInnen in der Psychotherapie wird die therapeutische Dyade zu einer Triade erweitert. Dies kann zu wechselnden Koalitionsbildungen führen, die in Vorgesprächen antizipiert werden sollten. Sowohl Geflüchtete als auch DolmetscherInnen zeigen in Untersuchungen erhöhte Prävalenzen für Traumatisierungen und PTBS. Das Übersetzen traumatischer Inhalte von PatientInnen kann darüber hinaus zu einer Sekundärtraumatisierung der DolmetscherInnen führen. Dieser kann durch regelmäßige Nachbesprechungen und Supervisionen vorgebeugt werden.

Interessenkonflikt

Die Autoren geben an, dass keine Interessenkonflikte bestehen.

Autorinnen/Autoren

Luisa Helmboldt

Psychologin (M.Sc.), systemische Therapeutin (i. W.), ist als wissenschaftliche Mitarbeiterin des Instituts für Medizinische Psychologie an der Universität Heidelberg und der Universitätsklinik Heidelberg für Allgemeine Innere Medizin und Psychosomatik tätig. Aktuelle Forschungsschwerpunkte und wissenschaftliche Interessensgebiete sind Traumafolgestörungen sowie die dolmetschergestützte psychotherapeutische und medizinische Versorgung von Geflüchteten.

Christoph Nikendei

Prof. Dr. med.; Facharzt für Innere Medizin sowie Facharzt für Psychosomatische Medizin und Psychotherapie; er ist als Leitender Oberarzt und Leiter der Sektion Psychotraumatologie an der Universitätsklinik Heidelberg für Allgemeine Innere Medizin und Psychosomatik tätig. Klinische Schwerpunkte sind die Behandlung von PatientInnen mit Traumafolgestörungen und Versorgung von Geflüchteten. Wissenschaftliche Interessensgebiete sind Traumafolgestörungen, Psychotherapieforschung, Gedächtnisforschung und Forschung zur Medizindidaktik.

David Kindermann

Dr. med.; ist als Arzt für Psychosomatische Medizin und Psychotherapie in Weiterbildung an der Universitätsklinik Heidelberg für Allgemeine Innere Medizin und Psychosomatik tätig. Wissenschaftliche Schwerpunkte sind Traumafolgestörungen, dissoziative Störungen, Lehrforschung und Global Health.

Korrespondenzadresse

Dr. med. David Kindermann
Zentrum für Psychosoziale Medizin
Universitätsklinik für Allgemeine Innere Medizin und Psychosomatik
Thibautstr. 4
69115 Heidelberg
david.kindermann@med.uni-heidelberg.de

Literatur

[1] Tribe R, Thompson K. Exploring the three-way relationship in therapeutic work with interpreters. Int J Migr Health Soc Care 2009; 5: 13–21

[2] Morina N, Maier T, Schmid Mast M. Lost in translation? Psychotherapie unter Einsatz von Dolmetschern. Psychotherapie Psychosomatik Medizinische Psychologie 2010; 60: 104–110

[3] Haenel F. Spezielle Aspekte und Probleme in der Psychotherapie mit Folteropfern unter Beteiligung von Dolmetschern. Systhema 1997; 2: 136–144

[4] Tribe R, Thompson K. Opportunity for development or necessary nuisance? The case for viewing working with interpreters as a bonus in therapeutic work. Int J Migr Health Soc Care 2009; 5: 4–12

[5] Deutscher Bundestag. Dolmetscher im Rahmen der gesundheitlichen Versorgung (04.05.2017). Im Internet: https://www.bundestag.de/blob/514142/d03782888dd292a2ed12cffd271d8ecb/wd-9-021-17-pdf-data.pdf; Stand: 22.03.2019

[6] Bundesärztekammer. Entschließungen. 120. Deutscher Ärztetag zum Thema Asyl und Gesundheit. Freiburg; 23.5.–26.5.2017

[7] Bundesverband der Dolmetscher und Übersetzer e. V. (BDÜ). BDÜ-Pressemappe „Dolmetschen im Gesundheitswesen" (Stand: Oktober 2016). Im Internet: http://www.bdue.de/fileadmin/files/PDF/Presseinformationen/Pressemappen/BDUe_Pressemappe_Dolmetschen_im_Gesundheitswesen.pdf; Stand: 23.03.2019

[8] Fischer N. Laiendolmetscher im Beratungssetting. Realität und Chance für Profidolmetscher. MDÜ 2016; 6: 10–16

[9] Gurris N, Wenk-Ansohn M. Folteropfer und Opfer politischer Gewalt. In: Maercker A, Hrsg. Posttraumatische Belastungsstörungen. 2. Aufl. Heidelberg: Springer; 2003: 221–246

[10] Abdallah-Steinkopff B. Psychotherapie bei Posttraumatischer Belastungsstörung unter Mitwirkung von Dolmetschern. Verhaltenstherpie 1999; 9: 211–220

[11] Bozorgmehr K, Mohsenpour A, Saure D et al. Systematische Übersicht und „Mapping" empirischer Studien des Gesundheitszustands und der medizinischen Versorgung von Flüchtlingen und Asylsuchenden in Deutschland (1990–2014). Bundesgesbl Gesforsch Gesschutz 2016; 59: 599–620

[12] Albers HM. Lebensbedingungen und psychische Gesundheit der Bewohner der Würzburger Gemeinschaftsunterkunft für Asylbewerber [Dissertation]. Würzburg: Julius-Maximilians-Universität; 2012: 110

[13] Teegen F, Gönnenwein C. Posttraumatische Belastungsstörungen bei Dolmetschern für Flüchtlinge. Verhaltensther Verhaltensmed 2002; 23: 419–436

[14] Kindermann D, Schmid C, Derreza-Greeven C et al. Prevalence of and risk factors for secondary traumatization in interpreters for refugees: a cross-sectional study. Psychopathol 2017; 50: 262–272

[15] Figley CR. Compassion fatigue: Coping with secondary traumatic stress disorder in those who treat the traumatized. New York: Routledge; 1995

[16] Brady JL, Guy JD, Poelstra PL et al. Vicarious traumatization, spirituality, and the treatment of sexual abuse survivors: A national survey of women psychotherapists. Prof Psy Res Pract 1999; 30: 386

[17] Catherall DR. Coping with secondary traumatic stress: The importance of the therapist's professional peer group. In: Stamm BH, Hrsg. *Secondary traumatic stress: Self-care issues for clinicians, researchers, and educators. Baltimore, MD, US: The Sidran Press; 1995: 80–92*

[18] Pearlman LA, Saakvitne KW. Treating therapists with vicarious traumatization and secondary traumatic stress disorders. In: Figley CR, eds. Compassion fatigue: Coping with secondary traumatic stress disorder in those who treat the traumatized. New York: Routledge; 1995; 23: 150–177

[19] Pearlman LA, Self-care for trauma therapists: Ameliorating vicarious traumatization. In: Stamm BH, Hrsg. *Secondary traumatic stress: Self-care issues for clinicians, researchers, and educators. Baltimore, MD, US: The Sidran Press; 1995: 51–64*

Bibliografie

DOI https://doi.org/10.1055/a-0771-5127
PiD - Psychotherapie im Dialog 2019; 20: 95–99

ISSN 1438-7026

Psychobiologische Aspekte der Traumafolgestörungen

Johannes C. Ehrenthal, Martin Stoffel, Beate Ditzen

Traumafolgestörungen werden oftmals als stressassoziierte seelische Erkrankungen verstanden. Neben den psychischen Symptomen bietet die Stressforschung wichtige Einblicke in biopsychologische Veränderungen der Traumafolgestörungen, die über das hinausgehen, was von Patientinnen und Patienten berichtet werden kann. Der Beitrag stellt Stressmodelle und zentrale Forschungsbefunde vor und diskutiert Fragen der Reversibilität veränderter Stressachsenregulation.

Traumafolgestörungen als Risikofaktor

Traumafolgestörungen als Sammelbegriff für unterschiedliche, zum Teil auf Risikofaktoren, zum Teil auf Diagnosen und Störungsbilder bezogene Phänomene, spielen sowohl in der Versorgung als auch in der Konzeption von Krankheit und Gesundheit in Psychologie, Medizin sowie ihren Überschneidungsgebieten eine wichtige Rolle. Das macht ihre Untersuchung einerseits leichter, da es sich um häufige und in der wissenschaftlichen und anwendungsbezogenen Community anerkannte Phänomene handelt. Auf der anderen Seite ist durch die Breite der Rezeption und Anwendung von Traumakonstrukten auch die Möglichkeit, sich über konkrete Modelle und Befunde zu verständigen, erschwert.

Die Forschung zu psychobiologischen Aspekten von Traumafolgestörungen ist ebenfalls von einer Vielfalt von Untersuchungsgebieten, Modellen, sowie teilweise unterschiedlichen Befunden geprägt. Ein die Forschung in ihrer Diversität verbindendes Element besteht darin, dass Traumafolgestörungen teilweise direkt als Stresserkrankungen, teilweise als indirekt auf die psychobiologischen Stresssysteme wirkender, vermittelnder Faktor verstanden werden. Dadurch können wiederum spezielle Untersuchungsparadigmen, die sich auf Stresserleben, aber auch darüber hinaus auf die Stressreaktion sowie -regulation beziehen, eingesetzt werden.

Traumafolgestörungen haben an mehreren Stellen Berührungspunkte mit der Stressforschung. Einerseits zeichnen sie sich dadurch aus, dass ihnen als Teil ihrer Definition ein Stressor im Sinne eines traumatischen, die eigenen Verarbeitungskapazitäten überfordernden Ereignisses vorhergehen muss. Im Kontrast zu fast allen anderen psychischen Diagnosen in den aktuellen Diagnosesystemen ICD und DSM stellt hier die extreme Belastung eine notwendige Voraussetzung für die Diagnose dar – es wird also ein Ätiologiemodell der Erkrankung im Diagnosesystem eingeschlossen. Dies ist wiederum für Stressmodelle besonders wichtig, da mitgedacht ist, dass die auslösenden Ereignisse so gestaltet sein müssen, dass sie eine massive psychophysiologische Reaktion hervorrufen, oder anhaltend bzw. kumulativ auf die Bewältigungsmechanismen des Individuums treffen und diese über eine längere Zeit immer wieder überfordern.

Der Ereignisbezug der Traumafolgestörungen bietet zudem einen Weg für die Forschung, da zumindest ein Teil der Symptome etwa einer posttraumatischen Belastungsstörung (PTBS) darauf hinweisen, dass die Konfrontation mit an den Traumaereignissen orientierten Hinweisreizen auch in der Folge stärkere Reaktionen hervorruft oder aber stärkere Bewältigungsversuche erfordert als andere, nicht traumabezogene Erlebnisse. Auf der anderen Seite sind weitere Symptome der PTBS (z. B. Hyperarousal oder Dissoziation) über Beschwerden definiert, die ebenfalls psychophysiologische Reaktionen hervorrufen oder sehr körpernah erlebt werden.

Stress, Lebenserfahrungen und -ereignisse

Die zugehörige Forschung zur Psychobiologie des Stresses beschreibt die Funktionalität und Anpassungsfähigkeit der körpereigenen Stresssysteme im Kontext unterschiedlicher innerer sowie äußerer Herausforderungen. Dabei wird der dynamische Faktor der Anpassungsleistung weniger als Nebenprodukt, sondern vielmehr als Kernmerkmal verstanden. Diese Herangehensweise wurde unter dem Begriff der „Allostase" in Ergänzung zum Konzept der „Homöostase", welches weniger dynamisch konzeptualisiert war, zusammengefasst [1].

Allostase wird auch als „Stabilität durch Veränderung" beschrieben. Sie hilft dem Organismus, Energie für Antizipation und Bewältigung von Herausforderungen bereitzustellen sowie langfristig diese Bereitstellung möglichst ökonomisch zu organisieren. Das Konzept umfasst:

1. Aspekt der Reaktivität, also das Hochfahren der Stresssysteme
2. Herunterregulation der Stresssysteme
3. generelle Tendenzen und Muster des Umgangs mit Stressoren über die Zeit

Merke

Starker und insbesondere anhaltender Stress fordert den Organismus heraus, mittel- und langfristig die eigene Reaktivität und Herunterregulation anzupassen.

Ständige Aktivierung, Schwierigkeiten mit dem Herunterregulieren von Stresssystemen sowie nicht funktionale Aktivität von Notfallsystemen und deren Dämpfung führt zu einer anhaltenden Umgestaltung der Stressachsenreaktion mit möglichen negativen Auswirkungen auf den Organismus, was unter dem Begriff der „allostatischen Belastung" erfasst wird. Das ursprüngliche Modell von Allostasis und allostatischer Belastung ist empirisch gut erforscht.

Um insbesondere auch die Anwendung beim Menschen auf die Wirkung von unterschiedlichen Lebensbedingungen auf die psychobiologische Reaktionsbereitschaft abbilden zu können, wurde das Allostase-Modell durch das Adaptive Calibration Model (ACM) ergänzt [2]. Dieses beschreibt unterschiedliche Phänotypen oder Muster, die die Reaktivität und Regulation der Stresssysteme von Menschen charakterisieren, deren frühes Priming, insbesondere von Hypothalamus-Hypophysen-Nebennierenrinden-Achse (HHNA) und des autonomen Nervensystems (ANS), aufgrund von unterschiedlichen Umgebungsbedingungen verschieden verlaufen ist.

Das ACM ist insbesondere wichtig, um zu verstehen, inwiefern die Lebensgeschichte einen spezifischen Einfluss auf distinkte Stressregulationsmuster hat, also auch, warum sich Menschen in ihrer Antwort auf gleiche Stressoren unterscheiden. Auf biologischer Ebene lässt sich der Einfluss früher Lebenserfahrungen auf die Regulation der psychobiologischen Stresssysteme u. a. durch epigenetische Regulationsmechanismen erklären [3][4], die nach dem Erleben frühkindlicher Traumatisierung, möglicherweise als kurzfristiger Adaptationsversuch des Organismus auf schädliche Umweltbedingungen, bis ins Erwachsenenalter persistieren und sogar an nachfolgende Generationen vererbt werden können [5]. Heutige Stressmodelle sind damit sowohl in der Lage, die aktuelle Dynamik von psychobiologischer Reaktion auf Belastungen, darüber hinaus jedoch den Einfluss früher und langanhaltender Stressregulationserfahrungen sowie die Interaktion des frühen Stressachsen-Primings mit aktuellen Anforderungen, abzubilden.

Im Folgenden wird vor allem auf zentrale Befunde zu bewährten Markern der HHNA und ANS eingegangen. Das schnell reagierende ANS sowie die etwas langsamere HHNA sind durch unterschiedliche Feedbackschleifen miteinander verbunden und helfen dem Organismus, für herausfordernde, stressvolle Situationen ausreichend Energie bereitzustellen. Das hormonelle Endprodukt der HHNA, Kortisol, kann in sämtlichen Körperflüssigkeiten aber auch Horn und Zellproben nachgewiesen werden. Nicht invasiv können damit Speichelproben Informationen über die Dynamik der HHNA geben. Die Aktivität des ANS kann z. B. durch Alpha-Amylase im Speichel oder andere Parameter wie etwa Herzrate, Blutdruck oder Herzratenvariabilität [6] beschrieben werden.

Befunde zu Biomarkern bei akuter sowie lebensgeschichtlich früher Traumatisierung

Im Folgenden werden zentrale Befunde zu Traumatisierung und einzelnen Biomarkern zusammengefasst. Insbesondere der Biomarker Kortisol wurde in vielen Studien untersucht und stellt ein gut einschätzbares und prognostisch bedeutsames Maß für die Stressregulation dar. Auch wenn einzelne Studien durchaus widersprüchliche Ergebnisse erzielen, lassen sich dennoch 2 Kernaussagen festhalten, die in metaanalytischen Befunden insgesamt bestätigt wurden:

Einerseits wirkt sich das Vorliegen einer PTBS oder das Ausgesetztsein bezüglich eines traumatischen Erlebnisses im Erwachsenenalter nicht notwendigerweise auf die Stressbiologie aus – insbesondere, wenn die allgemeine Höhe von Kortisol-Leveln untersucht wird [7]. In anderen Worten: Möglicherweise sorgt (neben methodologischen Unterschieden der Ursprungsuntersuchungen) die psychophysiologische Anpassungsfähigkeit dafür, dass der generelle Level von Stresshormonen der HHNA nicht immer und bei allen Menschen durch ein traumatisches Ereignis verändert wird.

Ein weiterer wichtiger Befund lässt sich so zusammenfassen, dass es nach Traumaereignissen im Erwachsenenalter Hinweise auf die Veränderung in der Stressreaktion (also der zeitlichen Dynamik) in Bezug auf Kortisol im Sinne einer größeren Ausschüttung von Stresshormonen gibt, also tendenziell eher eine Hyperaktivierung der HHNA. Im Gegenzug sind insbesondere traumatische Kindheitserfahrungen mit einer Hypoaktivität der Kortisolreaktion assoziiert [8]. In anderen Worten: Ein näher zurückliegendes Traumageschehen kann mit der Tendenz zu einer zu starken Stressantwort, ein lange zurückliegendes mit der Tendenz zu einer zu geringen Stressantwort auf hormoneller Ebene einhergehen. Diese HHNA-Befunde werden über eine veränderte Feedback-Sensitivität der Achse erklärt: Auf Dauer und überschießende Kortisolwerte hin reagieren die zentralnervösen Glukokortikoid-Rezeptoren zunehmend weniger und das negative Feedback der Achse nimmt ab, was sich gut mit dem Allostatic Load Modell beschreiben lässt und mit den Annahmen des ACM übereinstimmt.

Zudem deuten Studien darauf hin, dass psychologische Faktoren (z. B. Bindungsstile) mit frühen Kindheitserfahrungen interagieren und so unterschiedliche Muster von Kortisol- und Alpha-Amylase-Reaktion und deren Down-Regulation bewirken können [9]. Posttraumatische Belastungsstörungen wiederum sind durchaus mit Veränderungen des ANS wie etwa einer verringerten Herzratenvariabilität [10] und anderen psychophysiologischen Parametern verbunden, was u. a. ihren Zusammenhang mit Herzerkrankungen oder generell erhöhter Mortalität zumindest teilweise erklären kann [11][12]. Ein weiteres, vielversprechendes Forschungsfeld beschäftigt sich mit genetischen und epigenetischen Aspekten von Traumatisierung [13].

Eine wichtige Frage bezieht sich darauf, ob die Veränderung von Biomarkern bei PTBS als einer Form der psychischen Störungen im Rahmen von Psychotherapie reversibel ist. Darauf gibt es zum jetzigen Forschungsstand 2 zentrale Antworten:

1. Eine signifikante Veränderung von Markern der HHNA während der Psychotherapie von PTBS zeigt sich bisher, wenn die Studienlage zusammengefasst betrachtet wird, nicht [14].
2. Dieser Nichtbefund ist wahrscheinlich zumindest teilweise abhängig von Unterschieden in der Methodik der Interventionsstudien inklusive des Erfassens von Biomarkern.

Zudem wurden in den untersuchten Studien vor allem expositionsbasierte Verfahren eingesetzt, so dass unklar bleibt, ob andere psychotherapeutische Verfahren, die einen größeren Schwerpunkt auf Selbstregulation und Selbstberuhigung legen, andere Effekte erzielen können. Außerdem können in erfolgreichen Psychotherapien auch andere Faktoren (z. B. verbesserte soziale Beziehungen) die Stressreaktion positiv beeinflussen, ohne dass z. B. eine Expositionsbehandlung dies als primäres Erfolgsmaß in den Blick nehmen würde [15].

Diskussion und Ausblick

Traumatische Erfahrungen sind mit Veränderungen der Stressreaktion assoziiert. Diese zeigen sich einerseits in direkten Diagnosekriterien der PTBS, z. B. Hypervigilanz, andererseits aber auch in stressassoziierten Biomarkern. Lebensgeschichtlich frühe Traumatisierungen sind mit einer Hypoaktivität, aktuellere Traumaereignisse mit der Tendenz zu einer Hyperaktivierung der HNNA assoziiert – damit werden möglicherweise widersprüchliche Befunde zum Zusammenhang von Kortisol und PTBS erklärbar.

Traumatische Erfahrungen sind hierbei eher als transdiagnostischer Risikofaktor zu verstehen. Marker des ANS deuten auf eine Dysbalance des ANS hin, mit einer Verschiebung zu einer höheren Bereitschaft der schnellen Aktivierung des sympathischen Nervensystems zu Lasten parasympathischer Regulation.

Merke

Bisher gibt es keine belastbaren Hinweise darauf, dass traumaspezifische Psychotherapie die HNNA-Reaktion verändert.

Für die Forschung ist es wichtig, vergleichbare und standardisierte Untersuchungsparadigmata einzusetzen, die einerseits symptomspezifische, andererseits allgemeine und domänenspezifische Stressreaktionen hervorrufen. Gleichzeitig sollten Parameter untersucht werden, die einerseits schnelle und auch von aktuellen psychischen Faktoren beeinflussbare Phänomene abbilden können, z. B. kardiovaskuläre Parameter, Hautleitfähigkeit, Alpha-Amylase etc.

Andererseits sind Marker der HNNA, wie etwa Kortisol, aber auch Messungen von Oxytozin und Erfassen von epigenetischen Parametern wichtig. So zeigen eine Reihe neuer Studien, dass psychopathologisch relevante epigenetische Mechanismen, etwa bei Panikstörungen [16] oder sozialer Phobie [17], aber auch bei traumatisierten Borderline-Patienten [18] und bei traumatisierten Kriegsveteranen [19], durch psychotherapeutische Verfahren beeinflussbar sind und mit einer psychischen Symptomreduktion einhergehen. Dies sind vielversprechende erste Ergebnisse hin zu einem Verständnis psychobiologischer Wirkmechanismen von Psychotherapie.

Zudem braucht es Modelle, die in der Lage sind, komplexere Anpassungsprozesse der Stresssysteme in ihrem Verlauf, wie sie etwa vom Allostase-Konzept beschrieben werden, längsschnittlich zu untersuchen. Und darüber hinaus sind hochfrequente Messungen im Alltag in Verbindung mit psychologischen Parametern, wie sie im Ecological Momentary Assessment durchgeführt werden, wichtig, um die direkte Dynamik von Verstärkungskreisläufen besser zu verstehen.

FAZIT

Traumatische Erfahrungen verändern die Stressregulationsfähigkeit auch auf biologischer Ebene. Nur auf das Trauma fokussierte Kurzzeitbehandlungen könnten etwas zu kurz greifen, wenn es auch um Verbesserungen in stressassoziierten Biomarkern geht. Integrative Behandlungsmodelle, längerfristige sowie sequenzielle Therapien, auch unter Einbezug des sozialen Umfelds, können hier ein wichtiger Schritt in der Weiterentwicklung der

Behandlungsverfahren sein. Ein auf der Forschungsevidenz basierendes, personalisiertes Vorgehen in der Versorgung von Traumafolgestörungen schließt damit psychobiologische Methoden im Zusammenhang mit der individuellen Traumageschichte ein, um querschnittliche Unterschiede in der Behandlungsplanung zu berücksichtigen und langfristig den Therapieerfolg aufzeigen zu können.

Interessenkonflikt

Die Autoren geben an, dass keine Interessenkonflikte bestehen.

Autorinnen/Autoren

Johannes C. Ehrenthal

Dr. phil. Dipl.-Psych.; Psychologischer Psychotherapeut; seit 2018 Ambulanzleiter des Instituts für Medizinische Psychologie am Universitätsklinikum Heidelberg, Trainer und Mitglied des Koordinationsrates der OPD. Forschungsschwerpunkte: klinische Bindungsforschung, Diagnostik und Behandlung struktureller Störungen, Trauma und Dissoziation, Stressphysiologie, erfahrungsbasierte Kompetenzentwicklung in der Psychotherapie.

Martin Stoffel

M.Sc. Psych.; Studium der Psychologie in Darmstadt, seit 2015 Tätigkeit am Institut für Medizinische Psychologie, Universitätsklinikum Heidelberg. Dort neben der Promotion Leitung eines biochemischen Labors, in dem Hormone, Enzyme und Immunstoffe im Kontext medizinisch-psychologischer Fragestellungen analysiert werden. Forschungsschwerpunkte: Erforschung epigenetischer Regulationsmechanismen der psychobiologischen Stressachsen und epigenetischer Adaptationsprozesse in Folge von psychologischen Interventionen.

Beate Ditzen

Prof. Dr. phil. Dipl. Psych.; Psychologische Psychotherapeutin; Professorin für Medizinische Psychologie und Psychotherapie an der Ruprecht-Karls-Universität Heidelberg und Direktorin des Instituts für Medizinische Psychologie am Universitätsklinikum Heidelberg, Supervisorin (kognitive Verhaltenstherapie und systemische Paartherapie), psychotherapeutische Behandlung von Paaren bei einer individuellen psychischen oder körperlichen Erkrankung. Forschungsschwerpunkte: neurobiologische Mechanismen von Stress, Stressbewältigung und sozialer Interaktion (spezifisch der Paarinteraktion).

Korrespondenzadresse

Dr. Johannes C. Ehrenthal

Institut für Medizinische Psychologie
Universitätsklinikum Heidelberg
Bergheimer Str. 20
69115 Heidelberg
johannes.ehrenthal@med.uni-heidelberg.de

Literatur

[1] McEwen B S, Wingfield J C. What's in a name? Integrating homeostasis, allostasis and stress. Horm Behav 2010; 57: 105–111

[2] Del Giudice M, Ellis BJ, Shirtcliff EA. The adaptive calibration model of stress responsivity. Neurosci Biobeh Rev 2011; 35: 1562–1592

[3] Zannas AS, Arloth J, Carrillo-Roa T et al. Lifetime stress accelerates epigenetic aging in an urban, African American cohort: relevance of glucocorticoid signaling. Genome Biol 2015; 16: 266

[4] Houtepen LC, Vinkers CH, Carrillo-Roa T et al. Genome-wide DNA methylation levels and altered cortisol stress reactivity following childhood trauma in humans. Nature Comm 2016; 7: 10967

[5] Yehuda R, Lehrner A, Bierer LM. The public reception of putative epigenetic mechanisms in the transgenerational effects of trauma. Environm Epigen 2018; 4: dvy018

[6] Ehrenthal JC, Herrmann-Lingen C, Fey M et al. Altered cardiovascular adaptability in depressed patients without heart disease. World J Biol Psy 2010; 11: 586–593

[7] Klaassens ER, Giltay EJ, Cuijpers P et al. Adulthood trauma and HPA-axis functioning in healthy subjects and PTSD patients: a meta-analysis. Psychoneuroendocrinol 2012; 37: 317–331

[8] Morris MC, Compas BE, Garber J. Relations among posttraumatic stress disorder, comorbid major depression, and HPA function: a systematic review and meta-analysis. Clin Psy Rev 2012; 32: 301–315

[9] Ehrenthal JC, Levy KN, Scott LN et al. Attachment-related regulatory processes moderate the impact of adverse childhood experiences on stress reaction in borderline personality disorder. J Personal Dis 2018; 32: 93–114

[10] Chalmers JA, Quintana DS, Abbott MJ et al. Anxiety disorders are associated with reduced heart rate variability: a meta-analysis. Front Psy 2014; 5: 80

[11] Dedert EA, Calhoun PS, Watkins LL et al. Posttraumatic stress disorder, cardiovascular, and metabolic disease: a review of the evidence. Ann Behav Med 2010; 39: 61–78

[12] McFarlane A C. The long-term costs of traumatic stress: intertwined physical and psychological consequences. World Psy 2010; 9: 3–10

[13] Sheerin CM, Lind MJ, Bountress K et al. The genetics and epigenetics of PTSD: overview, recent advances, and future directions. Curr Op Psychol 2017; 14: 5–11

[14] Schumacher S, Niemeyer H, Engel S et al. Psychotherapeutic treatment and HPA axis regulation in posttraumatic stress disorder: A systematic review and meta-analysis. Psychoneuroendocrinol 2018; 98: 186–201

[15] Frisch J, Aguilar-Raab C, Eckstein M et al. Einfluss von Paarinteraktion auf die Gesundheit. Psychotherapeut 2017; 62: 59–76

[16] Ziegler C, Richter J, Mahr M et al. MAOA gene hypomethylation in panic disorder – reversibility of an epigenetic risk pattern by psychotherapy. Transl Psy 2016; 6: e773

[17] Roberts S, Lester KJ, Hudson JL. Serotonin tranporter methylation and response to cognitive behaviour therapy in children with anxiety disorders. Transl Psy 2014; 4: e444

[18] Perroud N, Salzmann A, Prada P et al. Response to psychotherapy in borderline personality disorder and methylation status of the BDNF gene. Transl Psy 2013; 3: e207

[19] Yehuda R, Daskalakis NP, Desarnaud F et al. Epigenetic biomarkers as predictors and correlates of symptom improvement following psychotherapy in combat veterans with PTSD. Front Psy 2013; 4: 118

Bibliografie

DOI https://doi.org/10.1055/a-0771-4890
PiD - Psychotherapie im Dialog 2019; 20: 100–104

ISSN 1438–7026

Erste Hilfe bei Traumafolgestörungen – Angebote aus dem Internet

Alexa Kupferschmitt

Traumatisierende Erfahrungen erschüttern das Selbst- und das Weltverständnis der Betroffenen. Dies hat Auswirkungen auf das Sicherheitsgefühl, die Orientierung und den Halt in der Welt sowie die Fähigkeit, Vertrauen zu fassen, und sich so mit Hilfegesuchen an andere Menschen zu wenden. Hier ist das Internet eine niedrigschwellige Möglichkeit, erste Informationen und Hilfsangebote zu finden. Der Überblick zeigt Quellen und qualifizierte Angebote zu Traumafolgestörungen für Betroffene und Experten.

Fachgesellschaften und Fachkreise: Erste Anlaufstellen für qualifizierte Informationen, Therapievermittlung und Forschung

[1] Gesellschaft für Psychotraumatologie Die deutschsprachige Gesellschaft für Psychotraumatologie bildet als wissenschaftliche Fachgesellschaft (AWMF) das deutschsprachige Forum für Ärzte, Psychologen, Psychotherapeuten und Vertreter anderer Berufsgruppen, die mit Betroffenen von Traumafolgestörungen in Kontakt kommen. Experten finden Informationen zu aktuellen Weiterbildungsangeboten, den entsprechenden Instituten und aktuell laufende Studien zum Thema Traumafolgestörung. Für Betroffene finden sich Informationen zu Krankheitssymptomen und zu psychosozialen Folgen traumatisierender Erfahrungen als auch Empfehlungen, wie nahestehende Personen traumatisierte Menschen unterstützen können. Darüber hinaus besteht die Möglichkeit, Gutachter (DeGPT), Traumapädagogen, traumazentrierte Fachberater sowie Klinische und Gesundheitspsychologen (Österreich) mit dem Zertifikat „Spezielle Psychotraumabehandlung" (DeGPT) zu suchen. Als zusätzliches Therapieangebot steht die im Auftrag der Bundeswehr und dem Psychotraumazentrum Berlin entwickelte AppCoachPTBS [18] als Wegweiser bei psychischen Folgestörungen und Einsatzfolgen zur Verfügung.

[2] European Society of Traumatic Stress Studies Die European Society of Traumatic Stress Studies ist seit 2009 offiziell die europäische Dachorganisation nationaler und internationaler Traumagesellschaften oder -organisationen. Zurückgehend auf das Europäische Trauma-Netzwerk für Fachleute auf dem Gebiet der Psychotraumatologie stehen neben Vernetzungsarbeit heute insbesondere das Teilen von Fachwissen und der Erfahrungsaustausch im Vordergrund. Der englischsprachige Internetauftritt stellt zahlreiche Fachpublikationen und Informationen zu Neuigkeiten und Veranstaltungen zur Verfügung. Hauptziel der ESTSS Task Force ist es, ein besseres Verständnis der Behandlungsmöglichkeiten für traumatische Belastungszustände zu vermitteln. Es besteht die Möglichkeit, im Rahmen eines europaweiten Trainings das ESTSS General Certificate in Psychotraumatology zu erwerben. Zusätzlich ist die ESTSS Herausgeber des European Journal of Psychotraumatology [13].

[3] Ueberleben.org Insbesondere Überlebende von menschengemachten Traumata wie Folter und Kriegsgewalt mit Sprachbarriere finden hier adäquate Hilfe. In der Rubrik „Hilfe finden" stellt das Zentrum ÜBERLEBEN (vormals Behandlungszentrum für Folteropfer e. V., Berlin) mehrsprachige Informationsflyer zu Therapiemöglichkeiten und entsprechende Kontaktdaten zur Verfügung. Die Internetseite informiert über das umfangreiche Versorgungsangebot mit Schwerpunkten in den Bereichen Medizin, Psychotherapie, Sozialarbeit, diverse Therapien, Sprachmittlung und Beratung, u. a. zu rechtlichen Fragen und den Themen beruflicher Orientierung und Qualifizierung. Für Fachleute werden Lehr- und Fortbildungsveranstaltungen sowie Supervision und Schulungen für den Umgang mit besonders schutzbedürftigen Flüchtlingen angeboten.

[4] Deutsche Institut für Psychotraumatologie DPIT e. V. Der gemeinnützige Verein mit Fokus auf die akute Versorgung Betroffener von psychischen Traumata orientiert sich am Lebenswerk des Kölner Pioniers der Traumaforschung G. Fischer. Betroffene und Interessierte finden hilfreiche Informationen über entsprechende Praxiseinrichtungen, Hilfe zur Selbsthilfe und Informationen zum Therapievorgehen bei Missbrauchsfällen. Für Experten werden Weiterbildungsmöglichkeiten im Bereich Traumatherapie und Psychotraumatologie mit Literaturempfehlungen für Therapeuten bereitgestellt. Von diesem Institut wird auch die Zeitschrift Trauma [14] herausgegeben. Inhaltlich werden in einem breiten interdisziplinären Dialog Erkenntnisse der Psychotraumatologie in Disziplinen und Praxisfeldern verankert. Die Internetpräsenz des Asanger Verlags bietet die Möglichkeit zur kostenpflichtigen Einsicht und Download ausgewählter Themenhefte.

[5] GewiSS e. V. GewiSS e. V. wurde 2012 von Prof. Dr. T. Loew, Lehrstuhlinhaber für Psychosomatische Medizin an der Universität Regensburg, als Verein gegründet, um traumatisierten Menschen eine Anlaufstelle zu bieten. Basierend auf seinen Forschungsarbeiten, die sich insbesondere mit der Wirksamkeit funktioneller Entspannung befassen, bietet die Internetseite Informationen zu den Themen Trauma und Burnout sowie die Möglichkeit, themenbezogene Bücher und DVDs zu erwerben und sich zur Ausbildung zum Traumahelfer anzumelden. Experten können kostenfrei Diagnoseinstrumente zur Erfassung von Trauma und Traumafolgen downloaden.

[6] Gesellschaft für Psychotraumatologie, Traumatherapie und Gewaltforschung GPTG e. V. Die Gesellschaft ist eine Vereinigung praktisch tätiger Traumatherapeuten und Traumahelfer im nicht akademischen Bereich. Ihre Internetseite bietet Informationen zum Thema Hilfe und Beratung nach psychischen Traumata. Mit Hilfe der Traumakompetenzliste und Expertenliste der GPTG e. V. können Betroffene nach Traumatherapeuten und psychotraumatologisch geschulten Fachkräften suchen. Therapiemethoden und Finanzierungswege einer ambulanten Psychotherapie werden aufgezeigt. Experten erhalten Auskunft zu aktuellen Arbeitskreisen der GPTG e. V.

[7] Trauma-Informations-Zentrum Hinter dem Trauma-Informations-Zentrum verbirgt sich im Grunde die Praxis einer Psychologischen Psychotherapeutin. Betroffene und deren helfendes Umfeld erhalten Informationen zu relevanten Themenbereichen im Kontext traumatisierender Erfahrungen, wobei die Auswahl sehr auf die Praxis und die Veröffentlichungen der Herausgeberin fokussiert ist. Neben ausgewählten Literaturhinweisen stehen auch Verweise auf themennahe Seiten zur Verfügung. Zusätzlich besteht die Möglichkeit, nach Therapeuten, Beratungsstellen, Kliniken oder Weiterbildungsangeboten für Fachkräfte zu suchen. Betroffenen bietet der Blog [17] neben verschiedenen Selbsthilfestrategien auch weitere Materialien und Hinweise rund um das Thema Traumafolgestörung (Film- und Videobeiträge, konkrete Übungen z. B. im Umgang mit Symptomen und zur Steigerung von Achtsamkeit).

Angebote bei spezifischen Traumatisierungen

[8] Hilfe bei Einsatzschäden der Bundeswehr Das Bundesministerium der Verteidigung und die Beauftragten für Posttraumatische Belastungsstörungen und Einsatzgeschädigte bieten Angehörigen der Bundeswehr Informationen zu Möglichkeiten, wie von PTBS betroffene Soldaten auf Standortebene, bei Truppenärzten, Truppenpsychologen, Sozialarbeitern oder Militärseelsorgern Hilfe bekommen können. Neben der Möglichkeit eines Onlinetests als anonymes, niedrigschwelliges Instrument zur Einschätzung der Stressbelastung steht auch eine Telefonhotline zur Verfügung. Angehörige und Hinterbliebene haben zudem die Möglichkeit, an Fachberatungsseminaren teilzunehmen.

[9] Angriff auf die Seele Unter dieser ebenfalls von der Bundeswehr herausgegebenen Webseite werden Grundzüge der medizinischen Behandlung vermittelt und ein Überblick über die Versorgung dauerhaft erkrankter Bundeswehrangehöriger gegeben, die in ihrem Dienst Erfahrungen mit Tod, Verwundung und Zerstörung, Kampfhandlungen und Arbeiten unter hoher persönlicher Gefährdung ausgesetzt sind. Neben grundlegenden Informationen zu PTBS besteht die Möglichkeit, in einer Onlineberatung „Rat vom Fachmann" [19] zu erhalten. Die Hotline für Anfragen zum sozialen Entschädigungsrecht beantwortet Fragen im Bereich der Beschädigten- und Hinterbliebenenversorgung, die anonyme PTBS-Hotline geht auf Fragen zur Erkrankung und zu entsprechenden Hilfs- und Behandlungsmöglichkeiten ein.

[10], [11] Weißer Ring e. V. Der gemeinnützige und bundesweit tätige Opferhilfeverein bietet schnelle und unbürokratische Hilfe für Kriminalitätsopfer an und informiert in seinem Internetauftritt u. a. über Möglichkeiten zur Prävention, zur ehrenamtlichen Mitarbeit und zur Weiterbildung. Der Verein ist zudem die erste Adresse für Stalking-Opfer, die hier persönlichen Beistand und Begleitung, u. a. zu Gerichtsterminen und der Durchsetzung des Gewaltschutzgesetzes, finden können. In der Rubrik „Hilfe für Opfer" erhalten Betroffene Auskünfte zur Hilfe vor Ort, zum Opfer-Telefon und zur Onlineberatung. Weiter wird Wissenswertes zu den Themen Opferrecht, Verhaltenstipps, Fonds sexueller Missbrauch und Standards der Opferhilfe vermittelt. Die vereinseigene Internetseite wendet sich sowohl an Betroffene wie auch an alle, die von Berufs wegen mit Kriminalitätsopfern zu tun haben. Opfer einer Straftat erhalten durch das Opfer-Telefon sowie die Onlineberatung niedrigschwellige Akuthilfe. Das Aus- und Weiterbildungsprogramm der Akademie vermittelt Fachwissen und Expertise für Laien, aber auch für externe Fachleute, die mit Opfern zu tun haben.

Fachzeitschriften

[12] Trauma & Gewalt Die Fachzeitschrift verbindet als führende Zeitschrift für Psychotraumatologie im deutschsprachigen Raum die klinische Sicht mit gesellschaftlichen Perspektiven. Auf der Internetseite des Klett-Cotta Verlags besteht die Möglichkeit, einzelne Hefte digital einzusehen bzw. zu erwerben.

[13] European Journal of Psychotraumatology (EJPT) Das Journal (open access) ist das erste und weltweit bisher einzige Open-Access-Journal der Psychotraumatologie und die offizielle Zeitschrift der ESTSS. Thematisch wird die gesamte Spanne von Diagnosen und Diagnostik bis hin zur sehr breit angelegten Interventionsforschung (präventive und kurative Interventionen, z. B. Psychotherapie, biologische und pharmakologische Interventionen, öffentliche Gesundheitsprogramme) abgedeckt. Über „einfache" und „komplexe" Traumafolgestörungen hinaus stehen auch andere traumaassoziierte Störungsbilder im Fokus, z. B. depressive Störungen, Substanzmissbrauch und Angststörungen. Die Veröffentlichungen berücksichtigen auch Menschenrechte, Sozialpolitik und für spezifische ethnische Gruppen relevante Themen.

Informationen für Betroffene: Selbsthilfe, Foren, psychoedukative Filmprojekte

Seit vielen Jahren leisten zahlreiche Selbsthilfegruppen wertvolle Unterstützung für Menschen, die unter Folgen von Traumatisierung leiden. Im Zuge der Digitalisierung haben sich diese supportiven Netzwerke um die bedeutsamen Faktoren Orts- und Zeitunabhängigkeit erweitert. Hilfesuchende können so unmittelbar in Kontakt mit anderen Betroffenen treten, ihre Erfahrungen austauschen, erste Unterstützung finden und darüber hinaus über weitere online Medien weitere Informationen gewinnen.

[15] Selbsthilfeforum Das Selbsthilfeforum zum Thema posttraumatische Belastungsstörung bietet die Möglichkeit, sich auszutauschen, einander zu verstehen und zu trösten. Die zur aktiven Teilhabe am Forum notwendige Registrierung stellt eine gewisse Hürde dar, welche dazu beiträgt, auch im Netz einen Schutzraum zu schaffen, um einen respektvollen Austausch zu gewährleisten.

[16] Elfriede Dietrich Stiftung Die Stiftung stellt gemeinsam mit der wissenschaftlichen Fachgesellschaft DeGPT im Rahmen eines dreiteiligen Filmprojekts präzise Informationen zur PTBS zur Verfügung. Das Ziel des Films besteht einerseits darin, Menschen Mut zu machen, zugleich ihr Leiden als Krankheit zu erkennen und sich andererseits professionelle Hilfe zu suchen. Anhand von Beispielen Betroffener und im Gespräch mit Fachtherapeuten werden Einblicke in die Erkrankung und die entsprechende Therapie gewährt und Genesungschancen reflektiert. Zusätzlich stehen die wichtigsten Hintergrundinformationen zu den Filmen in einem Booklet zur Verfügung (freier Download).

Hilfsangebote für Betroffene: Onlineberatung und -therapie

Angesichts der dramatischen Unterversorgung mit wohnortnahen Beratungs- und Therapieplätzen und unzumutbar langen Wartezeiten stellt die in einer Vielzahl von internationalen Studien nachgewiesene Wirksamkeit von internetbasierten Therapieangeboten einen niedrigschwelligen und zeitnahen Einstieg in die psychotherapeutische Behandlung von Traumafolgestörung dar.

[20] PTBS-Onlinetherapie der Bundeswehr Die internetbasierte Psychotherapie der Bundeswehr bietet im Rahmen einer wissenschaftlichen Studie traumatisierten Soldaten eine niedrigschwellige Therapiemöglichkeit. Im Rahmen einer internetbasierten Schreibtherapie finden wissenschaftlich geprüfte verhaltenstherapeutische Therapieansätze, die sich bewährt haben, ihre Anwendung. Der Internetauftritt bietet allgemeine Informationen, Informationen zum Studienablauf und den Studieninhalten sowie die Möglichkeit der Registrierung zur Teilnahme an der internetbasierten Schreibtherapie.

[21] Instahelp.me Die Onlineberatung vereinfacht Ratsuchenden den Zugang zu psychologischer Betreuung. Hierbei wird über chatbasierte Kommunikation eine Onlineberatung in Echtzeit durch ausgebildete Psychologen angeboten. Das kostenpflichtige Beratungsangebot ist rund um die Uhr und anonym verfügbar. Zusätzlich stehen in der Rubrik „Ratgeber" neben einem Selbsttest weitere Informationsmaterialien zur Verfügung.

[22] Psychotherapeutisches Zentrum der Universität Zürich Das Zentrum bietet auf einer geschützten Internetplattform die Möglichkeit einer (kostenfreien) schreibbasierten Therapie zu den Schwerpunkten Trauma und posttraumatische Belastungsstörungen (Traumatherapie), Depressionen, anhaltende schwere Trauer und Anpassungsstörungen. Die Kommunikation zwischen Klienten und Therapeuten erfolgt mit Zeitverzug, wobei neben einer generellen Informationsvermittlung die intensive, persönliche Auseinandersetzung mit dem auslösenden Ereignis und relevanter Themen durch einen fest zugeordneten Psychologen begleitet wird. Darüber hinaus werden die Betroffenen darin unterstützt, wieder positive Lebenserfahrungen zu machen und wichtige Lebensziele wiederzufinden, die mittels möglichst konkreter Maßnahmen geplant und umgesetzt werden sollen. Die Wirksamkeit dieses Programms wurde bereits in Studien nachgewiesen. Auf der Seite des Lehrstuhls können auch validierte Fragebögen zur Diagnostik, u. a. bei Anpassungsstörungen (ADNM-20) und der PTBS (IES-R), kostenfrei heruntergeladen werden.

▸ **Tab. 1** Übersicht der zitierten Webseiten.

Referenz	Kurzbeschreibung	Webadresse
Fachgesellschaften und Fachkreise		
[1]	DeGPT – Deutschsprachige Gesellschaft für Psychotraumatologie	degpt.de
[2]	European Society of Traumatic Stress Studies	estss.org
[3]	Zentrum ÜBERLEBEN	ueberleben.org
[4]	DIPT – Deutsches Institut für Psychotraumatologie	psychotraumatologie.de
[5]	GewiSS e. V.	gewiss-ev.de
[6]	GPTG – Gesellschaft für Psychotraumatologie, Traumatherapie und Gewaltforschung	gptg.eu
[7]	Trauma-Informations-Zentrum	t-i-z.de
Angebote bei spezifischen Traumatisierungen		
[8]	PTBS-Hilfe	ptbs-hilfe.de
[9]	Angriff auf die Seele – psychosoziale Hilfe für Angehörige der Bundeswehr e. V.	angriff-auf-die-seele.de
[10]	WEISSER RING e. V.	weisser-ring.de
[11]	Infovictims	infovictims.de
Fachzeitschriften		
[12]	Trauma & Gewalt	klett-cotta.de/zeitschrift/Trauma_Gewalt/7821
[13]	European Journal of Psychotraumatology	tandfonline.com/toc/zept20/current
[14]	Trauma – Zeitschrift für Psychotraumatologie und ihre Anwendungen	asanger.de/zeitschriftzppm/
Informationen für Betroffene		
[15]	PTBS-Forum	ptbs-forum.de
[16]	Elfriede Dietrich Stiftung	e-dietrich-stiftung.de
[17]	Du bist frei!	du-bist-frei.org
Onlineberatung und -therapie		
[18]	App CoachPTBS der DeGPT	itunes.apple.com/de/app/coach-ptbs/id1120623591?mt=8 play.google.com/store/apps/details?id=de.unibw.tudresden.ptbscoach
[19]	Rat vom Fachmann	angriff-auf-die-seele.de/rat-vom-fachmann/
[20]	Internetbasierte Psychotherapie der Bundeswehr	therapie.ptzbw.org
[21]	Onlineberatung instahelp	instahelp.me
[22]	Universitäre Internettherapien der Universität Zürich	psychologie.uzh.ch/de/bereiche/hea/psypath/Psychotherapie/Onlintherapie.html
[23]	Onlinebasierte Selbsthilfeangebote der Universität Bern	online-therapy.ch/sa/index2.html

Sie möchten die Links direkt abrufen? Über den nebenstehenden QR-Code gelangen Sie zu dieser Tabelle.

[23] Online-Selbsthilfe Im Rahmen der Forschungsarbeit des Berner Universitätsprofessors T. Berger haben Hilfesuchende die Möglichkeit, im Rahmen diverser Validierungsstudien, ortsungebunden an wissenschaftlich fundierten und begleiteten, onlinebasierten Selbsthilfeangeboten teilzunehmen. Die Angebote erstrecken sich von internetbasierter Selbsthilfe nach Schicksalsschlägen über Angebote zu klinischen Störungsbildern wie Depression, Angst oder Psychose, bis hin zur internetbasierten mitgefühlsfokussierten Selbsthilfe bei Arbeitsstress. Die Teilnahme an besagten Angeboten ist aufgrund des Studiencharakters kostenfrei, jedoch zeitlich limitiert.

FAZIT

Aufgrund der zahlreichen Treffer zum Thema Trauma ist ein kritischer Blick auf die auffallend umfangreichen Angebote besonders bedeutsam, da sich hinter den meist sehr offiziellen Aufmachungen oft keine Fachgesellschaften oder qualitätsgesicherte Angebote, sondern vielmehr Internetseiten privater Institute, einzelner Psychotherapiepraxen oder kommerzieller Anbieter verbergen. Dieser Umstand stellt sowohl Betroffene als auch Fachleute vor die Herausforderung, die Spreu vom Weizen zu trennen.

Autorinnen/Autoren

Alexa Kupferschmitt

Jahrgang 1991; 2014 B.Sc. Psychologie in Heidelberg, 2016 Master of Science in klinischer Psychologie und Psychotherapie an der Medical School Berlin, seit 2014 Weiterbildung „Systemische Therapie & Beratung (MAGST)“, seit 2017 Ausbildung zur Verhaltenstherapeutin und als Bezugstherapeutin in der Abteilung Psychosomatik und Verhaltenstherapie im Reha-Zentrum Seehof der DRV Bund in Teltow tätig.

Korrespondenzadresse

Alexa Kupferschmitt
Reha-Zentrum Seehof
Lichterfelder Allee 55a
14513 Berlin
alexa.kupferschmitt@googlemail.com

Bibliografie

DOI https://doi.org/10.1055/a-0771-5260
PiD - Psychotherapie im Dialog 2019; 20: 105–109

ISSN 1438-7026

Fachbuch

Handbuch der Psychotraumatologie

G. H. Seidler, H. J. Freyberger, A. Maercker, 871 Seiten, Stuttgart: Klett-Cotta Verlag; 2015, 100,00 € (gebunden), ISBN 9783608948257

Die Herausgeber bieten mit diesem umfassenden Werk eine wissenschaftliche Zusammenschau zum Thema Psychotraumatologie. In 8 Kapiteln und über 60 Unterkapiteln beschreiben verschiedene AutorInnen die Themen. Somit sind die Unterkapitel autonom verstehbar. Das Handbuch kann durch die Kapiteleinteilung gut als Nachschlagewerk genutzt werden. Neben der Darstellung der Traumatheorien verschiedener therapeutischer Schulen werden mögliche Folgen beschrieben (u. a. Verbitterungsstörung, Patienten in der Gynäkologie, Trauma und Demenz). Das Kapitel „Spezifische Ereignisfolgen" ist nach dem auslösenden Ereignis gegliedert und behandelt beispielsweise Themen wie Erwerbslosigkeit oder mögliche Nebenwirkungen und Missbrauch in der Psychotherapie. Es folgen Informationen zu Traumatisierung in Abhängigkeit zur Lebensspanne, dem gesellschaftlichen und kulturellen Kontext und schließlich zu therapeutischen Möglichkeiten der Intervention. Zu guter Letzt werden noch Schnittstellen von Psychotraumatologie und Justiz vorgestellt. Am Spektrum der Themen wird deutlich, dass ein großer Rahmen gespannt wird, der mit vielen spezifischen Elementen und wissenschaftlichen Quellen bereichert wird.

Fachbuch

Schonende Traumatherapie

M. Sack, 232 Seiten, Stuttgart: Schattauer Verlag; 2010, 39,99 € (gebunden), ISBN 9783608426489

Dieses Buch beschreibt, wie das traumatherapeutische Vorgehen modifiziert werden kann, um nicht im „Schonklima permanenter Stabilisierung" stecken zu bleiben. Die klassische Einteilung in die 3 Phasen der Traumatherapie (Stabilisierung, Traumabearbeitung und Wiederanknüpfung) wird in diesem Konzept flexibilisiert. Der Autor schlägt eine Verschränkung der stabilisierenden und konfrontativen Elemente in der Therapie vor. Theoretische Grundlagen sowie Diagnostik werden praxisnah und in leicht verständlicher Sprache dargestellt. Zahlreiche Fallbeispiele und Tabellen bieten praktische Hilfestellung zu Ressourcenaktivierung, Behandlung und schonender Konfrontation. Abschließend wird die Umsetzung des vorgestellten Konzepts erläutert. Hierbei werden entweder traumatische Erinnerungen mit einbezogen oder der Fokus auf die traumaassoziierte Alltagssymptomatik gelegt. Der Autor greift in seinem Ansatz bestehende Therapieverfahren auf und verbindet sie zu einem einheitlichen Konzept. So kann einerseits ein Rückgriff auf die Ressourcen von PatientInnen stattfinden, anderseits auf das vorhandene Wissen und die Kompetenzen von TherapeutInnen.

Fachbuch

Komplexe Posttraumatische Belastungsstörung

L. Reddemann, W. Wöller, 109 Seiten, Göttingen: Hogrefe Verlag; 2017, 24,95 € (gebunden), ISBN 9783801723019

Die praxiserfahrenen AutorInnen beschreiben auf Basis ihres psychodynamischen Verständnisses ihr Konzept zur komplexen PTBS. Das Konzept beschreibt ein phasenweises Vorgehen, orientierend an den Phasen Stabilisierung, Traumaexposition und Trauer und Neubeginn. Es werden praxisnah spezifische Vorgehensweisen dargestellt, z. B. Imaginationstechniken, Beobachtertechnik etc. Fallbeispiele runden die Darstellungen ab. So wie andere erfahrene Kliniker merken die AutorInnen an, dass die Phasen nicht statisch zu sehen sind. Auf Basis wissenschaftlicher Befunde betonen sie, dass sich Fortschritte eher durch neue Erfahrungen als durch neue Einsichten ergeben. Den missachteten Grundbedürfnissen der komplex Traumatisierten trägt das Konzept über strukturbezogene Interventionen und über den Ego-State-Ansatz Rechnung, immer auf der Grundlage der haltenden therapeutischen Beziehung, so dass Heilungsprozesse auf verschiedenen Ebenen angestoßen werden. Das Buch stellt durch die gezielte Auseinandersetzung mit der komplexen PTBS nicht nur eine Erweiterung des Störungsverständnisses dar, es vermag auch die Qualität der Behandlung zu vertiefen.

Fachbuch

Trauma und Traumafolgestörungen

A. Maercker, 128 Seiten, München: C. H. Beck Verlag; 2017, 8,95 €, ISBN 9783406698507

Der Autor grenzt in diesem Buch mit klarem geisteswissenschaftlichen Blick verschiedene Begriffe qualitativ gegeneinander ab: die Unterschiede zwischen der PTBS und der komplexen PTBS, die anhaltende Trauerstörung, aber auch der Borderline-Persönlichkeitsstörung und der Entwicklungstraumastörung. In einem Unterkapitel werden dissoziative Störungen zusammengefasst. Untermauert wird dies mit Fallbeispielen und Zahlen zur Prävalenz. Im weiteren Verlauf beschreibt der Autor die Entwicklungsbedingungen einer PTBS, Risiko- und Schutzfaktoren und Metaanalysen werden tabellarisch dargestellt. Auch auf neurologische und hormonelle Prozesse geht er ein. Es werden die (vergleichsweise wenigen) wissenschaftlichen Untersuchungsergebnisse zur komplexen PTBS sowie der anhaltenden Trauerstörung beschrieben. Das Buch wirkt in einem Guss geschrieben und besticht durch seine Klarheit. Es vermag somit die Intention des Autors zu verwirklichen, „Brücken des Verstehens zu errichten", falls man im Dschungel der Begrifflichkeiten den Überblick verloren hat.

Fachbuch

Systemische Traumatherapie

A. Kissenbeck, R. Hanswille, 398 Seiten, Heidelberg: Carl-Auer Verlag; 2014, 34,00 € (gebunden), ISBN 9783896707536

Das Buch gibt SystemikerInnen einen Überblick über den Stand der Forschung, ist aber auch für TraumatherapeutInnen interessant, die über den Tellerrand des individuumzentrierten Ansatz hinausschauen wollen. Als System bezeichnen die AutorInnen zum einen das innere System, im Sinne des mulitplen Ich, z. B. im Ego-State-Ansatz, der Inneren-Kind-Arbeit etc. Zum anderen geht es um das äußere System, wie etwa das Trauma auf die Beziehungen wirkt, oder der soziale Bezugsrahmen als Ressource genutzt werden kann. Im 1. Teil wird ein Überblick über die Grundlagen der Theorie und Behandlung gegeben. Die Interventionen werden anschaulich präsentiert, so dass sie direkt in die praktische Arbeit einfließen können. Der 2. Teil des Buches liefert für die Arbeit mit Kindern, Jugendlichen und Familien zahlreiche Hilfestellungen. Die AutorInnen beschreiben ihr Konzept in einer Weise, dass der Nutzen und die Relevanz des systemischen Verständnisses nur folgerichtig erscheinen. Die Ressourcen- und Kompetenzorientierung durchzieht das ganze Buch, es stellt eine spürbare Bereicherung für die Arbeit mit traumatisierten Menschen bzw. Systemen dar.

Fachbuch

EMDR in der Psychotherapie der PTBS

K. Böhm, 201 Seiten, Heidelberg: Springer Verlag; 2016, 39,99 € (gebunden), ISBN 9783662478929

Dieses Buch soll TraumatherapeutInnen helfen, EMDR effektiv in die Gesamtbehandlung zu integrieren, da der Behandlungserfolg, wie der Autor betont, maßgeblich von dem „strukturierten und genauen Anwenden von EMDR" abhänge. EMDR wird hier nicht ausschließlich im Sinne einer eng umrissenen Behandlungstechnik behandelt, sondern steht für den gesamten Behandlungsweg. Diesem Weg folgend wird der Leser sicher durch die Kapitel geführt, versehen mit regelmäßigen Zusammenfassungen und Fallbeispielen. Beschrieben werden der Nutzen der Methode, Behandlungsaufbau, Symptomatik und Diagnostik der PTBS sowie der komplexen PTBS, Beziehungsgestaltung. Nach dem Thema Sicherheit und Wahl des Behandlungssettings folgt die Stabilisierungsphase, auf die die Traumabearbeitung aufbauen kann. Hier wird die EMDR-Technik ausführlich beschrieben, sowohl die klassische visuelle als auch die Stimulation durch taktile und akustische Reize. Der Umgang mit interdisziplinären Themen, die die Integration des Traumas erschweren können, wird genauso beschrieben wie komorbide Störungen. Wer für die EMDR-Arbeit eine klare Struktur und Anleitung sucht, wird in diesem Buch fündig.

Fachbuch

Psychotherapie nach Flucht und Vertreibung

M. Borcsa, C. Nikendei, 206 Seiten, Stuttgart: Thieme Verlag; 2017, 24,99 € (Broschur), ISBN 9783132407459

Brandaktuell liefern die AutorInnen diesen Leitfaden für die Praxis, eine professionelle Hilfestellung für die therapeutische und betreuende Arbeit mit Geflüchteten. Die Kapitel gliedern sich in kurz und treffend beschriebene Unterkapitel unterschiedlicher AutorInnen, begleitet von zahlreichen Fallbeispielen. Jedes Kapitel wird mit einem Fazit und einem umfangreichen Quellenverzeichnis abgeschlossen. Einführend werden rechtliche und versorgungsrelevante Rahmenbedingungen und Prävalenzen dargestellt. Darauf folgend geht es um sprachliche, institutionelle und interkulturelle Einflüsse auf die Therapie, um anschließend diverse Verfahren der Behandlung der Traumafolgestörungen vorzustellen. Umsichtig wird auch das Thema der Belastung und Selbstfürsorge, insbesondere die Sekundärtraumatisierung, ausgearbeitet. Der Praxisleitfaden mit Überblick über die Diagnostik und spezielle Einrichtungen sowie das Sachverzeichnis erleichtern es den LeserInnen, sich schnell zurechtzufinden. Die AutorInnen verstehen es, die Besonderheit in der Arbeit mit Geflüchteten aufzugreifen und bieten den HelferInnen ein gut strukturiertes, übersichtliches Handbuch.

Fachbuch

Kriegsschauplatz Gehirn

T. H. Loew, 135 Seiten, Gießen: Psychosozial-Verlag; 2017, 10,00 € (Broschur), ISBN 9783837927207

In dem Titel „Kriegsschauplatz Gehirn" steckt die Intention des Autors, Folgen der Kriegstraumata sowohl aus neurologischer als auch aus psychosomatischer Sicht für den Laien darzustellen. In Anbetracht der Flüchtlingskrise und der Geschichte des deutschen Volkes untermauert er die Darstellungen der Traumafolgen mit ausführlichen Fallbeispielen aus verschiedenen Kontexten. Er streift dabei Fragen zu gutachterlichen Stellungnahmen und beschreibt die Folgen schwerwiegender Ereignisse, mehr im Erzählstil denn als wissenschaftliche Abhandlung sowie die Versorgungslandschaft in Deutschland, so dass Interessierte informiert werden, wie die Behandlung auf ganz praktischer Ebene gestaltet werden kann. Der Autor beschreibt, wie der Mensch auf das Trauma reagiert, sowohl auf emotionaler, gedanklicher, als auch auf körperlicher Ebene. Das letzte Drittel des Buches widmet sich der Frage „Was können wir tun?" und bietet ein „Entspannungs-ABC" mit Tipps zur Selbsthilfe. Das Buch ist sozusagen eine Collage – verschiedene Themen werden angerissen, um den Blick und das Verständnis für die Folgen vielschichtiger Traumatisierungen zu öffnen.

Ratgeber

Ratgeber Trauma und PTBS

T. Ehring, A. Ehlers, 73 Seiten, Göttingen: Hogrefe Verlag; 2012, 8,95 € (Broschur), ISBN 9783801718398

Der Ratgeber liefert einen klaren und gut verständlichen Überblick für Betroffene einer posttraumatischen Belastungsstörung sowie deren Angehörige. Er ist gegliedert in Erklärung, Definition und Genese, wobei Fallbeispiele und Merkkästchen das Verständnis unterstützen. Im weiteren Verlauf finden sich erste Schritte zu förderlichem Verhalten, wie etwa die Beschreibung selbstfürsorglichen Verhaltens und schlafhygienischer Maßnahmen. Gut aufgegriffen können die Anregungen in einer Therapie, über das Trauma zu sprechen oder zu schreiben, sowie Vermeidungs- und übertriebene Sicherheitsmaßnahmen abzubauen. Allerdings betonen die AutorInnen, dass es sich nicht um ein Selbsthilfebuch handelt und keine Therapie ersetzt. Vielmehr wird erläutert, wann eine Behandlung sinnvoll ist. Anschließend wir ein kurzer Überblick über die verschiedenen Behandlungsmöglichkeiten gegeben. Die kognitiv-verhaltenstherapeutische Behandlung wird ausführlicher dargestellt. Angehörige finden im letzten Kapitel Tipps zum Umgang mit den Betroffenen. Der Ratgeber ist ein guter Wegbereiter für PatientInnen für eine ambulante Psychotherapie, gleichzeitig erleichtert er die psychoedukative Arbeit von TherapeutInnen.

Ratgeber

Ratgeber Posttraumatische Belastungsstörung

R. Rosner Rita, R. Steil, 56 Seiten, Göttingen: Hogrefe Verlag; 2009, 8,95 € (Broschur), ISBN 9783801718190

Wenn Lehrer, Eltern oder Betroffene auf das Kind zugeschnittene Literatur suchen, werden sie mit diesem Ratgeber fündig. Die Autorinnen schreiben: „Das Ziel des Buches ist Wissensvermittlung und eine Ermutigung, professionelle Helfer aufzusuchen." Ob dies notwendig ist, hilft der Ratgeber zu klären, indem er die typischen Symptome der PTBS beschreibt, wann diese auftreten können und wann sie als posttraumatische Belastungsstörung bezeichnet werden. Selbstverständlich betonen die Autorinnen, dass der Ratgeber nicht die Diagnose stellen kann. Immer wieder werden wesentliche Unterschiede zu erwachsenen Betroffenen herausgearbeitet und auch Folgen der komplexen Traumafolgestörung beschrieben. Die Fallbeispiele sind weit gestreut und erstrecken sich von singulären Typ-I-Traumata bis zu Kindern mit Kriegserfahrungen. Besonders hilfreich sind die Beschreibung der möglichen Folgen (Ängste, Aggressionen und Depressionen etc.) und die ganz konkreten Ratschläge für die Eltern betroffener Kinder. Zweifelsohne hilft der Ratgeber, das Verständnis zu erhöhen und die Sicherheit der Bezugspersonen im Umgang mit den Betroffenen zu stärken.

Autorinnen/Autoren

Diana Flory

Dipl.-Psych.; Psychologische Psychotherapeutin, Verhaltenstherapeutin, Ego-State-Therapeutin, Hypnotherapie; seit 2010 in eigener Praxis tätig.

Korrespondenzadresse

Dipl.-Psych. Diana Flory

Bonifatiusstr. 20
76863 Herxheim
post@praxis-flory.de

Traumafolgestörungen

Traumatherapie – es bleibt spannend!

102 Heftseiten zum Thema Trauma und Traumatherapie liegen nun hinter uns – für Sie als LeserInnen und für uns als HerausgeberInnen. Unser Eindruck ist, dass dieses Feld nach wie vor ebenso lebendig wie konfliktreich ist. Das erste Mal seit längerer Zeit haben wir in einem PiD-Heft wieder drei Standpunkte-Artikel, die das alte Spannungsverhältnis zwischen der Realität der Traumatisierung, deren Begegnung mit Lebensgeschichten und den manchmal aus diesen folgenden Verarbeitungsformen deutlich werden lässt. Unter den Heftherausgebern sorgte der Artikel von Ilka Quindeau für Kontroversen: Eine Seite (wenn es denn nach Schulen gesehen werden sollte, die verhaltenstherapeutische) erlebte die Ausführungen als Opferpathologisierung und kann insofern den Inhalt und auch die Sprache nicht mittragen. Die andere Seite kann zwar die Kritik am distanziert, von außen beobachtenden Gestus des Artikels nachvollziehen. Sie begrüßt aber, dass der Text das im klinischen Alltag manchmal sehr auf das reine Ereignis eingeengte Traumaverständnis erweitert und auch soziologische Perspektiven aufwirft. Wir sind neugierig, wie unsere LeserInnen das sehen...

Am Ende des Heftes steht der Beitrag von Wöller zur therapeutischen Beziehung in der psychodynamischen Behandlung komplex traumatisierter Patienten. Dieser wird wahrscheinlich weniger Abwehrreflexe auslösen, sondern kann hoffentlich schulenübergreifend als bereichernd für die eigene therapeutische Arbeit erlebt werden. Bei Meiser-Storck geht es hingegen aus verhaltenstherapeutischer Sicht um den Umgang mit der „Ahnung einer Traumatisierung" im Spannungsfeld zwischen einer äußeren Realität, die die Patientin zu rekonstruieren versucht, und der nachträglichen Interpretation und Ausgestaltung von Erinnerungsfragmenten.

Innerhalb dieses Spannungsbogens wird deutlich, was sich auf dem Feld der Traumatherapie in den letzten 20 Jahren verändert hat. Im diagnostischen Bereich führt die ICD-11 zur Einführung der von PraktikerInnen schon lange geforderten Diagnose „komplexe PTBS". Das wegen seiner unscharfen Definition bei Klinikern beliebte und bei Forschenden unterschätze Störungsbild der Anpassungsstörung wurde mit eigenen Symptomkriterien neu konzeptualisiert. In der Therapieforschung kam es zu zahlreichen therapeutischen Modifikationen für unterschiedliche Patientengruppen. Eine besondere Herausforderung stellt die Traumatherapie bei Geflüchteten dar, auch weil die Therapie oft nur mit Hilfe von Sprachmittlung möglich ist. Besser erforscht und verstanden wurden sowohl die biologischen Grundlagen der PTBS als auch die körperlichen Folgen einer psychischen Traumatisierung.

Wir sind gespannt auf Ihre Reaktion auf dieses Heft und würden uns über Zuschriften und einen kritischen Diskurs sehr freuen.

Prof. Volker Köllner
Prof. Maria Borcsa
Prof. Henning Schauenburg

Fallbericht PTBS – „Das Schlimmste ist das Gefühl der Hilflosigkeit"

Ein 55-jähriger, in den letzten 17 Jahren als Einkaufsleiter tätiger Koch kommt arbeitsfähig nach adäquater Auslösung seines implantierten kardialen Defibrillators (ICD) bei Kammerflimmern 2015 mit einem ausgeprägten Gefühl der Hilflosigkeit zur psychokardiologischen Rehabilitation.

Anlass der Therapie

Angaben zur Person Der 53-jährige Einkaufsleiter kommt auf Empfehlung seines Hausarztes, des Psychiaters sowie des Psychotherapeuten zur psychokardiologischen Rehabilitation [1][2]. Der 2-fache Vater und 4-fache Großvater ist zum wiederholten Mal verheiratet und hat 2007 einen Herzinfarkt bei 1-Gefäß-KHK und ischämischer Kardiomyopathie NYHA I-II überlebt. Einen zuvor über Jahrzehnte praktizierten Drogenkonsum (Haschisch, Heroin, Crack, Amphetamine, Cannabis) habe er nach dem Herzinfarkt sofort und vollständig beendet. Nach dem Infarkt war primärprophylaktisch eine ICD-Implantation erfolgt. Aufgrund von Kammerflimmern löste der Defibrillator noch im gleichen Jahr bei der Arbeit aus und es kam zu einer Serie von über 10 Schocks, bis das Kammerflimmern beendet werden konnte.

Symptomatik

Intrusionen Der Patient beschreibt, unter dem bis heute wiederkehrend und häufig aufkommenden Gefühl zu leiden, das er kurz vor Auslösung des Defibrillators gehabt habe. Angst vor dem Tod habe er in diesem Zusammenhang nicht; vielmehr belaste ihn das Erleben einer ausgesprochenen Hilflosigkeit. Dieses Gefühl habe er genau so auch schon am Tag der Defibrillatorauslösung verspürt und kenne er bereits von seinem Herzinfarkt im Jahr 2007. Dies könne spontan auftreten wie auch in Situationen, in denen sich die Umgebungshelligkeit verändere (dies habe er so nämlich auch wahrgenommen in der ursprünglich traumatisierenden Situation) oder wenn er ein Muskelzwicken verspüre.

Vermeidung Der Patient geht zwar zur Arbeit und vermeidet somit nicht den Ort, an welchem der ICD-Schock auftrat. Jedoch vermeidet er körperlich Aktivität aus Angst, sich zu überfordern und dadurch neuerliche Herzrhythmusstörungen bekommen zu können, welche zu einer erneuten ICD-Auslösung führen könnten.

Hyperarousal war außerhalb der Intrusionen nur gering ausgeprägt, weshalb die diagnostischen Kriterien für eine PTBS nicht voll erfüllt waren.

Lebensgeschichtliche Entwicklung

Kindheit Der Patient beschreibt, dass er seinen leiblichen Vater nie kennengelernt habe. Erst mit 14 Jahren habe er erfahren, dass sein Vater nicht sein leiblicher Vater war – seine Mutter habe ihn belogen. Mit dem Stiefvater sei es schwierig gewesen, er habe „gesoffen wie ein Loch" und viel geschrien. Gegenüber der Mutter sei er auch tätlich gewesen, aber nicht ihm gegenüber. Häufig habe er als Kind mit Angst zu Hause im Bett gelegen. Er habe 2 Halbbrüder: Einer sei im Jahr 2015 an Drogen verstorben, zum anderen bestehe ein guter Kontakt. Dieser sei seit Beginn der Drogenabstinenz des Patienten sogar noch besser geworden.

Beginn der Symptomatik Unmittelbar nach dem Auslösen des Defibrillators habe er seinerzeit nur kurzzeitig Ängste verspürt. Erst seit 2017 kardiale Thromben festgestellt worden seien und er auf Marcumar eingestellt worden sei, habe sich in seinem Kopf festgesetzt, dass ein derartiger Thrombus auch die Defibrillation ausgelöst haben könnte. Dies wiederum habe seine Sorge vor einem neuerlichen Kammerflimmern mit den damit verbundenen Gefühlen erhöht. Es habe sich zudem eine ausgesprochene Sensibilität gegenüber Körperphänomenen eingestellt: Sobald er etwas verspüre, assoziiere er sofort damit, dass gleich der Defi auslösen könnte.

Schule, Studium, Ausbildung In der Grundschule sei er locker zurechtgekommen. In der Realschule sei er „stinkefaul" gewesen. Wenn jedoch die Versetzung gefährdet gewesen sei, habe er viel gelernt. Er habe gemerkt, dass es nicht viel brauche, um gute Noten zu haben. Er habe dann einen guten Realschulabschluss gemacht, ohne Probleme die Lehre gemacht und seinen Meister absolviert. In dieser Zeit habe er in geringem Maße Drogen konsumiert (Cannabis). Nach der Trennung von der 1. Ehefrau sei der Drogenkonsum intensiver geworden (Haschisch, Heroin, Crack, Amphetamine u. ä.). Unter Amphetaminentzug habe er ein halbes Jahr nicht arbeiten können. Dann habe er wieder angefangen zu arbeiten. Als seine Tochter aus 1. Ehe 2001 zu ihm gezogen sei, habe er die Drogen wieder „runtergefahren". Damals sei er schon im Einkauf tätig gewesen, wo er 1999 zu arbeiten begonnen habe. Die regelmäßigen Arbeitszeiten dort hätten im gutgetan. Seit dem Infarkt habe er jegliche illegalen Drogen weggelassen und sei seither clean.

Sozialleben und Freizeit Er sei seit 2014 wiederverheiratet, zusammen seien er und seine Ehefrau seit 8 Jahren. Er sei dabei ein Haus mit der Ehefrau zu kaufen. Zu den erwachsenen Töchtern aus 1. Ehe bestehe es ein gutes Verhältnis. Er sei 4-facher Großvater. Seit seinem Herzinfarkt habe er sein Umfeld gewechselt (vorher habe er viel auf Technopartys aufgelegt); danach habe er sich zunächst eingeigelt. Der Bruder habe ihn dazu gebracht, Schach zu spielen. Darüber hätten sich gute Freund- und Bekanntschaften entwickelt. Die Freizeit verbringe er viel mit seiner Ehefrau und mit dem Schach. Soziale Unterstützung erlebe er durch Familie, Freunde und Verwandte. Die finanzielle Situation gestalte sich eher unproblematisch.

Psychischer Befund

Der freundlich-joviale Patient wirkt etwas ungepflegt und beschreibt, dass er seit Beginn der Panikattacken unter Konzentrationsstörungen leide. Er schildert mitunter schusselig zu sein, die Stimmung ist euthym bei erhaltener emotionaler Schwingungsfähigkeit. Suizidgedanken werden klar verneint. Als belastend beschreibt der Patient, dass es sich mehrmals am Tag so anfühle, als würde der Defibrillator gleich wieder auslösen. Das geschehe in Situationen, in welchen er kurzzeitig das Gefühl habe, dass alles um ihn herum heller werde; dann empfände er sich auch als extrem sensibel. Es käme dann eine Energie aus dem Bauch heraus, eine Art Feuer, begleitet von Panik. Das könne bis zu 4-mal am Tag passieren. Er habe dabei weniger Angst zu sterben, eher mache ihm das in solchen Situationen begleitend bestehende, starke Gefühl der Hilflosigkeit zu schaffen. Er vermeide übermäßige körperliche Belastungen. Der übrige psychopathologische Befund stellt sich unauffällig dar.

Er trinke ca. einmal im Monat eine 0,5-L-Flasche Bier, bei Besuch oder Feiern könnten es auch bis zu 5 werden. Er betrinke sich nicht wegen der Medikamente und aus Angst, dass da „was kommen könnte". Er rauche ca. 5 Zigarillos am Tag seit vielen Jahren. Er wolle aber mit dem Rauchen aufhören.

Testdiagnostik Im Health 49 deutlich erhöhte somatoforme Beschwerden und phobische Angst, BDI von 18 (leicht ausgeprägte Depression), im Herzangstfragebogen [3] massiv erhöhte Werte für Furcht, Vermeidung und Selbstaufmerksamkeit, im IES-R deutlich ausgeprägte intrusive Symptomatik und Vermeidung.

Peter Langner
Abt. Verhaltenstherapie und Psychosomatik, Rehazentrum Seehof der DRV Bund

Literatur

[1] Köllner V, Glatz J, Langner P et al. Psychokardiologische Rehabilitation. Ärztliche Psychotherapie 2017; 12: 219–226

[2] Rademacher W, Glatz J, Langner P et al. Psychokardiologische Rehabilitation – interdisziplinäre Behandlung als Pilotprojekt. Kardiologe 2018; doi:10.1007/s12181-018-0292-z

[3] Einsle F, Köllner V, Herzberg PY et al. Psychometrische Analysen zum Herzangstfragebogen. Verhaltenstherapie und Verhaltensmedizin 2009; 30: 439–457

Realer Behandlungsverlauf

Verhaltenstherapeutische Herangehensweise

Es besteht eine fragmentierte traumatische und dysfunktional gespeicherte Erinnerung an das Ereignis der Auslösung des ICD im Oktober 2015 im Sinne einer inkompletten PTBS sowie eine Panikstörung. Daher scheint eine EMDR-Behandlung im Rahmen eines traumafokussierten verhaltenstherapeutischen Gesamtkonzeptes einen wichtigen Baustein darzustellen. Damit wird die Auflösung dieser dysfunktionalen Erinnerung durch Reprozessieren und gleichzeitige bifokale Stimulation mit dem Ziel einer funktionalen Informationsverarbeitung angestrebt. Sowohl in der Einzel-Verhaltenstherapie als auch in der störungsspezifischen Psychokardiologie-Gruppe wurden Herzangst und Vermeidung mit kognitivem Umstrukturieren und Expositionstherapie behandelt. Die Sport- und Bewegungstherapie bot ihm einen geschützten Rahmen, um Vertrauen in seine körperliche Belastbarkeit zurückzugewinnen, aber auch um seine Grenzen kennen und akzeptieren zu lernen. Seine früher zurückliegenden traumatischen Erfahrungen und seine Drogenerfahrung wollte der Patient explizit nicht thematisieren, dies habe er für sich gut verarbeitet.

Edukation Mit dem Patienten darüber zu sprechen, dass derart außergewöhnliche Ereignisse wie das von ihm erlebte zwar nicht bei allen, aber bei vielen Menschen zu belastenden Folgesymptomen führen können und dass dies keineswegs ein Zeichen von Schwäche ist, war ein wichtiger erster Schritt in der Behandlung. In diesem Zusammenhang sollte auch geklärt werden, was der Patient bereits über Traumabehandlung und speziell das EMDR-Verfahren weiß und wie sein Wissen erweitert werden (Integration des Ereignisses mit Reduktion der Affekte, Verblassen der Erinnerung, aber auch passagere Nebenwirkungen wie Wiedererleben der belastenden Situation). Dabei war hilfreich, den Patienten darüber zu informieren, dass er ja ohnehin mehrmals täglich mit der Erinnerung umgeht und daher das gezielte Durcharbeiten der Erinnerung nicht zwangsläufig eine Mehrbelastung darstellen muss. Ebenfalls als sehr hilfreich erlebte er die Patientenschulungen der Kardiologie, die ihm halfen, Missverständnisse bezüglich möglicher Auslöser des ICD zu klären.

Ressourcenaktivierung, Stabilisierung Neben einer individuellen und gezielten Ressourcenaktivierung sollten dem Patienten auch Stabilisierungstechniken (Lichtstrom, innerer sicherer Ort mit einem Schlüsselwort, Tresorübung, Grounding-Übung) vermittelt werden. Solche können für ihn hilfreich sein, um sich nach erfolgter Prozessierung – so nötig – auch selbst wieder beruhigen bzw. Abstand zum Erinnerten aufbauen zu können.

Entwicklung anderer Kognitionen über sich Welche generalisierte, emotional gefärbte Selbstaussage würde der Patient über sich treffen, wenn er das schlimmste Bild der Ausgangserinnerung, was es zu erfragen gilt, vor Augen hat? Was würde er heute lieber als realistische Selbstaussage über sich denken, wenn er dieses Bild vor Augen hat?

Prozessieren Das Prozessieren hat zum Ziel, den auf eine Skala von 0–10 einzuordnenden Grad der subjektiven Belastung (SUD) auf 0 zu bringen. Zudem ist es wichtig, dass der Patient die vorher erarbeitete positive Kognition in Bezug auf das schlimmste Bild der Ausgangserinnerung am Ende als sehr stimmig (7 auf einer Skala von 1–7) erlebt.

Autorinnen/Autoren

Peter Langner
Dr. med., Facharzt für Psychosomatische Medizin, Psychiatrie und Psychotherapie. Verhaltenstherapeut. Oberarzt in der Abteilung für Psychosomatik und Verhaltenstherapie des Rehazentrums Seehof in Teltow. Arbeitsschwerpunkte Verhaltensmedizin und Rehabilitation, Psychokardiologie und Traumatherapie. Verhaltenstherapeutischer Supervisor.

Kommentare

Systemische Perspektive

Meine therapeutische Aufmerksamkeit wird besonders auf die Veränderung seines Lebenswandels gezogen. Ich vermute, dass der Klient – ausgelöst durch den eigenen Herzinfarkt 2007 und durch den Tod des Halbbruders aufgrund von Drogenkonsum 2015 – mit seiner Endlichkeit konfrontiert wurde. Diese Konfrontation hat er für sich nutzbar gemacht, indem er seinen Drogenkonsum beendet hat und sich damit für das Leben entschieden hat. Ich nehme einen deutlichen Unterschied vor und nach dem Herzinfarkt wahr. Bei mir entsteht ein Bild von einem Partylöwen, der nun in einem sicheren Hafen ankert. Wie würde er diese Veränderungen in seinem Leben beschreiben? Welche Aspekte vermisst er, welche schätzt er?

Arbeit mit dem Lebensfluss Eine Arbeit mit dem Lebensfluss-Modell könnte den Klienten darin unterstützen, die stattgefundenen Veränderungen zu erkennen, die Bedeutung des Herzinfarktes als Wendepunkt zu markieren und gleichzeitig wieder zu dekonstruieren. Besonderes Augenmerk würde ich auf seine Fähigkeiten und Ressourcen vor und nach dem Herzinfarkt lenken, damit er sich selbst wieder als handelnden Menschen und in seiner Selbstwirksamkeit wahrnehmen kann. Möglicherweise kann es hier nützlich sein, zu betonen, dass es ihm im Gegensatz zu seinem Halbbruder gelungen ist, einen anderen Weg einzuschlagen. Darüber hinaus lassen sich hier viele Aspekte jenseits der Symptomatik integrieren, wie z. B. sein beruflicher Werdegang, seine Beziehungsgestaltung zu seinen Töchtern, etc.

Sowohl als auch – statt entweder oder. Arbeit an Anteilen Die Persönlichkeitsanteile, die ihn in der Zeit vor dem Herzinfarkt als Menschen ausgemacht haben, könnten zwar aktuell in den Hintergrund getreten sein, aber sie sind nicht gänzlich verschwunden. Durch eine Arbeit mit seinen Persönlichkeitsanteilen als Symbole im Raum könnte bei ihm ein Bild entstehen, in dem alle Anteile ihre Berechtigung und einen Platz haben. Diese Arbeit könnte ihn unterstützen, indem er bestimmten Anteilen verzeiht, z. B. was er seinem Körper durch den Drogenkonsum zugemutet hat. In diesem Zusammenhang wäre es sicherlich auch möglich, zu erarbeiten, wie er früher mit Körpersensationen aufgrund des Drogenkonsums umgegangen ist und ob und wenn ja, wie ihm diese Fähigkeiten nützen könnten, um mit den aktuellen Körperphänomenen einen Umgang zu finden.

Familiensystem Als Systemikerin werfe ich immer einen Blick in das Herkunftssystem und das aktuelle Familiensystem. Bezüglich des Herkunftssystems vermute ich, dass er sich nach dem Wegfall des Drogenkonsums seinen kindlichen Gefühlen (Ängste, Hilflosigkeit) und seinem Männerbild stellen muss.

Bezüglich der Kernfamilie wäre ich neugierig, mehr darüber zu erfahren, wie viel die Ehefrau über sein Leben vor dem Herzinfarkt weiß und wie beide die Rollen in ihrer Partnerschaft beschreiben würden. Wenn er daran Interesse hätte, würde ich die Ehefrau zu einem Angehörigengespräch einladen.

Autorinnen/Autoren

Claudia Dahm-Mory
geboren 1972, ist Psychologin, systemische Einzel-, Paar- und Familientherapeutin (SG), systemische Supervisorin (SG) und CBASP-Therapeutin und -Trainerin. Nach 20 Jahren klinischer und Forschungstätigkeit in der psychiatrischen Klinik der Universität Leipzig ist sie seit 2017 selbständig. Hier hat sie 3 Standbeine: die Supervision psychosozialer Einrichtungen, eine Lehrtrainertätigkeit an systemischen (ABIS Leipzig) und verhaltenstherapeutischen Instituten und die therapeutische Arbeit in der Praxis Mehrblick, die sie 2002 mit 3 Kollegen gegründet hat.

Psychoanalytische Sichtweise

Ich beginne, den Fallbericht zu lesen und fühle mich irritiert und etwas abgestoßen von den vielen technischen Beschreibungen und Begriffen, vom Vokabular in diesem Bericht. Als die Vergangenheit des Patienten beschrieben wird, denke ich, dass er als Kind eines Alkoholikers viel Gewalt erlebt und sehr hart gekämpft und gearbeitet haben muss, um sich als Einkaufleiter eines Supermarktes „hochzuarbeiten“ und um als solcher bestehen zu können.

Der vermeintliche Vater hat geprügelt. Die Mutter hat ihn über den leiblichen Vater belogen. Der Patient hat in seiner Geschichte wenig positive Identifikationsfiguren erlebt. Der Bruder des Patienten ist an Drogen verstorben. Das erschreckt mich. Ihm wird es vermutlich auch Angst gemacht haben. Angst, die ihn sein Leben lang begleitet. Angst als überwältigendes, lebensbestimmendes Gefühl. Schon als Kind hatte er Angst, wenn der Vater die Mutter prügelte. Gleichzeitig irritiert mich der vor technischen Details und kardiologischen Fachbegriffen strotzende Bericht. Ich frage mich, ob in dieser Therapie genug Raum ist für das ängstliche, irritierte, Orientierung suchende Kind, das der Patient einmal gewesen sein muss. Ist vielleicht die vom Patienten und Therapeuten gemeinsam getragene Flucht in die Technokratisierung eine zwanghafte Abwehr der Ohnmacht und der verstörenden Ängste, die aus der Geschichte des Patienten stammen? Wo bleiben die Emotionen in dieser Behandlung?

Obgleich im Bericht von einem „Sozialleben“, von einer zweiten Ehefrau und von Töchtern und Enkelkindern die Rede ist, erscheint mir der Bericht beziehungslos. In mir entsteht kein lebendiges Bild – weder vom Patienten noch vom Therapeuten noch von seinen Beziehungen. Wie ist dieser Mann als Vater, wie als Großvater? Ich bekomme nicht wirklich einen guten Kontakt zu diesem Mann. Und ich frage mich, ob dies vom Patienten verhindert wird oder von diesen Beschreibungen des Therapeuten oder von beiden in gemeinsamer Abwehr. Ich wünsche dem Patienten, dass diese gemeinsame Abwehr reflektiert wird. Wovor hat er heute noch solche Angst? Todesangst! Ich wünsche ihm, dass das verstanden wird in dieser Therapie. Aber bis dahin scheint es noch ein langer Weg zu sein.

Autorinnen/Autoren

Silke Wiegand-Grefe
Prof. Dr. rer. nat., Dipl.-Psych., ist Psychologische Psychotherapeutin (Psychoanalyse, Tiefenpsychologie), Paar- und Familientherapeutin und hat den Lehrstuhl für Klinische Psychologie und Psychotherapie der MSH Medical School Hamburg, University of Applied Sciences and Medical University, inne. Sie leitet die Forschungsgruppe für Psychotherapie- und Familienforschung am Universitätsklinikum Hamburg Eppendorf in der Klinik für Kinder- und Jugendpsychiatrie, -psychotherapie und -psychosomatik. Außerdem ist sie als Dozentin und Supervisorin an mehreren Ausbildungsinstituten tätig.

Gabriela Adameşteanu: Verlorener Morgen

Die rumänische Suche nach der verlorenen Zeit

AB Die Andere Bibliothek 2018; ISBN: 9783847704041, 42,00 €, 564 Seiten

1914, Professor Mironescu im Gespräch mit seinem Studenten (in der Familienvilla, im Salon mit der Klematis-Terrasse): „*...Und erscheint es dir nicht auch, mein Lieber, dass aus so viel Pragmatismus und so viel Ironie nationale Ideen und Illusionen nur sehr schwer hervorgehen können? Oder, wenn sie doch entstehen, dann ist doch zu erwarten, dass wir sie sehr leicht wieder verlieren, schon bei der ersten Versuchung der Geschichte? Gerade erst ist der Himmel aufgeklart und bei der ersten Wolke wird die Sonne wieder verschwinden. Ein schöner Morgen...verdorben...verloren...*" (S. 326).

1980, Ivona (Yvonne), Professor Mironescus Tochter beim Kaffee mit Vica, ihrer ehemaligen Näherin (am selben Ort, aus dem Salon sind zwei Zimmer geworden): *Seit einer Stunde denke ich immer: Soll ich ihr heute das Geld geben, vor der Rente? Soll ich es vom Boiler-Geld nehmen? Soll ich es ihr eine Woche vorher geben und riskieren, dass sie dann immer früher kommt? Aber wenn nicht, dann muss ich in einer Woche zur Post gehen – wieder so ein Aufwand, noch mehr Mühe. (...) Ich habe sowieso schon den ganzen Morgen wegen ihr verloren! Ein verlorener Morgen!* (S. 473).

Das Buch erschien 1983 im Original und wurde nun erstmals von Eva Ruth Wemme aus dem Rumänischen ins Deutsche übersetzt. Es spannt einen soziohistorischen Bogen von über 60 Jahren. Das Portrait der wohlhabenden Familie Mironescu bildet den Kern des Werkes (Teil 2 und Teil 3, die 1914 und 1916 spielen), der von der Geschichte von Vica und ihrem Mann (Teil 1 und Teil 4, 1980) gerahmt wird. Wie in zeitversetzten, doch miteinander verwobenen Kammerspielen werden anhand dieser Figuren die Verwerfungen einer zunächst jungen und später korrupten Nation sichtbar gemacht – inklusive der Narben, die diese im Leben hinterlassen. Und wie in allen bedeutenden Romanen spielen sich kleine und große familiäre Tragödien ab. Hier sind sie eingebettet in politische Umwälzungen oder werden durch diese hervorgerufen – die mal die eine, mal die andere Seite ins Lager, ins Gefängnis bringen (auf schwer erklärliche Weise kommen die Einen wieder heraus, die Anderen hingegen nicht). Am Ende scheint der Pragmatismus zu siegen: der Neffe Vicas übergibt dem Arzt einen Umschlag, damit seine Tante im Krankenhaus bleiben kann, da sie, mittlerweile Witwe, kein Geld (und keine Kraft) mehr hat, Holz für ihren Ofen zu besorgen.

Nicht nur inhaltlich ist das Buch brillant. Der Autorin (und der Übersetzerin, die den Preis der Leipziger Buchmesse 2019 in der Kategorie Übersetzung erhielt) gelingt es durch die Polyphonie der Stimmen in Dialogen, Gedanken, Tagebuchaufzeichnungen, Träumen etc. die jeweiligen Welten einzufangen. Die verlorene Zeit ist durchwirkt mit französischen Einsprengseln, der lingua franca der kultivierten rumänischen Gesellschaft. Die Fülle dieses Wortschatzes kontrastiert hart mit der sprachlichen Armut und der Grauheit der 1980er Jahre. Die Verbannung der Familie Mironescu in das Dachgeschoss ihres Hauses (während Funktionäre – Petruţa und ihr Mann – die Bel-Etage bewohnen) zeigt sich am Endpunkt als erlernte Hilflosigkeit („*tu te laisse faire*") bei Yvonne/Ivona, der selbst der Name verstaatlicht wurde.

In der Welt von Gestern tändelte die kleine Yvonne um das Serviertischchen (und ihren Vater) herum, riskierte den Bruch des 5-Uhr-Tee-Porzellans, bis sie vom Personal aus der *hall* entfernt wurde. Als national homogenisierte Ivona erzählt sie Vica: „*Ich sehe noch, wie Mutti immer anfing: Petruţa, das Tischchen mit den Rollen und das Serviertischchen in deinem Zimmer sind Erinnerungsstücke, die mir viel bedeuten ... Wenn du bitte gut darauf achtgeben würdest ... Sie wollte sie eigentlich darauf hinweisen, nicht mehr die Ölflasche und das nasse Geschirr und die gerade erst vom Herd genommen Töpfe darauf zu stellen! (...) Aber glaub nicht, dass die keine Antwort parat hatte! ... Jetzt red'ste schon wie meine Mutter! Das war Petruţas Antwort: Meine Mutter tut auch ihr ganzes Zeugs leid, das sie hat, jetzt' mach es weg, Mama, verbrenn's Mama, das is' zu nichts mehr nütze! Das kannst du doch gar nicht alles sauber halten! Ja, ja, sagt Mama, und macht eben doch, was sie will! So sind die alten Leutchen, denen bedeutet alles was, was sie so im Haus haben, das eine erinnert sie an dies, das andere an das ...*" (S. 442).

Als die Funktionäre eine bessere Bleibe finden, möchte Yvonnes Mutter die Tischchen zum Restaurieren geben. Doch der Tischler ist bereits verstorben.

Prof. Dr. Maria Borcsa, Leipzig

Quelle: lic0001/stock.adobe.com

„Archeological site“ oder doch eher „Gerümpel“?

Von Trier bis Tripolis, von Volubilis bis Ephesos – die Mittelmeerregion (wenn man denn Rheinland-Pfalz dazu zählt) ist voll von übriggebliebenen Resten vor- und nachchristlicher Bautätigkeit. Und Ziel unzähliger Reisen, die sich mit mehr oder weniger Kultur befassen. So werden täglich Rom, Pompeji, Olympia, Delphi, Korinth, Ephesos, die Akropolis und viele andere Orte besucht. Dabei betrachtet der gemeine Tourist fasziniert z. B. Trassen, über die Schiffe 6 km über Land gezogen wurden, weil das Meer im Süden der Peleponnes so stürmisch war. Er produziert Fotos davon und verschickt sie begeistert mithilfe sozialer Medien an Adressaten, die sich wundern, was das für krumme Steine inmitten hoher Grashalme sind, die da abgelichtet wurden …

Um dieser Form von begrenzter Vorstellungskraft auf die Sprünge zu helfen, werden an manchem Souvenirstand animierte Darstellungen verkauft, die ein Abbild davon geben sollen, wie es wohl einmal gewesen sein könnte. Modern denkende Museumspädagogen bemühen sich darüber hinaus mit teilweise dramaturgisch aufgebauten digitalen Aufarbeitungen und allen möglichen technischen Tricks, Besuchern Exponate näher zu bringen, die oft nur mit viel Fantasie noch als Teil eines Gegenstandes erkannt werden können.

In der Zwischenzeit durchkämmt der hoffentlich gut „behütete“ Tourist, in den oft heißen Regionen zusätzlich ausgestattet mit Sonnenmilch, Wasserflasche und ggf. Mückenschutz, meist weiträumiges Gelände mit spärlichem Schatten, auf der Suche nach Orten, an die er sich aus dem Geschichts-, Latein- oder Griechisch-Unterricht (in gefühlt grauer Vorzeit der eigenen Lebensgeschichte) erinnert. Sätze, die mit „333“ und „Keilerei“ zu tun haben, machen die Runde unter deutschsprachigen Schicksalsgenossinnen, und wer nicht große Freude an Bildungsprotzerei hat, ist froh, sich doch gegen einen bekannten Studienreisenanbieter entschieden zu haben, bei dem die Ferientage eher der Agenda einer Geschäftsführung entsprechen als Erholung zu bieten. Denn, je nach Wachheits- oder Erschöpfungsgrad der Besucher, ist das, was sie da – zum Teil unter fachkundiger Führung – betrachten, irgendwann nur noch schemenhaft Ergebnis großartiger archeologischer Arbeit, sondern eher ein liegengebliebener abgebröselter Rest aus Stein, den immer noch niemand weggeräumt hat …

Dr. Bettina Wilms, Querfurt

Im nächsten Heft

Standpunkte

- State of the Art des Narzissmus-Konzeptes: Heute noch relevant? (Claas-Hinrich Lammers)
- Generation Me: Soziale Medien und Narzissmus (Julia Brailovskaia, Hans-Werner Bierhoff)
- Narzissmus in der therapeutischen Beziehung (Mareike Busmann, Sebastian Euler)

Aus der Praxis

- Diagnostische Verfahren zur Messung des Narzissmus (Hans-Werner Bierhoff, Julia Brailovskaia, Elke Rohmann)
- Das schematherapeutische Vorgehen bei narzisstischen Patienten (Eva Dieckmann, Eckhard Roediger)
- Verhaltenstherapie der narzisstischen Persönlichkeitsstörung (Thomas Schnell)
- Mentalisierungsbasierte Therapie (MBT) bei Narzisstischer Persönlichkeitsstörung: Theoretische Grundlagen und Ansätze für die Praxis (Esther Stalujanis, Sebastian Euler)
- Narzissmus und Übertragungsfokussierte Psychotherapie (Mathias Lohmer, Corinna Wernz)
- Narzissmus in der Partnerschaft und in Paartherapien (Hilmar Benecke)
- Gibt es Narzissmus im Kindes- und Jugendalter und wie äußert er sich? (Michael Lipp, Anne Karow)
- Weiblicher und männlicher Narzissmus: Gemeinsamkeiten und Unterschiede (Bärbel Wardetzki)
- Kinder von Eltern mit narzisstischer Persönlichkeit (Silke Wiegand-Grefe)

Über den Tellerrand

- Narzissmus und Macht in Politik und Gesellschaft (Hans-Jürgen Wirth)

Die nächste Ausgabe erscheint am 6. September 2019